Conectate, Volume 3

SPAN 220

UNIV OF SOUTHERN CALIFORNIA

SPANISH

create.mheducation.com

ISBN-13: 9781308975498

ISBN-10: 130897549X

Contents

i. Front Matter 1
ii. Preface 30
1. ¡Estás en tu casa! 41
2. El deporte y el bienestar 72
3. La naturaleza y el medio ambiente 103
4. La cultura y la diversión 130
5. Si la vida fuera diferente… 154
6. La amistad y el amor 178
A. Para saber más 202
B. Appendix: Verb charts 225
C. Vocabulario 233
D. Credit 262
E. Index 265
F. Endsheets 269
Credits 275

Online Supplements 275

Connect with LearnSmart (with WBLM) 18-Week Online Access for Conectate: Introductory Spanish 276
Access Code for the Online Supplements 277

Contents

i Front Matter 1
ii Preface 30
1. ¡Estás en tu casa! 41
2. El deporte y el bienestar 72
3. La naturaleza y el medio ambiente 103
4. La cultura y la diversión 130
5. Si la vida fuera diferente... 154
6. La amistad y el amor 178
A. Para saber más 202
B. Appendix: Verb charts 225
C. Vocabulario 233
D. Credit 262
E. Index 265
F. Endsheets 269
Credits 275

Online Supplements 275

Connect with LearnSmart (with WBLM), 18-Week Online Access for Conéctate: Introductory Spanish 276
Access Code for the Online Supplements 277

CONÉCTATE

Introductory Spanish

CONÉCTATE

Introductory Spanish

Grant Goodall
University of California, San Diego

Darcy Lear

Mc
Graw
Hill
Education

CONÉCTATE

Published by McGraw-Hill Education, 2 Penn Plaza, New York, NY 10121. Copyright © 2016 by McGraw-Hill Education.
All rights reserved. Printed in the United States of America. No part of this publication may be reproduced or distributed in any
form or by any means, or stored in a database or retrieval system, without the prior written consent of McGraw-Hill Education,
including, but not limited to, in any network or other electronic storage or transmission, or broadcast for distance learning.

Some ancillaries, including electronic and print components, may not be available to customers outside the United States.

This book is printed on acid-free paper.

1 2 3 4 5 6 7 8 9 0 DOW/DOW 1 0 9 8 7 6 5

Student Edition
ISBN: 978-0-07-338525-9
MHID: 0-07-338525-5

Instructor's Edition (not for resale)
ISBN: 978-0-07-721135-6
MHID: 0-07-721135-9

Senior Vice President, Products & Markets: *Kurt L. Strand*
Vice President, General Manager, Products & Markets:
  Michael Ryan
Vice President, Content Design & Delivery:
  Kimberly Meriwether David
Managing Director: *Katie Stevens*
Senior Brand Manager: *Kim Sallee*
Director, Product Development: *Meghan Campbell*
Product Developer: *Sadie Ray/Misha MacLaird*
Executive Marketing Manager: *Craig Gill*
Marketing Manager: *Chris Brown*
Senior Faculty Development Manager: *Jorge Arbujas*
Marketing Specialist: *Leslie Briggs*
Senior Market Development Manager: *Helen Greenlea*

Product Development Coordinator: *Caitlin Bahrey*
Senior Director of Digital Content: *Janet Banhidi*
Digital Product Analyst: *Sarah Carey*
Digital Product Developer: *Laura Ciporen*
Director, Content Design & Delivery: *Terri Schiesl*
Program Manager: *Kelly Heinrichs*
Content Project Managers: *Erin Melloy/Amber Bettcher*
Buyer: *Susan K. Culbertson*
Design: *Matt Backhaus*
Content Licensing Specialists: *Lori Hancock/Rita Hingtgen*
Cover Image: *Ferran Traite Soler/Getty Images*
Compositor: *Aptara®, Inc.*
Printer: *R. R. Donnelley*

All credits appearing on page or at the end of the book are considered to be an extension of the copyright page.

Library of Congress Cataloging-in-Publication Data

Goodall, Grant, author.
   Conéctate : introductory Spanish / Grant Goodall, University of California, San Diego; Darcy Lear, University of
North Carolina, Chapel Hill. — 1 Edition.
        pages cm
   Includes bibliographical references and index.
   ISBN 978-0-07-338525-9 (Student Edition : alk. paper) — ISBN 0-07-338525-5 (Student Edition : alk. paper) —
ISBN 978-0-07-721135-6 (Instructor's Edition (not for resale) : alk. paper) — ISBN 0-07-721135-9 (Instructor's Edition
(not for resale) : alk. paper) 1. Spanish language—Textbooks for foreign speakers—English.   2. Spanish language—
Grammar.   3. Spanish language—Spoken Spanish.   I. Lear, Darcy, author.   II. Title.
   PC4129.E5G58 2014
   468.2'421—dc23
                                                                                                    2014038964

The Internet addresses listed in the text were accurate at the time of publication. The inclusion of a website does not indicate
an endorsement by the authors or McGraw-Hill Education, and McGraw-Hill Education does not guarantee the accuracy of the
information presented at these sites.

Dedications

For their patient support and encouragement, I thank el amor de mi vida, Armando Vargas Matus, and my parents, Frank and Lois Goodall. My father did not live to see the book in print, but he felt pride knowing that his son would be published by McGraw-Hill, the company that he devoted his professional life to for more than 30 years. This book is for him.
—Grant

To my two Nancys and my two Bills. I am because of them.
—Darcy

CONTENTS

	COMUNICACIÓN	VOCABULARIO
Capítulo 1: En la clase 1	**Hola** Greeting people in Spanish 2 **¿Cómo te llamas? ¿Cómo se llama?** Asking someone his/her name 4 **¿Cómo estás? / ¿Cómo está?** Asking people how they are 7 **¿De dónde eres? / ¿De dónde es?** Asking where someone is from 8 **Adiós** Saying good-bye 9	**¿Cómo se escribe?** The Spanish alphabet and campus vocabulary 10 **Los meses y las estaciones** Months and seasons 13 **Los números y las fechas** Numbers and dates 14
Capítulo 2: Mis amigos y yo 35	**¿Cuántos años tienes? / ¿Cuántos años tiene Ud.?** Finding out someone's age 36 **¿Adónde vas? / ¿Adónde va?** Finding out where someone is going 37 **Me gusta...** Expressing likes and dislikes 39	**¿Cómo somos?** Describing people, places, and things with adjectives and colors 41
Capítulo 3: ¿Qué haces? 63	**Disculpa, ¿qué hora es?** Getting someone's attention, asking for time 64 **¿A qué hora... ?** Asking at what time events occur 66	**¿Cómo es tu rutina diaria?** Your daily routine and the days of the week 69

ESTRUCTURA	CONÉCTATE	PARA SABER MÁS

1.1 Singular nouns and articles 16
1.2 Plural nouns and articles 18
1.3 The verbs **ser** and **tener** 21
1.4 Possessive adjectives 25

¡Leamos! Tu puerta al mundo 27
¡Escuchemos! ¿De dónde son? 29
¡Escribamos! La información de contacto 30
¡Hablemos! Una charla 31
Conéctate a la música* «Doce meses» (Pacifika: Canadá) 32

1.1 **Singular nouns and articles 476**
• More about gender of nouns 476

2.1 Adjectives 46
2.2 The verbs **estar** and **ir** 49
2.3 The verb **gustar** 52
2.4 Infinitives with **gustar** and **ir** 54

¡Leamos! ¿Cómo son los profesionales? 56
¡Escuchemos! ¿Cómo son las familias hispanas? 57
¡Escribamos! El perfil electrónico 58
¡Hablemos! A conocernos 59
Conéctate al cine* El laberinto del fauno (México, España) 60

2.1 **Adjectives 476**
• Adjective placement 476
2.2 **The verbs estar and ir 477**
• Using **tener** to express states 477
2.3 **The verb gustar 477**
• **Nos gusta(n), os gusta(n), les gusta(n)** 477

3.1 Present indicative: Singular forms 74
3.2 Present indicative: Plural forms 77
3.3 Stem-changing verbs: **o → ue** 82
3.4 Demonstrative adjectives 85

¡Leamos! «Un día en la vida de la Presidenta» 88
¡Escuchemos! El horario para comer 90
¡Escribamos! Las rutinas diarias 91
¡Hablemos! La rutina de la familia Ramírez 92
Conéctate a la música* «Ella tiene fuego» (Celia Cruz: Cuba y El General: Panamá) 93

3.3 **Stem-changing verbs: o → ue 478**
• Additional **o → ue** verbs 478
3.4 **Demonstrative adjectives 478**
• The demonstrative adjectives **aquel/aquella/aquellos/aquellas** 478
• Demonstrative pronouns 479

*See the **Instructors Manual** for more resources and information on integrating film and music into lessons.

	COMUNICACIÓN	VOCABULARIO
Capítulo 4: ¡Qué bonita familia! 95	**¿A qué te dedicas? / ¿A qué se dedica?** Asking what people do for a living 96	**¿Cómo es la familia de Camila?** Describing family members 99
	¡Qué lindo! Commenting on things and complimenting people 97	
Capítulo 5: Por la ciudad 124	**Muchas gracias** Expressing gratitude 125	**Paisajes urbanos** Urban landscapes 131
	¿Dónde está... ? Asking for and giving directions 127	**Los números del 100 al 9.999** Numbers from 100 to 9,999 133
Capítulo 6: ¡A comer! 159	**¡Cómo no!** Responding to requests 160	**En la mesa** Food and meals 164
	—¿Quieres... ? —No, gracias. Inviting and declining politely 162	**¡Pongamos la mesa!** Setting the table 167

ESTRUCTURA

4.1 Comparatives 104
4.2 Stem-changing verbs: **e → i** 108
4.3 Stem-changing verbs: **e → ie** 112
4.4 **Ser** and **estar** for identity and location 115

CONÉCTATE

¡Leamos! La edad dorada: de 25 a 34 119
¡Escuchemos! ¿De dónde son sus antepasados? 120
¡Escribamos! Una familia famosa 121
¡Hablemos! ¡Esta es mi familia! 121
Conéctate al cine* *Cautiva* (Argentina) 122

PARA SABER MÁS

4.1 **Comparatives 479**
- **Más de** with numerals 479
- Comparatives of equality 479
- Superlatives 480
- Expressing things emphatically 480

4.2 **Stem-changing verbs: e → i 481**
- Additional **e → i** verbs 481

4.3 **Stem-changing verbs: e → ie 481**
- Additional **e → ie** verbs 481

5.1 Verbs with irregular **yo** forms 135
5.2 Reflexive verbs 140
5.3 **Ser** and **estar** with adjectives 144
5.4 Indefinite and negative expressions 149

¡Leamos! «¿Padre, hijo o caballo?» por don Juan Manuel 152
¡Escuchemos! ¿Cómo llego al Ranario? 154
¡Escribamos! Un lugar que conozco 155
¡Hablemos! Hagamos un viaje 156
Conéctate a la música* «No hay nadie como tú» (Calle 13 con Café Tacuba: Puerto Rico) 157

5.1 **Verbs with irregular *yo* forms 481**
- More on **saber** and **conocer** 481
- More irregular verbs with **-zco** 482

5.2 **Reflexive verbs 482**
- Additional reflexive verbs 482
- The reciprocal meaning of reflexive verbs 483
- The infinitive after a preposition 483

5.3 ***Ser* and *estar* with adjectives 483**
- **Ser** for location of events 483

6.1 The preterite: Regular verbs 170
6.2 The preterite: Some common irregular verbs 174
6.3 Direct objects and direct object pronouns 178

¡Leamos! El huitlacoche 183
¡Escuchemos! La cocina tradicional 185
¡Escribamos! Una celebración memorable 186
¡Hablemos! La fiesta de la clase 187
Conéctate al cine* *Como agua para chocolate* (México) 188

6.1 **The preterite: Regular verbs 484**
- **Leer, creer,** and **oír** in the preterite 484
- **Ver** and **dar** in the preterite 484

*See the **Instructors Manual** for more resources and information on integrating film and music into lessons.

	COMUNICACIÓN	VOCABULARIO

Capítulo 7:

Los recuerdos y la nostalgia   191

Lo pasé bien. Expressing *to have a good time*   192

Felicitaciones/Felicidades/Enhorabuena Congratulating someone   195

¿Cómo se celebra? Celebrations in the Spanish-speaking world   196

Capítulo 8:

La ropa y la moda   219

¡Qué padre! Talking about how great something is   220

Disculpe... Using polite expressions in appropriate contexts   222

¿Qué llevas? Describing clothing   224

El cuerpo humano Parts of the body   226

¿Cómo te queda? Expressing how clothing fits   227

Capítulo 9:

¿Adónde te gustaría viajar?   252

¿Te gustaría... ? / ¿Le gustaría... ? Asking what people would like to do   253

Favor de no fumar. Expressing rules with infinitives   254

Los mejores lugares turísticos Travel, tourism, and weather   255

Contents   xi

ESTRUCTURA	CONÉCTATE	PARA SABER MÁS
7.1 The imperfect 200 **7.2** Indirect objects and indirect object pronouns 205 **7.3** Pronouns after prepositions 209	**¡Leamos!** Los ritos y conjuros de la Nochevieja 212 **¡Escuchemos!** Nuestros recuerdos 214 **¡Escribamos!** Una entrada en un blog 215 **¡Hablemos!** Un regalo terrible 216 **Conéctate a la música*** «Tu amor» (Luis Fonsi: Puerto Rico) 217	**7.3 Pronouns after prepositions 484** • Additional prepositions 484 • Stressed possessives 485
8.1 More irregular preterite forms 230 **8.2** The preterite and imperfect together 233 **8.3** Object pronoun placement with infinitives 241	**¡Leamos!** Conceptos que cautivan 243 **¡Escuchemos!** Lo tradicional y lo moderno de los indios kuna 245 **¡Escribamos!** Ser testigo 247 **¡Hablemos!** Un pase de modelos 248 **Conéctate al cine*** *Volver* (España) 249	**8.1 More irregular preterite forms 486** • Additional irregular preterite forms 486 **8.2 The preterite and imperfect together 486** • Comparison of meaning in preterite vs. imperfect 486 **8.3 Object pronoun placement with infinitives 487** • Double object pronouns 487 • Another use of **lo:** **Lo** + *adjective* 488
9.1 The prepositions **por** and **para** 260 **9.2** Impersonal **se** 266 **9.3** **Se** for unplanned events 270	**¡Leamos!** Vacaciones en Tequila 275 **¡Escuchemos!** Los viajes ideales 277 **¡Escribamos!** Las mejores y peores vacaciones 279 **¡Hablemos!** ¿Adónde vamos? 280 **Conéctate a la música*** «Me voy» (Julieta Venegas: México) 281	**9.1 The prepositions *por* and *para* 488** • Additional uses of **por** and **para** 488 **9.3 *Se* for unplanned events 489** • Additional verbs with **se** for unplanned events 489

*See the **Instructors Manual** for more resources and information on integrating film and music into lessons.

	COMUNICACIÓN	**VOCABULARIO**

Capítulo 10:
La vida profesional   283

A sus órdenes Expressions for professional contexts   284

Quiero presentarle a… Introducing people to each other   288

Las profesiones y oficios Professions and careers   290

La tecnología en el lugar de trabajo Technology in the workplace   293

Capítulo 11:
¡Estás en tu casa!   315

¡Bienvenido! Welcoming people   316

Pasa. Making polite invitations   318

La casa y los muebles Rooms and other parts of a home   320

Los muebles y los electrodomésticos Furniture and appliances   321

Capítulo 12:
El deporte y el bienestar   346

¡Suerte! Wishing someone good luck   347

Para mantenerse sano/a, hay que… Giving advice on healthy living   349

Los deportes y cómo mantenerse en forma Sports, health, and fitness   350

ESTRUCTURA	CONÉCTATE	PARA SABER MÁS
10.1 The relative pronoun **que** 295 **10.2** Informal (**tú**) commands 299 **10.3** Formal (**Ud./Uds.**) commands 304	**¡Leamos!** Puestos y placeres 308 **¡Escuchemos!** La tecnología en el lugar de trabajo 310 **¡Escribamos!** La carrera de mis sueños 311 **¡Hablemos!** ¿Le puedo dejar un mensaje? 312 **Conéctate al cine*** *Los lunes al sol* (España) 313	**10.1** **The relative pronoun *que* 489** • **Que** and additional relative pronouns 489 • **Lo que** 490
11.1 The present perfect 325 **11.2** Commands with object pronouns 332 **11.3** The present progressive 335	**¡Leamos!** *La casa en Mango Street,* por Sandra Cisneros 339 **¡Escuchemos!** ¿Cuánto cuesta vivir aquí? 341 **¡Escribamos!** Un día típico en casa 342 **¡Hablemos!** Andamos buscando un apartamento 343 **Conéctate a la música*** «Loca» (Alex Syntek: México) 344	**11.1** **The present perfect 490** • Additional irregular participles 490 • Using the past participle as an adjective 490 • Using the past participle to form the passive 490 • The past perfect 491 **11.2** **Commands with object pronouns 491** • **Nosotros/as** commands 491 **11.3** **The present progressive 491** • The past progressive 491
12.1 The present perfect with object pronouns 357 **12.2** The present progressive with object pronouns 362 **12.3** The subjunctive: Volition with regular verbs 364	**¡Leamos!** Trancos de gratitud en la 21K 369 **¡Escuchemos!** El sueño de ser deportista 371 **¡Escribamos!** Cómo nos mantenemos en forma 373 **¡Hablemos!** Somos entrenedores 374 **Conéctate al cine*** *Hermano* (Venezuela) 375	**12.2** **The present progressive with object pronouns 492** • The present progressive with double object pronouns 492 **12.3** **The subjunctive: Volition with regular verbs 492** • Additional expressions of volition 492

*See the **Instructors Manual** for more resources and information on integrating film and music into lessons.

COMUNICACIÓN

VOCABULARIO

Capítulo 13:
La naturaleza
y el medio
ambiente   377

Debería... Talking about what you think someone should do   378

¿Cuánto tiempo hace que... ? Expressing how long you've been doing something   380

La naturaleza y el medio ambiente Nature and the environment   382

Capítulo 14:
La cultura y la
diversión   404

Quizás. No sé. Tal vez... Expressing uncertainty   405

Quisiera... Talking about what you would like   407

El cine, el teatro, el museo Movies, theater, and museums   408

Capítulo 15:
Si la vida fuera
diferente...   428

En mi opinion... Expressing opinions   429

¿Qué sé yo? Expressing what you know and don't know   431

Los problemas sociales, económicos y políticos Social, economic, and political issues   432

ESTRUCTURA	CONÉCTATE	PARA SABER MÁS

13.1 The subjunctive: Irregular verbs   386

13.2 The subjunctive: Disbelief and uncertainty   389

13.3 The subjunctive: Purpose and contingency   393

¡Leamos! La aventura y el ecoturismo en el Perú   397

¡Escuchemos! Algunas amenazas a nuestro planeta   399

¡Escribamos! El problema medioambiental más grave   400

¡Hablemos! ¿A quién le gusta más la naturaleza?   401

Conéctate a la música* «Ojalá que llueva café» (Juan Luis Guerra: República Dominicana)   402

13.1 The subjunctive: Irregular verbs   493

- Additional irregular verbs in the subjunctive   493
- Present perfect subjunctive   493

13.2 The subjunctive: Disbelief and uncertainty   494

- The subjunctive in adjective clauses (after nonexistent and indefinite antecedents)   494
- The subjunctive: Emotion   494

13.3 The subjunctive: Purpose and contingency   495

- The subjunctive in time clauses   495
- The subjunctive: Additional expressions of contingency   495

14.1 The past subjunctive   412

14.2 The future   417

¡Leamos! «La princesa azul» por Juan Luis Sánchez   421

¡Escuchemos! La cultura que nos rodea   423

¡Escribamos! Dos lugares famosos   424

¡Hablemos! Nuestros gustos musicales   425

Conéctate al cine* *También la lluvia* (Bolivia, España, México)   426

14.1 The past subjunctive   496

- Additional irregular past subjunctive forms   496
- The past perfect subjunctive   496

14.2 The future   497

- Irregular future forms   497
- The future perfect   497

15.1 The conditional   435

15.2 Si clauses   438

¡Leamos! «Malas y buenas noticias» por José Antonio Millán   443

¡Escuchemos! ¿Cómo cambiarían el mundo?   446

¡Escribamos! Si tuviera un millón de dólares...   448

¡Hablemos! ¿Crees que es buena idea o mala idea?   449

Conéctate a la música* «Volver a comenzar» (Café Tacuba: México)   450

15.1 The conditional   497

- Irregular conditional forms   497
- The conditional perfect   497

15.2 *Si* clauses   498

- The past perfect subjunctive in **si** clauses   498

*See the **Instructors Manual** for more resources and information on integrating film and music into lessons.

COMUNICACIÓN

VOCABULARIO

Capítulo 16:

La amistad y el amor   452

¿Eres soltero/a? ¿Casado/a?
Describing your relationship
status   453
Cuánto lo siento. Expressing
sympathy and regret   454

La amistad y el amor Personal
relationships   455

Para saber más   476

Appendix 1: Verb charts   499

Appendix 2: Answer key   507

Vocabulario   513

Credit   542

Index   545

Contents **xvii**

ESTRUCTURA

16.1 Review: The present indicative and the infinitive   458

16.2 Review: The preterite and imperfect together   460

16.3 Review: Object pronouns   464

16.4 Review: The present subjunctive   466

CONÉCTATE

¡Leamos! Los jóvenes retrasan su emancipación   468

¡Escuchemos! ¿Cómo se conocieron?   470

¡Escribamos! La emancipación de los jóvenes estadounidenses   471

¡Hablemos! Mis primeros días en la universidad   472

Conéctate al cine* *Machuca* (Chile)   473

---

*See the **Instructors Manual** for more resources and information on integrating film and music into lessons.

PREFACE

S tudents of Introductory Spanish learn best when they are connecting—with authentic culture, with each other as a community, and with the language as used in real-world settings. *Conéctate* sparks the curiosity that builds these connections as students drive toward communicative and cultural confidence and proficiency.

The *Conéctate* program's distinctive approach is built around the following principles.

- **Focused approach:** *Conéctate* concentrates on what Introductory Spanish students can reasonably be expected to learn, allowing for sustained engagement with the material that respects the natural process of language acquisition. An intentional focus, first on meaning and then on form, puts in action the best practices of second language pedagogy. Plus, *Conéctate*'s reduced grammar scope leaves more time for the systematic review and recycling of vocabulary and grammar required for students to achieve mastery of first-year skills. Fortifying this process at every turn is LearnSmart™, a powerful, super-adaptive learning program that guides students on an individualized path toward mastery of all the vocabulary and grammar in *Conéctate*.

- **Active learning:** *Conéctate* gives students the opportunity to explore language and culture through interactive activities that keep them focused and engaged. Vocabulary and grammar in *Conéctate* are taught using an active learning approach, nudging students to discover new vocabulary and language rules through a carefully balanced mix of inductive and explicit presentations and hands-on learning. Students are similarly asked to take an active role in an immersive online game, *Practice Spanish: Study Abroad,* designed around a study abroad experience in which they leverage their language and cultural skills to accomplish tasks and solve problems in various real-world scenarios.

- **Integration of culture:** Building on the active learning theme, students develop and apply critical thinking skills as they draw personal conclusions about the rich culture presented throughout *Conéctate*. Culture is embedded within the language activities themselves, included in notes that expand on the activity at hand, and seen through the integrated video that forms the basis for many activities in each chapter of the text. This authentic, unscripted video introduces students to useful chunks of language, real-world Spanish, and a wide range of topics related to cultural themes. *Conéctate*'s stunning video was shot in Spain, Panama, Miami, Argentina, Costa Rica, and Mexico, and exposes students to a wide variety of people in each country who discuss topics that are familiar and engaging to students.

- **Mobile tools for digital success:** The digital tools available in the Connect Spanish platform with *Conéctate* also successfully promote student progress by providing extensive opportunities to practice and hone their developing skills. These learning opportunities include online communicative activities, instant feedback, peer editing, sophisticated reporting, an immersive game, and an interactive eBook with embedded video and audio. The mobile-friendly platform allows students to engage in the course material anytime and everywhere.

A Focused Approach

Many instructors tell us that it's a challenge to "get through all the grammar" in their Introductory Spanish courses. From day one, it's a race to the finish line—and at what cost? Students get only superficial coverage, without adequate opportunities for review or cultural exploration—there simply isn't time.

Conéctate takes a distinctive approach to this issue by respecting the natural process of language acquisition and concentrating on what Introductory Spanish students can be reasonably expected to learn. Each chapter presents the most important concepts, allowing students to focus and engage more fully with a few crucial pieces, rather than aim to have a cursory understanding of many. This means that more advanced structures are located in the **Para saber más** section that follows **Capítulo 16**. These supplemental grammatical presentations expand and develop the chapter's content and their practice activities may be found in Connect Spanish or the print Workbook / Laboratory Manual. By situating the more typically late-acquired concepts in the **Para saber más** section, *Conéctate* gives instructors the freedom to easily adapt and expand their presentations of these structures for learners who can move more rapidly through the sequence. By focusing on a realistic and reasonable scope and sequence, *Conéctate* promotes a deeper comprehension and a more well-rounded experience.

Because instructors aren't having to race to the finish line, a more focused pace affords the opportunity to review and recycle the material that's been covered previously, allowing students to practice putting it together and to truly acquire this language. Beginning in **Capítulo 3,** a recycling section appears before each new grammar point, pulling in a related point from earlier in the sequence and showing students how concepts are interrelated. This interweaving of the old with the new allows for better retention and more fluid opportunities to tie it all together.

With LearnSmart, precious study time is focused and directed, maximizing the impact of each minute a student devotes to studying. With over 2.5 billion probes answered since its launch in 2011, LearnSmart has proven to enhance students' learning and improve course outcomes significantly—by as much as a full letter grade. As each student works through a chapter's vocabulary and grammar modules, LearnSmart identifies the learning objectives behind each question and indicates the areas that warrant more practice based on that student's performance. Then it provides an individualized study program, one that is unique and tailored to that particular student's strengths and weaknesses. LearnSmart reports provide students with details about their own learning and give instructors the ability to understand the strengths and weaknesses of individual students as well as of the entire class.

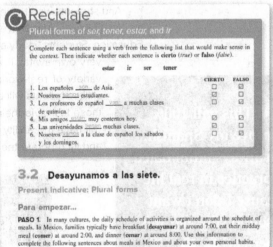

Active Learning

Conéctate puts students in the driver's seat, engaging them in their own learning process and inspiring them to learn more and do more with Spanish. The vocabulary and grammar presentations do not simply provide translations or explain the rules, rather they challenge students to pause, think critically, and use meaning-based, contextual clues to figure things out. In this way, students' attention is directed toward their expanding vocabulary, the *why* behind the grammar presentations, and the functions these phrases and structures serve in the language. There is no room for passive standers-by in *Conéctate*!

And students won't stand by while playing *Practice Spanish: Study Abroad,* the market's first 3-D immersive language game designed exclusively by McGraw-Hill Education. Students "study abroad" virtually in Colombia, where they will create their very own avatar, live with a host family, make new friends, and navigate a variety of real-world scenarios using their quickly developing language skills. Students will earn points and rewards for successfully accomplishing these tasks via their smartphones, tablets, and computers, and instructors will have the ability to assign specific tasks, monitor student achievement, and incorporate the game into the classroom experience.

> **❝**This will 100% improve my Spanish. I'm always intimidated to practice in real life because I don't want to sound silly, but this is perfect!**❞**
> —**Susana Sánchez,** student at San Diego Mesa College

Integration of Culture

Conéctate is built around an extensive video program that serves a dual purpose: to introduce new language structures and common expressions, as well as to provide a window into the cultures of the Spanish-speaking world. This focus on cultural exploration has the additional advantage of making the communicative activities in the classroom more meaningful. The emphasis throughout is on culture "from the inside," that is, from the perspective of Spanish speakers themselves. This perspective often includes comparisons with the students' own lives and leads students to the discovery that Spanish speakers are in many ways similar to themselves. Activities and **notas** further encourage self-reflection, as students are asked to consider how their own cultural perspectives might look to people from other cultures.

Culture is integrated throughout each chapter, embedded in presentations and activities, notes and videos. This integration culminates in the end-of-chapter section called **Conéctate,** where students bring together what they have learned thus far to further develop their abilities in listening, reading, writing, and speaking.

Each **Conéctate** section contains the following integrative sections.

- **¡Leamos!** provides students with authentic readings from the very beginning of their language studies. Activities ensure comprehensibility by supporting students' language abilities, enabling students to be successful at building their receptive skills.

- **¡Escuchemos!** Another video-based activity, this feature presents authentic language that incorporates many of the chapter's linguistic and cultural topics together into a cohesive activity that builds confidence and further promotes cultural exploration. Follow-up activities put students in the active-communicator role as they deliver similar information in spoken situations.

- **¡Escribamos!** This activity integrates a process-approach to writing, in which students focus on real-life and academic writing tasks, such as developing an online profile or writing a descriptive paragraph. The process starts with a unique writing strategy in every chapter, followed by a brainstorming and drafting stage, and ending with a careful editing of student work using a peer review system.

- **¡Hablemos!** This section pulls together the chapter theme, grammar, vocabulary, and culture, and encourages students to talk extensively in pairs and group-based activities. These fun, engaging, oral-based activities can be used for oral exams, in-class culminating conversations, and/or oral presentations.

- **Conéctate a la música** and **Conéctate al cine:** In these sections that alternate chapters, students listen to a Spanish-language song or watch a scene from a Spanish-language film that relates to some cultural, thematic, and/or linguistic aspect of the chapter. Information on the artists, background information on the films, and vocabulary support are provided, as well as pre- and post-listening and viewing activities. *All songs are readily available online through iTunes and/or YouTube. All films are available at major online and in-store video retailers, including Netflix (whose timestamps are provided for the selected clips). Due to permissions limitations, songs and films are not provided by McGraw-Hill Education.*

Get Connected.
Get Engaged.

With our media rich eBook, course content comes alive with videos, interactive elements, and even the instructor's own notes.

Mobile Tools for Digital Success

Connect Spanish: Used in conjunction with *Conéctate*, Connect Spanish provides a mobile-friendly digital solution to meet the needs of any course format. Some of the key features of Connect Spanish include:

- an interactive eBook, the complete Workbook / Laboratory Manual exercises, grammar tutorials, and all audio and video materials.

- additional interactive activities using drag-and-drop functionality, embedded audio, voice recorders, and videos targeting key vocabulary, grammar, and cultural content for extra practice.

- *Practice Spanish: Study Abroad*, our immersive online game for Introductory Spanish available online and as an mobile-ready app.

- a comprehensive gradebook, including time-on-task measurements, the ability to quick-grade, to drop the lowest score, and to view calculations of students' grades to date.

- the ability to customize assignments using the Assignment Builder's user-friendly filtering system, allowing instructors to create unique assignments that target specific skills, learning objectives, ACTFL standards, and more.

- access to all instructor's resources, including pre-made exams and a test bank for online delivery of exams.

- Tegrity™, McGraw-Hill's unique video capture software, which allows instructors to post short videos, tutorials, and lessons for student access outside of class.

LearnSmart study modules

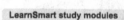

LearnSmart, the only super-adaptive learning tool on the market, is proven to significantly enhance students' learning and improve course outcomes. Available within Connect Spanish and as a mobile app, LearnSmart provides students with targeted feedback specific to their individual performance, and additional practice in areas where they need help the most. As students work on each chapter's grammar and vocabulary modules, LearnSmart identifies the main grammatical structures and vocabulary words that warrant more practice and provides a unique study program based on each individual student's performance, that pinpoints the student's strengths and weaknesses.

Voice Board and Blackboard IM, two powerful tools integrated into Connect Spanish, promote communication and collaboration outside of the classroom. Voice Board activities allow students to participate in threaded oral discussion boards, while Blackboard IM activities facilitate real-time interaction via text instant messaging and voice or video chat. The white board and screen sharing tools provide opportunities for collaboration, and virtual office hours allow instructors to meet online with students either one-on-one or in groups. Instructors can deliver voice presentations, voice emails, or podcasts as well. Whether for an online, hybrid, or face-to-face course seeking to expand oral communication practice and assessment, these tools allow student-to-student or student-to-instructor virtual oral chat functionality.

MH Campus and Blackboard simplify and facilitate course administration by integrating with any Learning Management System. With features such as single sign-on for students and instructors, gradebook synchronization, and easy access to all of

McGraw-Hill's language content (even from other market-leading titles not currently adopted for your course), teaching an introductory language course has never been more streamlined.

Acknowledgements

We would like to thank the overwhelming number of friends and colleagues who served on boards of advisors or as consultants, completed reviews or surveys, and attended symposia or focus groups. Their feedback was indispensable in creating the *Conéctate* program. The appearance of their names in the following lists does not necessarily constitute their endorsement of the program or its methodology.

Symposia and Focus Groups

Daniel Anderson, *University of Kentucky*

Enrica Ardemagni, *Indiana University—Purdue University Indianapolis*

Angela Bailey de las Heras, *Illinois State University*

Ann Baker, *University of Evansville*

Adam Ballart, *Ball State University*

Adoracion Berry, *University of Memphis*

Amy Bomke, *Indiana University—Purdue University*

Daniel Briere, *University of Indianapolis*

Nancy Broughton, *Wright State University—Celina*

Patricia Cabrera, *University of Indianapolis*

Maribel Campoy, *University of Indianapolis*

Doug Canfield, *University of Tennessee—Knoxville*

Deanne Cobb-Zygadlo, *Kutztown University of Pennsylvania*

Kelly Conroy, *Western Kentucky University*

Manuel Cortes-Castaneda, *Eastern Kentucky University*

Darren Crasto, *Houston Community College—Northwest College*

Richard Curry, *Texas A & M University*

Allen Davis, *Indiana University*

Ana Vives de Girón, *Collin College*

Esther Domenech, *University of Redlands*

Dorian Dorado, *Louisiana State University—Baton Rouge*

Paula Ellister, *University of Oregon*

Idoia Elola, *Texas Tech University*

Jason Fetters, *Purdue University—West Lafayette*

Gayle Fielder-Vierma, *University of Southern California, Los Angeles*

Ruth Flores, *California Baptist University*

William Flores, *California Baptist University*

Leah Fonder-Solano, *University of Southern Mississippi*

Luz Font, *Florida State College South Campus*

Robert Fritz, *Ball State University*

Muriel Gallego, *Ohio University—Athens*

Alejandro Garces, *Coastal Carolina University*

Scott Gibby, *Austin Community College—Northridge*

Inma Gómez Soler, *University of Memphis*

Antonio Martín Gómez, *University of Kentucky*

Melissa Groenewold, *University of Louisville—Louisville*

Patricia Harrigan, *Community College of Baltimore County*

Mary Hartson, *Oakland University*

Greg Helmick, *University of North Florida*

Eda Henao, *Borough of Manhattan Community College*

Alex Herrera, *Cypress College*

Cristina Kowalski, *University of Cincinnati—Cincinnati*

Ryan LaBrozzi, *Bridgewater State University*

Debbie Lee-DiStefano, *Southeast Missouri State University*

Melissa Logue, *Columbus State Community College*

Steve Lombardo, *Purdue University Calumet Hammond*

Nuria López-Ortega, *University of Cincinnati—Cincinnati*

Christopher Luke, *Ball State University*

Jillian Markus, *Vincennes University*

Ivan Martínez, *Ball State University*

Leticia McGrath, *Georgia Southern University*

Ivalise Méndez, *Ball State University*

Wendy Méndez-Hasselman, *Palm Beach State College*

Montserrat Mir, *Illinois State University*

Cheryl Moody, *Pulaski Technical College*

Juan Carlos Moraga, *Folsom Lake College*

Rosa-María Moreno, *Cincinnati State Technical & Community College*

Danae Orlins, *University of Cincinnati—Cincinnati*

Sandra Yelgy Parada, *Los Angeles City College*

Federico Pérez-Pineda, *University of South Alabama*

Lee Ragsdale, *Ivy Tech Community College of Indiana—Indianapolis*

Noris Rodríguez, *University of Cincinnati—Cincinnati*

Aaron Roggia, *Northern Illinois University*

Daniel Runnels, *University of Louisville*

Aaron Salinger, *Mount San Antonio College*

Jacquelyn Sandone, *University of Missouri—Columbia*

Eduardo Santa Cruz, *Hanover College*

Daniela Schuvaks-Katz, *IUPUI—Indianapolis*

Steven Sheppard, *University of North Texas*

Efila Jzar Simpson, *Vincennes University*

Leah Solano, *University of Southern Mississippi*

Alfredo J. Sosa-Velasco, *Southern Connecticut State University*

Melissa Stewart, *Western Kentucky University*

Jorge Suazo, *Georgia Southern University*

Alysha Timmons, *California State University—San Bernardino*

Ana Vicente, *IUPUI—Indianapolis*

Michael Vrooman, *Grand Valley State University*

Amber Workman, *California Lutheran University*

Carlota Yetter, *Moreno Valley College*

Elizabeth Zúñiga Irvin, *University of North Carolina—Wilmington*

Reviewers

Maria Akrabova, *Metropolitan State University of Denver*

Tim Altanero, *Austin Community College*

Aleta Anderson, *Grand Rapids Community College*

Enrica J. Ardemagni, *Indiana University—Purdue University Indianapolis*

Silvia Arroyo, *Mississippi State University*

Sandra Barboza, *Trident Technical College*

Shaun A. Bauer, *University of Central Florida*

Fleming L. Bell, *Valdosta State University*

Maritza Bell-Corrales, *Middle Georgia State College*

Amy Bomke, *Indiana University—Purdue University Indianapolis*

Herbert Brant, *Indiana University—Purdue University Indianapolis*

Cathy Briggs, *North Lake College*

Kristy Britt, *University of South Alabama*

Isabel Zakrzewski Brown, *University of South Alabama*

Suzanne M. Buck, *Central New Mexico Community College*

Adolfo Campoy-Cubillo, *Oakland University*

Beth Buckingham Cardon, *Georgia Perimeter College*

Esther Castro, *San Diego State University*

Marco Tulio Cedillo, *Lynchburg College*

Irene Chico-Wyatt, *University of Kentucky*

Christine E. Cotton, *University of Arkansas at Little Rock*

Jacqueline Daughton, *University of North Carolina at Greensboro*

Luis M. Delgado, *Olive-Harvey College*

Kent L. Dickson, *California State Polytechnic University—Pomona*

Margaret Rose Don, *University of San Diego*

Dorian Dorado, *Louisiana State University*

Megan Echevarria, *University of Rhode Island*

Ronna S. Feit, *Nassau Community College*

María Ángeles Fernández, *University of North Florida*

Sandra Fernández-Tardani, *Grand Valley State University*

Erin S. Finzer, *University of Arkansas at Little Rock*

Leah Fonder-Solano, *University of Southern Mississippi*

Joan H. Fox, *University of Washington*

Marianne Franco, *Modesto Junior College*

Ellen Lorraine Friedrich, *Valdosta State University*

Diana García-Denson, *San Francisco City College*

Susana García Prudencio, *Pennsylvania State University*

Audrey Gertz, *Indiana University—Purdue University Indianapolis*

Ransom Gladwin, *Valdosta State University*

Jesse Gleason, *University of Florida*

Inmaculada Gómez Soler, *University of Memphis*

Christine Pratt Gonzales, *Salt Lake Community College*

Kenneth A. Gordon, *Winthrop University*

Melissa Guzmán Groenewold, *University of Louisville*

Marta C. Gumpert, *Southeastern Louisiana University*

Agnieszka Gutthy, *Southeastern Louisiana University*

Angela Haensel, *Cincinnati State Technical and Community College*

Shannon W. Hahn, *Durham Technical Community College*

Patricia Harrigan, *Community College of Baltimore County*

Mary Hartson, *Oakland University*

Richard A. Heath, *Kirkwood Community College—Iowa City*

Greg Helmick, *University of North Florida*

Eda Henao, *Borough of Manhattan Community College*

Yolanda Hernández, *College of Southern Nevada*

Michael J. Horswell, *Florida Atlantic University*

Nuria Ibáñez Quintana, *University of North Florida*

Jennifer Erin Irish, *Coastal Carolina Community College*

Bernard Issa, *University of Illinois at Chicago*

Douglas A. Jackson, *University of South Carolina Upstate*

Natalia Jacovkis, *Xavier University*

Becky S. Jaimes, *Austin Community College*

Qiu Y. Jiménez, *Bakersfield College*

Dallas Jurisevic, *Metropolitan Community College*

Anne Kelly-Glasoe, *South Puget Sound Community College*

Kelly C. Kingsbury Brunetto, *University of Nebraska—Lincoln*

Julie Kleinhans-Urrutia, *Austin Community College*

Dora Cecilia Mezzich Kress, *Florida State College at Jacksonville*

Kajsa Larson, *Northern Kentucky University*

Rachele Lawton, *Community College of Baltimore County*

Vanessa Lazo-Wilson, *Austin Community College*

David Leavell, *College of Southern Nevada*

Lance Lee, *Durham Technical Community College*

Talia Loaiza, *Austin Community College*

Soumaya B. Long, *Community College of Baltimore County*

Nuria Lopez-Ortega, *University of Cincinnati*

Jude Thomas Manzo, *Saint Philip's College*

Laura Manzo, *Modesto Junior College*

Karen R. Martin, *Texas Christian University*

Lornaida McCune, *University of Missouri—Columbia*

Leticia McGrath, *Georgia Southern University*

Mary Newcomer McKinney, *Texas Christian University*

Peggy McNeil, *Louisiana State University*

Mercedes Meier, *Coastal Carolina Community College*

Mandy R. Menke, *Grand Valley State University*

Dennis Miller, *Clayton State University*

Cheryl Moody, *Pulaski Technical College*

María Yazmina Moreno-Florido, *Chicago State University*

Sandra Mulryan, *Community College of Baltimore County*

Esperanza Muñoz Pérez, *Kirkwood Community College*

Alicia Muñoz-Sánchez, *University of California—San Diego*

Ruth Fátima Navarro, *Grossmont College*

Benjamin J. Nelson, *University of South Carolina Beaufort*

Christine Coleman Núñez, *Kutztown University of Pennsylvania*

Martha T. Oregel, *University of San Diego*

William Otáñez, *Coastal Carolina Community College*

Ignacio Pérez-Ibáñez, *Moses Brown School*

Anne Prucha, *University of Central Florida*

Yaneth Ramírez, *Fresno City College*

Claire L. Reetz, *Florida State College at Jacksonville*

Terri Rice, *University of South Alabama*

Angelo Rodríguez, *Kutztown University of Pennsylvania*

Teresa Roig-Torres, *University of Cincinnati*

Mevelyn Romay Fernández, *University of Mississippi*

Latasha Lisa Russell, *Florida State College at Jacksonville*

Maritza Salgueiro-Carlisle, *Bakersfield College*

Mariela Sánchez, *Southeastern Louisiana University*

José Sandoval, *Coastal Carolina Community College*

Jason Steve Sarkozi, *Central Michigan University*

Dora Schoebrun-Fernandez, *San Diego Mesa College*

Daniela Schuvaks Katz, *Indiana University—Purdue University Indianapolis*

Alfredo J. Sosa-Velasco, *Southern Connecticut State University*

Sabrina Spannagel Bradley, *University of Washington*

Linda S. Stadler, *Cincinnati State Technical and Community College*

Nancy Stucker, *Cabrillo College*

Jorge W. Suazo, *Georgia Southern University*

Joe Terantino, *Kennesaw State University*

Rosa Tezanos-Pinto, *Indiana University—Purdue University Indianapolis*

Linda Tracy, *Santa Rosa Junior College*

Norma Urrutia, *Xavier University*

Gloria Vélez-Rendón , *Purdue University Calumet*

Ana Vicente, *Indiana University—Purdue University Indianapolis*

Rosario P. Vickery, *Clayton State University*

Gayle Vierma, *University of Southern California*

Paul Vincent, *Grossmont College*

Michael Vrooman, *Grand Valley State University*

Joseph A. Wieczorek, *Community College of Baltimore County, Notre Dame of Maryland University*

Kelley L. Young, *University of Missouri— Kansas City*

Author Acknowledgments

Conéctate would not be possible without the hard work of a hugely talented and creative group of people. I thank the entire editorial team at McGraw-Hill, especially Katie Crouch, who got us started, and Kim Sallee, Sadie Ray, and Misha MacLaird, who led us through to a successful completion; our wonderful video crew led by Hugo Krispyn, David Murray, Lamar Owen, and Rocío Barajas; my co-author, Darcy Lear, who has been a great friend and companion along this amazing journey; and to the hundreds of people in Spain and Latin America who agreed to speak to us on camera. Getting to hear their stories and their perspectives on the world was an immense privilege and an unforgettable experience. My approach to education has been greatly influenced by my colleagues here at UC San Diego, including Leonard Newmark and David Perlmutter, who taught me so much in so many ways; our language coordinators Alicia Muñoz Sánchez, Peggy Lott, Elke Riebeling, and Françoise Santore, four of the most inspiring language teachers one could ever hope to meet; and the many other instructors and teaching assistants here whose influence is spread throughout these pages.

—Grant Goodall

First, I thank Katie Crouch for bringing me into this project, and for pairing me with Grant Goodall. The "arranged marriage" we joked of has blossomed into all the very best of arranged relationships. I am grateful for that. It has been a pleasure to work with everyone else at McGraw-Hill who has helped us along the way, including Susan Blatty, Kim Sallee, Misha MacLaird, Allen Bernier, Pennie Nichols, and Sadie Ray. The international travel was truly a thrilling once-in-a-lifetime experience, thanks in a large part to our crew: Hugo Krispyn, David Murray, Lamar Owen, and Rocío Barajas. I owe my career in language education to some amazing mentors—all textbook authors themselves—starting with the late Graciela Ascarrunz Gilman who saved me years of handwringing by telling me: *¡Naciste para enseñar!* Then I had the great good luck to work with Janice Macián and Donna Reseigh Long at The Ohio State University. They always lovingly put me where I belonged, pushed me when I needed it, and told me the truth. Glynis Cowell's warmth, kindness, and support together with Larry King being a great boss made my entire stay at the University of North Carolina a pleasure. My work at the University of Illinois brought me close Diane Musumeci— half of the *Avanti!* team—who always offered good advice about everything textbook- and work-related. And that is also where I met my closest colleague and dear friend, Ann Abbott, who has supported me in all my professional endeavors.

—Darcy Lear

We would also like to gratefully acknowledge all of the people who worked tirelessly to produce the entire *Conéctate* program.

Contributing Writers

Student Edition: Maria Akrabova, Misha MacLaird

Workbook / Laboratory Manual: Maria Akrabova, Allen Bernier, Dorian Dorado, Gayle Fiedler-Vierma, Eileen Fancher, Kristina Gibby, Misha MacLaird, Nuria López Ortega, Pennie Nichols, Alfonso J. Quiñones-Rodriguez

Product Team

Editorial and Marketing: Jorge Arbujas, Caitlin Bahrey, Janet Banhidi, Jessica Becker, Allen Bernier, Susan Blatty, Leslie Briggs, Chris Brown, Sarah Carey, Laura Chastain, Laura Ciporen, Katie Crouch, Craig Gill, Lorena Gómez Mostajo, Helen Greenlea, Misha MacLaird, Pennie Nichols, Sadie Ray, Kim Sallee, Katie Stevens

Art, Design, and Production: Matt Backhaus, Harry Briggs, Sue Culbertson, Lori Hancock, Danielle Havens, Kelly Heinrichs, Rita Hingtgen, Lynne Lemley, Erin Melloy, Terri Schiesl, Preston Thomas.

Media Partners: Aptara, Eastern Sky Studios, Laserwords, Truth-Function

ABOUT THE AUTHORS

Grant Goodall is Professor of Linguistics and Director of the Language Program at the University of California, San Diego, where he is also affiliated with the Center for Iberian and Latin American Studies. An internationally recognized scholar of Spanish syntax, he has a longstanding commitment to the development and implementation of highly effective, research-based practices in language teaching. He brings a rich international background to the *Conéctate* project: He was educated in both the United States and Mexico, has spent much of his life along the border between the two, and has taught or lectured in twenty countries.

Darcy Lear holds a Ph.D. in Foreign and Second-Language Education from The Ohio State University. She has been the director of the Spanish basic-language program at the University of Illinois, Urbana-Champaign; the inaugural coordinator of the minor program in Spanish for the professions at the University of North Carolina at Chapel Hill; and, most recently, a lecturer at the University of Chicago. She devotes most of her professional time to career coaching, which includes workshops for foreign-language students navigating the campus-to-career transition.

PREFACE

Students of Introductory Spanish learn best when they are connecting—with authentic culture, with each other as a community, and with the language as used in real-world settings. *Conéctate* sparks the curiosity that builds these connections as students drive toward communicative and cultural confidence and proficiency.

The *Conéctate* program's distinctive approach is built around the following principles.

- **Focused approach:** *Conéctate* concentrates on what Introductory Spanish students can reasonably be expected to learn, allowing for sustained engagement with the material that respects the natural process of language acquisition. An intentional focus, first on meaning and then on form, puts in action the best practices of second language pedagogy. Plus, *Conéctate*'s reduced grammar scope leaves more time for the systematic review and recycling of vocabulary and grammar required for students to achieve mastery of first-year skills. Fortifying this process at every turn is LearnSmart™, a powerful, super-adaptive learning program that guides students on an individualized path toward mastery of all the vocabulary and grammar in *Conéctate*.

- **Active learning:** *Conéctate* gives students the opportunity to explore language and culture through interactive activities that keep them focused and engaged. Vocabulary and grammar in *Conéctate* are taught using an active learning approach, nudging students to discover new vocabulary and language rules through a carefully balanced mix of inductive and explicit presentations and hands-on learning. Students are similarly asked to take an active role in an immersive online game, *Practice Spanish: Study Abroad,* designed around a study abroad experience in which they leverage their language and cultural skills to accomplish tasks and solve problems in various real-world scenarios.

- **Integration of culture:** Building on the active learning theme, students develop and apply critical thinking skills as they draw personal conclusions about the rich culture presented throughout *Conéctate*. Culture is embedded within the language activities themselves, included in notes that expand on the activity at hand, and seen through the integrated video that forms the basis for many activities in each chapter of the text. This authentic, unscripted video introduces students to useful chunks of language, real-world Spanish, and a wide range of topics related to cultural themes. *Conéctate*'s stunning video was shot in Spain, Panama, Miami, Argentina, Costa Rica, and Mexico, and exposes students to a wide variety of people in each country who discuss topics that are familiar and engaging to students.

- **Mobile tools for digital success:** The digital tools available in the Connect Spanish platform with *Conéctate* also successfully promote student progress by providing extensive opportunities to practice and hone their developing skills. These learning opportunities include online communicative activities, instant feedback, peer editing, sophisticated reporting, an immersive game, and an interactive eBook with embedded video and audio. The mobile-friendly platform allows students to engage in the course material anytime and everywhere.

A Focused Approach

Many instructors tell us that it's a challenge to "get through all the grammar" in their Introductory Spanish courses. From day one, it's a race to the finish line—and at what cost? Students get only superficial coverage, without adequate opportunities for review or cultural exploration—there simply isn't time.

Conéctate takes a distinctive approach to this issue by respecting the natural process of language acquisition and concentrating on what Introductory Spanish students can be reasonably expected to learn. Each chapter presents the most important concepts, allowing students to focus and engage more fully with a few crucial pieces, rather than aim to have a cursory understanding of many. This means that more advanced structures are located in the **Para saber más** section that follows **Capítulo 16**. These supplemental grammatical presentations expand and develop the chapter's content and their practice activities may be found in Connect Spanish or the print Workbook / Laboratory Manual. By situating the more typically late-acquired concepts in the **Para saber más** section, *Conéctate* gives instructors the freedom to easily adapt and expand their presentations of these structures for learners who can move more rapidly through the sequence. By focusing on a realistic and reasonable scope and sequence, *Conéctate* promotes a deeper comprehension and a more well-rounded experience.

Because instructors aren't having to race to the finish line, a more focused pace affords the opportunity to review and recycle the material that's been covered previously, allowing students to practice putting it together and to truly acquire this language. Beginning in **Capítulo 3,** a recycling section appears before each new grammar point, pulling in a related point from earlier in the sequence and showing students how concepts are interrelated. This interweaving of the old with the new allows for better retention and more fluid opportunities to tie it all together.

With LearnSmart, precious study time is focused and directed, maximizing the impact of each minute a student devotes to studying. With over 2.5 billion probes answered since its launch in 2011, LearnSmart has proven to enhance students' learning and improve course outcomes significantly—by as much as a full letter grade. As each student works through a chapter's vocabulary and grammar modules, LearnSmart identifies the learning objectives behind each question and indicates the areas that warrant more practice based on that student's performance. Then it provides an individualized study program, one that is unique and tailored to that particular student's strengths and weaknesses. LearnSmart reports provide students with details about their own learning and give instructors the ability to understand the strengths and weaknesses of individual students as well as of the entire class.

Reciclaje

Plural forms of *ser, tener, estar,* and *ir*

Complete each sentence using a verb from the following list that would make sense in the context. Then indicate whether each sentence is **cierto** (*true*) or **falso** (*false*).

estar   ir   ser   tener

	CIERTO	FALSO
1. Los españoles ____ de Asia.	☐	☑
2. Nosotros ____ estudiantes.	☑	☐
3. Los profesores de español ____ a muchas clases de química.	☐	☐
4. Mis amigos ____ muy contentos hoy.	☑	☑
5. Las universidades ____ muchas clases.	☑	☐
6. Nosotros ____ a la clase de español los sábados y los domingos.	☐	☑

3.2 Desayunamos a las siete.

Present indicative: Plural forms

Para empezar...

PASO 1. In many cultures, the daily schedule of activities is organized around the schedule of meals. In Mexico, families typically have breakfast (**desayunar**) at around 7:00, eat their midday meal (**comer**) at around 2:00, and dinner (**cenar**) at around 8:00. Use this information to complete the following sentences about meals in Mexico and about your own personal habits.

Active Learning

Conéctate puts students in the driver's seat, engaging them in their own learning process and inspiring them to learn more and do more with Spanish. The vocabulary and grammar presentations do not simply provide translations or explain the rules, rather they challenge students to pause, think critically, and use meaning-based, contextual clues to figure things out. In this way, students' attention is directed toward their expanding vocabulary, the *why* behind the grammar presentations, and the functions these phrases and structures serve in the language. There is no room for passive standers-by in *Conéctate*!

And students won't stand by while playing *Practice Spanish: Study Abroad,* the market's first 3-D immersive language game designed exclusively by McGraw-Hill Education. Students "study abroad" virtually in Colombia, where they will create their very own avatar, live with a host family, make new friends, and navigate a variety of real-world scenarios using their quickly developing language skills. Students will earn points and rewards for successfully accomplishing these tasks via their smartphones, tablets, and computers, and instructors will have the ability to assign specific tasks, monitor student achievement, and incorporate the game into the classroom experience.

Integration of Culture

Conéctate is built around an extensive video program that serves a dual purpose: to introduce new language structures and common expressions, as well as to provide a window into the cultures of the Spanish-speaking world. This focus on cultural exploration has the additional advantage of making the communicative activities in the classroom more meaningful. The emphasis throughout is on culture "from the inside," that is, from the perspective of Spanish speakers themselves. This perspective often includes comparisons with the students' own lives and leads students to the discovery that Spanish speakers are in many ways similar to themselves. Activities and **notas** further encourage self-reflection, as students are asked to consider how their own cultural perspectives might look to people from other cultures.

Culture is integrated throughout each chapter, embedded in presentations and activities, notes and videos. This integration culminates in the end-of-chapter section called **Conéctate,** where students bring together what they have learned thus far to further develop their abilities in listening, reading, writing, and speaking.

Each **Conéctate** section contains the following integrative sections.

- **¡Leamos!** provides students with authentic readings from the very beginning of their language studies. Activities ensure comprehensibility by supporting students' language abilities, enabling students to be successful at building their receptive skills.

- **¡Escuchemos!** Another video-based activity, this feature presents authentic language that incorporates many of the chapter's linguistic and cultural topics together into a cohesive activity that builds confidence and further promotes cultural exploration. Follow-up activities put students in the active-communicator role as they deliver similar information in spoken situations.

- **¡Escribamos!** This activity integrates a process-approach to writing, in which students focus on real-life and academic writing tasks, such as developing an online profile or writing a descriptive paragraph. The process starts with a unique writing strategy in every chapter, followed by a brainstorming and drafting stage, and ending with a careful editing of student work using a peer review system.

- **¡Hablemos!** This section pulls together the chapter theme, grammar, vocabulary, and culture, and encourages students to talk extensively in pairs and group-based activities. These fun, engaging, oral-based activities can be used for oral exams, in-class culminating conversations, and/or oral presentations.

- **Conéctate a la música** and **Conéctate al cine:** In these sections that alternate chapters, students listen to a Spanish-language song or watch a scene from a Spanish-language film that relates to some cultural, thematic, and/or linguistic aspect of the chapter. Information on the artists, background information on the films, and vocabulary support are provided, as well as pre- and post-listening and viewing activities. *All songs are readily available online through iTunes and/or YouTube. All films are available at major online and in-store video retailers, including Netflix (whose timestamps are provided for the selected clips). Due to permissions limitations, songs and films are not provided by McGraw-Hill Education.*

Get Connected.
Get Engaged.

With our media rich eBook, course content comes alive with videos, interactive elements, and even the instructor's own notes.

Mobile Tools for Digital Success

Connect Spanish: Used in conjunction with *Conéctate,* Connect Spanish provides a mobile-friendly digital solution to meet the needs of any course format. Some of the key features of Connect Spanish include:

- an interactive eBook, the complete Workbook / Laboratory Manual exercises, grammar tutorials, and all audio and video materials.

- additional interactive activities using drag-and-drop functionality, embedded audio, voice recorders, and videos targeting key vocabulary, grammar, and cultural content for extra practice.

- *Practice Spanish: Study Abroad,* our immersive online game for Introductory Spanish available online and as an mobile-ready app.

- a comprehensive gradebook, including time-on-task measurements, the ability to quick-grade, to drop the lowest score, and to view calculations of students' grades to date.

- the ability to customize assignments using the Assignment Builder's user-friendly filtering system, allowing instructors to create unique assignments that target specific skills, learning objectives, ACTFL standards, and more.

- access to all instructor's resources, including pre-made exams and a test bank for online delivery of exams.

- Tegrity™, McGraw-Hill's unique video capture software, which allows instructors to post short videos, tutorials, and lessons for student access outside of class.

LearnSmart study modules

LearnSmart, the only super-adaptive learning tool on the market, is proven to significantly enhance students' learning and improve course outcomes. Available within Connect Spanish and as a mobile app, LearnSmart provides students with targeted feedback specific to their individual performance, and additional practice in areas where they need help the most. As students work on each chapter's grammar and vocabulary modules, LearnSmart identifies the main grammatical structures and vocabulary words that warrant more practice and provides a unique study program based on each individual student's performance, that pinpoints the student's strengths and weaknesses.

Voice Board and Blackboard IM, two powerful tools integrated into Connect Spanish, promote communication and collaboration outside of the classroom. Voice Board activities allow students to participate in threaded oral discussion boards, while Blackboard IM activities facilitate real-time interaction via text instant messaging and voice or video chat. The white board and screen sharing tools provide opportunities for collaboration, and virtual office hours allow instructors to meet online with students either one-on-one or in groups. Instructors can deliver voice presentations, voice emails, or podcasts as well. Whether for an online, hybrid, or face-to-face course seeking to expand oral communication practice and assessment, these tools allow student-to-student or student-to-instructor virtual oral chat functionality.

MH Campus and Blackboard simplify and facilitate course administration by integrating with any Learning Management System. With features such as single sign-on for students and instructors, gradebook synchronization, and easy access to all of

McGraw-Hill's language content (even from other market-leading titles not currently adopted for your course), teaching an introductory language course has never been more streamlined.

Acknowledgements

We would like to thank the overwhelming number of friends and colleagues who served on boards of advisors or as consultants, completed reviews or surveys, and attended symposia or focus groups. Their feedback was indispensable in creating the *Conéctate* program. The appearance of their names in the following lists does not necessarily constitute their endorsement of the program or its methodology.

Symposia and Focus Groups

Daniel Anderson, *University of Kentucky*

Enrica Ardemagni, *Indiana University—Purdue University Indianapolis*

Angela Bailey de las Heras, *Illinois State University*

Ann Baker, *University of Evansville*

Adam Ballart, *Ball State University*

Adoracion Berry, *University of Memphis*

Amy Bomke, *Indiana University—Purdue University*

Daniel Briere, *University of Indianapolis*

Nancy Broughton, *Wright State University—Celina*

Patricia Cabrera, *University of Indianapolis*

Maribel Campoy, *University of Indianapolis*

Doug Canfield, *University of Tennessee—Knoxville*

Deanne Cobb-Zygadlo, *Kutztown University of Pennsylvania*

Kelly Conroy, *Western Kentucky University*

Manuel Cortes-Castaneda, *Eastern Kentucky University*

Darren Crasto, *Houston Community College—Northwest College*

Richard Curry, *Texas A & M University*

Allen Davis, *Indiana University*

Ana Vives de Girón, *Collin College*

Esther Domenech, *University of Redlands*

Dorian Dorado, *Louisiana State University—Baton Rouge*

Paula Ellister, *University of Oregon*

Idoia Elola, *Texas Tech University*

Jason Fetters, *Purdue University—West Lafayette*

Gayle Fielder-Vierma, *University of Southern California, Los Angeles*

Ruth Flores, *California Baptist University*

William Flores, *California Baptist University*

Leah Fonder-Solano, *University of Southern Mississippi*

Luz Font, *Florida State College South Campus*

Robert Fritz, *Ball State University*

Muriel Gallego, *Ohio University—Athens*

Alejandro Garces, *Coastal Carolina University*

Scott Gibby, *Austin Community College—Northridge*

Inma Gómez Soler, *University of Memphis*

Antonio Martín Gómez, *University of Kentucky*

Melissa Groenewold, *University of Louisville—Louisville*

Patricia Harrigan, *Community College of Baltimore County*

Mary Hartson, *Oakland University*

Greg Helmick, *University of North Florida*

Eda Henao, *Borough of Manhattan Community College*

Alex Herrera, *Cypress College*

Cristina Kowalski, *University of Cincinnati—Cincinnati*

Ryan LaBrozzi, *Bridgewater State University*

Debbie Lee-DiStefano, *Southeast Missouri State University*

Melissa Logue, *Columbus State Community College*

Steve Lombardo, *Purdue University Calumet Hammond*

Nuria López-Ortega, *University of Cincinnati—Cincinnati*

Christopher Luke, *Ball State University*

Jillian Markus, *Vincennes University*

Ivan Martínez, *Ball State University*

Leticia McGrath, *Georgia Southern University*

Ivalise Méndez, *Ball State University*

Wendy Méndez-Hasselman, *Palm Beach State College*

Montserrat Mir, *Illinois State University*

Cheryl Moody, *Pulaski Technical College*

Juan Carlos Moraga, *Folsom Lake College*

Rosa-María Moreno, *Cincinnati State Technical & Community College*

Danae Orlins, *University of Cincinnati—Cincinnati*

Sandra Yelgy Parada, *Los Angeles City College*

Federico Pérez-Pineda, *University of South Alabama*

Lee Ragsdale, *Ivy Tech Community College of Indiana—Indianapolis*

Noris Rodríguez, *University of Cincinnati—Cincinnati*

Aaron Roggia, *Northern Illinois University*

Daniel Runnels, *University of Louisville*

Aaron Salinger, *Mount San Antonio College*

Jacquelyn Sandone, *University of Missouri—Columbia*

Eduardo Santa Cruz, *Hanover College*

Daniela Schuvaks-Katz, *IUPUI—Indianapolis*

Steven Sheppard, *University of North Texas*

Efila Jzar Simpson, *Vincennes University*

Leah Solano, *University of Southern Mississippi*

Alfredo J. Sosa-Velasco, *Southern Connecticut State University*

Melissa Stewart, *Western Kentucky University*

Jorge Suazo, *Georgia Southern University*

Alysha Timmons, *California State University— San Bernardino*

Ana Vicente, *IUPUI—Indianapolis*

Michael Vrooman, *Grand Valley State University*

Amber Workman, *California Lutheran University*

Carlota Yetter, *Moreno Valley College*

Elizabeth Zúñiga Irvin, *University of North Carolina—Wilmington*

Reviewers

Maria Akrabova, *Metropolitan State University of Denver*

Tim Altanero, *Austin Community College*

Aleta Anderson, *Grand Rapids Community College*

Enrica J. Ardemagni, *Indiana University—Purdue University Indianapolis*

Silvia Arroyo, *Mississippi State University*

Sandra Barboza, *Trident Technical College*

Shaun A. Bauer, *University of Central Florida*

Fleming L. Bell, *Valdosta State University*

Maritza Bell-Corrales, *Middle Georgia State College*

Amy Bomke, *Indiana University—Purdue University Indianapolis*

Herbert Brant, *Indiana University—Purdue University Indianapolis*

Cathy Briggs, *North Lake College*

Kristy Britt, *University of South Alabama*

Isabel Zakrzewski Brown, *University of South Alabama*

Suzanne M. Buck, *Central New Mexico Community College*

Adolfo Campoy-Cubillo, *Oakland University*

Beth Buckingham Cardon, *Georgia Perimeter College*

Esther Castro, *San Diego State University*

Marco Tulio Cedillo, *Lynchburg College*

Irene Chico-Wyatt, *University of Kentucky*

Christine E. Cotton, *University of Arkansas at Little Rock*

Jacqueline Daughton, *University of North Carolina at Greensboro*

Luis M. Delgado, *Olive-Harvey College*

Kent L. Dickson, *California State Polytechnic University—Pomona*

Margaret Rose Don, *University of San Diego*

Dorian Dorado, *Louisiana State University*

Megan Echevarria, *University of Rhode Island*

Ronna S. Feit, *Nassau Community College*

María Ángeles Fernández, *University of North Florida*

Sandra Fernández-Tardani, *Grand Valley State University*

Erin S. Finzer, *University of Arkansas at Little Rock*

Leah Fonder-Solano, *University of Southern Mississippi*

Joan H. Fox, *University of Washington*

Marianne Franco, *Modesto Junior College*

Ellen Lorraine Friedrich, *Valdosta State University*

Diana García-Denson, *San Francisco City College*

Susana García Prudencio, *Pennsylvania State University*

Audrey Gertz, *Indiana University—Purdue University Indianapolis*

Ransom Gladwin, *Valdosta State University*

Jesse Gleason, *University of Florida*

Inmaculada Gómez Soler, *University of Memphis*

Christine Pratt Gonzales, *Salt Lake Community College*

Kenneth A. Gordon, *Winthrop University*

Melissa Guzmán Groenewold, *University of Louisville*

Marta C. Gumpert, *Southeastern Louisiana University*

Agnieszka Gutthy, *Southeastern Louisiana University*

Angela Haensel, *Cincinnati State Technical and Community College*

Shannon W. Hahn, *Durham Technical Community College*

Patricia Harrigan, *Community College of Baltimore County*

Mary Hartson, *Oakland University*

Richard A. Heath, *Kirkwood Community College—Iowa City*

Greg Helmick, *University of North Florida*

Eda Henao, *Borough of Manhattan Community College*

Yolanda Hernández, *College of Southern Nevada*

Michael J. Horswell, *Florida Atlantic University*

Nuria Ibáñez Quintana, *University of North Florida*

Jennifer Erin Irish, *Coastal Carolina Community College*

Bernard Issa, *University of Illinois at Chicago*

Douglas A. Jackson, *University of South Carolina Upstate*

Natalia Jacovkis, *Xavier University*

Becky S. Jaimes, *Austin Community College*

Qiu Y. Jiménez, *Bakersfield College*

Dallas Jurisevic, *Metropolitan Community College*

Anne Kelly-Glasoe, *South Puget Sound Community College*

Kelly C. Kingsbury Brunetto, *University of Nebraska—Lincoln*

Julie Kleinhans-Urrutia, *Austin Community College*

Dora Cecilia Mezzich Kress, *Florida State College at Jacksonville*

Kajsa Larson, *Northern Kentucky University*

Rachele Lawton, *Community College of Baltimore County*

Vanessa Lazo-Wilson, *Austin Community College*

David Leavell, *College of Southern Nevada*

Lance Lee, *Durham Technical Community College*

Talia Loaiza, *Austin Community College*

Soumaya B. Long, *Community College of Baltimore County*

Nuria Lopez-Ortega, *University of Cincinnati*

Jude Thomas Manzo, *Saint Philip's College*

Laura Manzo, *Modesto Junior College*

Karen R. Martin, *Texas Christian University*

Lornaida McCune, *University of Missouri—Columbia*

Leticia McGrath, *Georgia Southern University*

Mary Newcomer McKinney, *Texas Christian University*

Peggy McNeil, *Louisiana State University*

Mercedes Meier, *Coastal Carolina Community College*

Mandy R. Menke, *Grand Valley State University*

Dennis Miller, *Clayton State University*

Cheryl Moody, *Pulaski Technical College*

María Yazmina Moreno-Florido, *Chicago State University*

Sandra Mulryan, *Community College of Baltimore County*

Esperanza Muñoz Pérez, *Kirkwood Community College*

Alicia Muñoz-Sánchez, *University of California—San Diego*

Ruth Fátima Navarro, *Grossmont College*

Benjamin J. Nelson, *University of South Carolina Beaufort*

Christine Coleman Núñez, *Kutztown University of Pennsylvania*

Martha T. Oregel, *University of San Diego*

William Otáñez, *Coastal Carolina Community College*

Ignacio Pérez-Ibáñez, *Moses Brown School*

Anne Prucha, *University of Central Florida*

Yaneth Ramírez, *Fresno City College*

Claire L. Reetz, *Florida State College at Jacksonville*

Terri Rice, *University of South Alabama*

Angelo Rodríguez, *Kutztown University of Pennsylvania*

Teresa Roig-Torres, *University of Cincinnati*

Mevelyn Romay Fernández, *University of Mississippi*

Latasha Lisa Russell, *Florida State College at Jacksonville*

Maritza Salgueiro-Carlisle, *Bakersfield College*

Mariela Sánchez, *Southeastern Louisiana University*

José Sandoval, *Coastal Carolina Community College*

Jason Steve Sarkozi, *Central Michigan University*

Dora Schoebrun-Fernandez, *San Diego Mesa College*

Daniela Schuvaks Katz, *Indiana University—Purdue University Indianapolis*

Alfredo J. Sosa-Velasco, *Southern Connecticut State University*

Sabrina Spannagel Bradley, *University of Washington*

Linda S. Stadler, *Cincinnati State Technical and Community College*

Nancy Stucker, *Cabrillo College*

Jorge W. Suazo, *Georgia Southern University*

Joe Terantino, *Kennesaw State University*

Rosa Tezanos-Pinto, *Indiana University—Purdue University Indianapolis*

Linda Tracy, *Santa Rosa Junior College*

Norma Urrutia, *Xavier University*

Gloria Vélez-Rendón , *Purdue University Calumet*

Ana Vicente, *Indiana University—Purdue University Indianapolis*

Rosario P. Vickery, *Clayton State University*

Gayle Vierma, *University of Southern California*

Paul Vincent, *Grossmont College*

Michael Vrooman, *Grand Valley State University*

Joseph A. Wieczorek, *Community College of Baltimore County, Notre Dame of Maryland University*

Kelley L. Young, *University of Missouri—Kansas City*

Author Acknowledgments

Conéctate would not be possible without the hard work of a hugely talented and creative group of people. I thank the entire editorial team at McGraw-Hill, especially Katie Crouch, who got us started, and Kim Sallee, Sadie Ray, and Misha MacLaird, who led us through to a successful completion; our wonderful video crew led by Hugo Krispyn, David Murray, Lamar Owen, and Rocío Barajas; my co-author, Darcy Lear, who has been a great friend and companion along this amazing journey; and to the hundreds of people in Spain and Latin America who agreed to speak to us on camera. Getting to hear their stories and their perspectives on the world was an immense privilege and an unforgettable experience. My approach to education has been greatly influenced by my colleagues here at UC San Diego, including Leonard Newmark and David Perlmutter, who taught me so much in so many ways; our language coordinators Alicia Muñoz Sánchez, Peggy Lott, Elke Riebeling, and Françoise Santore, four of the most inspiring language teachers one could ever hope to meet; and the many other instructors and teaching assistants here whose influence is spread throughout these pages.

—Grant Goodall

First, I thank Katie Crouch for bringing me into this project, and for pairing me with Grant Goodall. The "arranged marriage" we joked of has blossomed into all the very best of arranged relationships. I am grateful for that. It has been a pleasure to work with everyone else at McGraw-Hill who has helped us along the way, including Susan Blatty, Kim Sallee, Misha MacLaird, Allen Bernier, Pennie Nichols, and Sadie Ray. The international travel was truly a thrilling once-in-a-lifetime experience, thanks in a large part to our crew: Hugo Krispyn, David Murray, Lamar Owen, and Rocío Barajas. I owe my career in language education to some amazing mentors—all textbook authors themselves—starting with the late Graciela Ascarrunz Gilman who saved me years of handwringing by telling me: *¡Naciste para enseñar!* Then I had the great good luck to work with Janice Macián and Donna Reseigh Long at The Ohio State University. They always lovingly put me where I belonged, pushed me when I needed it, and told me the truth. Glynis Cowell's warmth, kindness, and support together with Larry King being a great boss made my entire stay at the University of North Carolina a pleasure. My work at the University of Illinois brought me close Diane Musumeci—half of the *Avanti!* team—who always offered good advice about everything textbook- and work-related. And that is also where I met my closest colleague and dear friend, Ann Abbott, who has supported me in all my professional endeavors.

—Darcy Lear

We would also like to gratefully acknowledge all of the people who worked tirelessly to produce the entire *Conéctate* program.

Contributing Writers
Student Edition: Maria Akrabova, Misha MacLaird
Workbook / Laboratory Manual: Maria Akrabova, Allen Bernier, Dorian Dorado, Gayle Fiedler-Vierma, Eileen Fancher, Kristina Gibby, Misha MacLaird, Nuria López Ortega, Pennie Nichols, Alfonso J. Quiñones-Rodriguez

Product Team
Editorial and Marketing: Jorge Arbujas, Caitlin Bahrey, Janet Banhidi, Jessica Becker, Allen Bernier, Susan Blatty, Leslie Briggs, Chris Brown, Sarah Carey, Laura Chastain, Laura Ciporen, Katie Crouch, Craig Gill, Lorena Gómez Mostajo, Helen Greenlea, Misha MacLaird, Pennie Nichols, Sadie Ray, Kim Sallee, Katie Stevens
Art, Design, and Production: Matt Backhaus, Harry Briggs, Sue Culbertson, Lori Hancock, Danielle Havens, Kelly Heinrichs, Rita Hingtgen, Lynne Lemley, Erin Melloy, Terri Schiesl, Preston Thomas.
Media Partners: Aptara, Eastern Sky Studios, Laserwords, Truth-Function

¡Estás en tu casa!

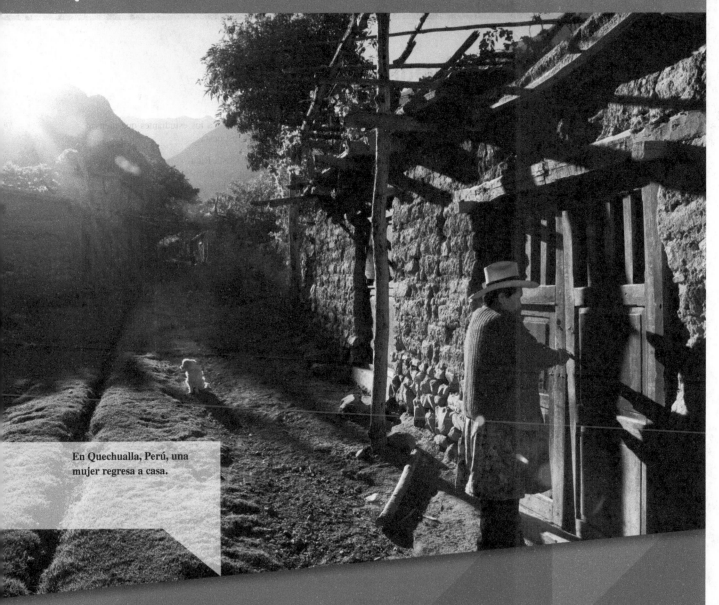

En Quechualla, Perú, una mujer regresa a casa.

Objetivos

In this chapter you will learn how to:

- welcome people to your home or country
- make polite invitations
- describe homes and furnishings
- talk about what you have done
- talk about what you are currently doing
- discuss housing in the Spanish-speaking world and its cost

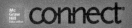

COMUNICACIÓN

¡Bienvenido!
Welcoming people

 A. A ver: ¡Bienvenidos! ¿Qué les dicen estos hispanos a los estudiantes que piensan visitar sus países? Mira y escucha, luego escoge la mejor respuesta.

1. Aníbal, de Panamá
   a. Le damos la bienvenida siempre.
   b. Os doy la bienvenida.
   c. Siempre van a ser bienvenidos.
   d. Son bienvenidos.

2. Guillermo, de España
   a. Le damos la bienvenida.
   b. Os doy la bienvenida.
   c. Siempre van a ser bienvenidos.
   d. Son bienvenidos.

3. Pedro, de México
   a. Si pueden venir, ¡bienvenidos!
   b. Siempre van a ser bienvenidos.
   c. Son bienvenidos.
   d. Todo el mundo es bienvenido.

4. Allan, de Costa Rica
   a. Si pueden venir, ¡bienvenidos!
   b. Siempre van a ser bienvenidos.
   c. Son bienvenidos.
   d. Todo el mundo es bienvenido.

5. Vilma, de Colombia
   a. Bienvenidos siempre.
   b. Le damos la bienvenida.
   c. Son bienvenidos.
   d. Todo el mundo es bienvenido.

6. Alexis, de Costa Rica
   a. Le damos la bienvenida.
   b. Os doy la bienvenida.
   c. Siempre son bienvenidos.
   d. Todo el mundo es bienvenido.

7. Sylvia, de Argentina
   a. Si pueden venir, ¡bienvenidos!
   b. Siempre van a ser bienvenidos.
   c. Son bienvenidos.
   d. Todo el mundo es bienvenido.

8. Víctor, de México
   a. Bienvenidos siempre.
   b. Le damos la bienvenida.
   c. Son bienvenidos.
   d. Todo el mundo es bienvenido.

9. Mauricio, de Costa Rica
   a. Si pueden venir, ¡bienvenidos!
   b. Bienvenidos siempre.
   c. Siempre van a ser bienvenidos.
   d. Todo el mundo es bienvenido.

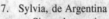 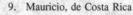 

To say *Welcome!*, use **¡Bienvenido(s)!** or **¡Bienvenida(s)!**

To specify who is welcome, use this construction: *subject* + **ser** + **bienvenido/a/os/as.**

Los estudiantes siempre son bienvenidos aquí.	Students are always welcome here.

To use the equivalent of the verb *to welcome,* use this construction: *indirect object pronoun* + **dar** + **la bienvenida a** + *noun.*

Les damos la bienvenida a los estudiantes.	We welcome students. (*Lit.,* We give welcome to the students.)

B. ¡Bienvenidos!   Mira las imágenes y decide qué saludo de bienvenida debes usar para cada una.

MODELO:

¡Bienvenida, señora!

1.

2.

3.

4.

En español...

To address people whose names you do not know, it is common to use:

señor(es) for men (*sir* or *sirs/gentlemen* in English)
señora(s) for older women and a married woman (*Mrs.* or *ma'am; ladies*)
joven/jóvenes for younger males, adolescent or early 20s (*young man* or *young men*)
señorita(s) for younger, unmarried women (*Miss; ladies*)

These are all commonly used in the Spanish-speaking world, and you may come across as slightly rude or abrupt if you leave them out.

Pasa.

Making polite invitations

Here are some commands that can be used as polite invitations. Adding **por favor** to these commands will soften them even more, ensuring that your audience receives them as friendly, not bossy.

TÚ	UD.	UDS.	
Come más.	**Coma más.**	**Coman más.**	Have some more (food).
¡Diviértete!	**¡Diviértase!**	**¡Diviértanse!**	Have fun!
Pasa.	**Pase.**	**Pasen.**	Come in.
¡Sírvete!	**¡Sírvase!**	**¡Sírvanse!**	Help yourself!
Siéntate.	**Siéntese.**	**Siéntense.**	Have a seat.

A. Pase Ud.

PASO 1. Empareja cada imagen con la mejor invitación. **¡Atención!** Usa cada invitación solo una vez.

1. ___    2. ___

    a. Diviértanse.
    b. Pase.
    c. Pasen.
    d. Siéntese.
    e. Sírvanse.

3. ___    4. ___

5. ___

PASO 2. Para cada imagen, indica qué mandato debes usar.

1.

☐ Siéntate.
☐ Siéntese.
☐ Siéntense.

2.

☐ Pasa.
☐ Pase.
☐ Pasen.

3.

☐ Pasa.
☐ Pase.
☐ Pasen.

4.

☐ Siéntate.
☐ Siéntese.
☐ Siéntense.

5.

☐ Sírvete.
☐ Sírvase.
☐ Sírvanse.

6.

☐ Come más.
☐ Coma más.
☐ Coman más.

 PASO 3. En parejas, inventen por lo menos dos mandatos apropiados más para cada imagen en el **Paso 2. ¡Atención!** No se olviden de mantener el nivel de formalidad apropiado.

MODELO: (imagen 1) ¡Juega un videojuego conmigo! Cuéntame de tu día. No te olvides de llamar a tu mamá.

 B. Las invitaciones en la clase   En parejas, practiquen «las visitas». Un(a) estudiante llega, toca a (*knocks on*) la puerta y el otro/la otra lo/la invita a entrar, a sentarse y a comer algo. Luego, practiquen con otra pareja para usar la forma de **Uds.**

MODELO: E1: (Toca a la puerta.)
E2: ¡Hola! Pasa. Bienvenido/a.
E1: ¿Qué pasa?
E2: Tenemos pizza. Sírvete, por favor.

COMUN **VOCABULARIO** UCTURA ATE

La casa y los muebles
Rooms and other parts of a home

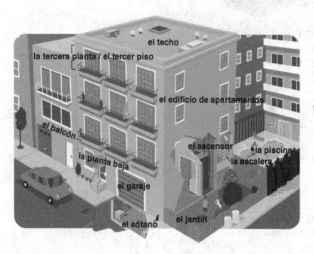

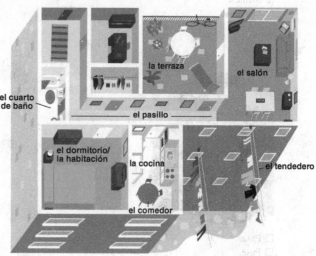

A. Un piso en Madrid

PASO 1.   Usa el vocabulario de los dibujos para completar la descripción de un apartamento en Madrid.

apartamento   ascensor   escalera   jardín   pasillo   tendedero

Vivo en un _____ (o «piso», como decimos aquí en España) en un **edificio** moderno en Madrid. Para subir a **la tercera planta,** tienes que usar el _____ o, si prefieres hacer más ejercicio, la _____. Al entrar en nuestro piso, hay dos **dormitorios.** Luego si pasas por el _____, llegas al **cuarto de baño.** Hay un **salón** a la izquierda y **la cocina** a la derecha. Si cruzas el salón, vas a ver **la terraza** con plantas, hierbas y flores. ¡Tenemos nuestro propio _____ en la terraza! Tenemos una mesa para comer y relajarnos allí. La vista es bellísima. Además, tenemos el _____ allí para colgar la ropa limpia para secarse al aire.

PASO 2.   Contesta las siguientes preguntas sobre el lugar donde vives.

1.   El edificio tiene cuatro plantas. ¿Cuántas plantas tiene tu casa o apartamento?
2.   ¿Hay ascensor en tu edificio?
3.   ¿Tienes tu propio dormitorio o lo compartes con otra(s) persona(s)?
4.   ¿Cuántas personas comparten el cuarto de baño donde vives? ¿Quién normalmente lo limpia?
5.   Si hay una cocina donde vives, ¿cómo es? ¿Es grande? ¿moderna? Si no hay cocina, ¿echas de menos (*miss*) tener una cocina?

Los muebles y los electrodomésticos
Furniture and appliances

A. ¿Cúal no se encuentra (*isn't found*) en... ?　Lee las siguientes preguntas y para cada una, selecciona la respuesta más lógica.

1.　¿Cuál de las siguientes cosas no se encuentra en una cocina normalmente?

　　a. **un sofá**　　　　b. **un fregadero**　　　c. **un horno**　　　　d. **un refrigerador**

2.　¿Cuál de las siguientes cosas no se encuentra en un cuarto de baño?

　　a. **una bañera**　　　b. **un lavabo**　　　　c. **una cama**　　　　d. **un espejo**

3.　¿Cuál de las siguientes cosas no se encuentra en un dormitorio / una habitación?

　　a. **un armario**　　　b. **una mesita de noche**　　c. **una lámpara**　　d. **un lavaplatos**

4.　¿Cuál de las siguientes cosas no se encuentra en el salón?

　　a. **un sillón**　　　　b. **un estante**　　　c. **una ducha**　　　d. **un televisor**

5.　¿Cuál de las siguientes cosas no requiere la electricidad para funcionar?

　　a. **la aspiradora**　　b. **el inodoro**　　　c. **la lavadora**　　　d. **el microondas**

322   **Capítulo 11** ¡Estás en tu casa!

Vocabulario

To talk about household chores (**los quehaceres domésticos**) in Spanish, the following vocabulary is useful.

barrer (el piso)	to sweep (the floor)
hacer la cama	to make the bed
lavar (los platos, el suelo)	to wash/clean (the dishes, the floor)
limpiar	to clean
pasar la aspiradora	to vacuum
sacar la basura	to take out the trash
sacudir	to dust

B. ¿Cómo son las partes de la casa?   Empareja las partes de la casa con su mejor descripción.

1. _____ la parte subterránea
2. _____ el cuarto (*room*) que se usa para dormir durante la noche
3. _____ una parte exterior con plantas y flores
4. _____ la parte donde se aparca el coche
5. _____ el cuarto que tiene mesa y sillas y que se usa para cenar
6. _____ la parte que conecta un cuarto a otro
7. _____ el cuarto que se usa para ducharse

a. el comedor
b. el cuarto de baño
c. el dormitorio
d. el garaje
e. el jardín
f. el pasillo
g. el sótano

C. ¿Qué haces en cada cuarto?

PASO 1.   Indica si cada oración describe una acción lógica o no.

	LÓGICA	NO ES LÓGICA
1. Me afeito en el garaje.	☐	☐
2. Me baño en la cocina.	☐	☐
3. Me lavo los dientes en el cuarto de baño.	☐	☐
4. Cocino en el dormitorio.	☐	☐
5. Como en el comedor.	☐	☐
6. Descanso (*I rest*) en la terraza.	☐	☐
7. Duermo en el cuarto de baño.	☐	☐
8. Me ducho en el pasillo.	☐	☐
9. Escucho música en el salón.	☐	☐
10. Lavo la ropa en el sótano.	☐	☐
11. Me lavo las manos en el salón.	☐	☐
12. Leo en el dormitorio.	☐	☐
13. Tomo el sol en el jardín.	☐	☐
14. Veo la televisión en el salón.	☐	☐

PASO 2.   Ahora, en parejas, túrnense para cambiar todas las acciones ilógicas a acciones lógicas para Uds.

CONÉCTATE AL MUNDO HISPANO

Antoni Gaudí i Cornet fue un famoso arquitecto español que nació en Cataluña en 1852 y murió en 1926. Cuando diseñaba casas y otras estructuras, prefería trabajar con modelos tridimensionales en vez de con modelos planos (*flat*), y siempre improvisaba e incorporaba otros trabajos artesanales hechos de madera, cerámica, metal, vidrio y otros materiales. Su estilo, orgánico e innovador para esa época, ha sido reconocido mundialmente. A Gaudí le gustaba mucho la naturaleza y sus obras fueron inspiradas por ella. Entre sus mejores obras destacan (*stand out*) tres que están en Barcelona: la Casa Milà (en la página 117 de este libro), de paredes ondulantes (*wavy*); el Parque Güell, cubierto de mosaicos multicolores; y el Templo de la Sagrada Familia, una catedral que todavía está en construcción.

D. A ver: En casa de Jordi y Elena

PASO 1. Mientras miras el video, indica las partes de la casa mencionadas por Jordi.

☐ la cocina   ☐ el dormitorio   ☐ el salón

☐ el cuarto de baño   ☐ el garaje   ☐ el sótano

☐ la despensa (*pantry*)   ☐ el jardín   ☐ la terraza

¿Qué electrodoméstico *no* menciona Jordi?

☐ la batidora (*mixer*)   ☐ el lavavajillas   ☐ la nevera

☐ el horno (*oven*)   ☐ el microondas   ☐ la placa (*cooktop*)

PASO 2. Mientras miras el video otra vez, indica tres verbos que usa Jordi en cada parte de su apartamento. Luego, contesta la pregunta.

1. EN EL SALÓN
   ☐ comer   ☐ dormir
   ☐ descansar   ☐ lavar

2. EN LA TERRAZA
   ☐ comer   ☐ estar
   ☐ descansar   ☐ preparar

3. EN LA COCINA
   ☐ cocinar   ☐ lavar
   ☐ descansar   ☐ preparar

Según Jordi, ¿cuál es la cosa que no puede faltar en ninguna cocina española? _____

E. El juego de las veinte preguntas

Formen grupos de por lo menos tres personas. Un miembro del grupo debe seleccionar un cuarto, un mueble o un aparato electrodoméstico. Los otros miembros deben hacerle preguntas de sí o no hasta adivinar la palabra correcta.

MODELO: (E1 selecciona la palabra «fregadero» sin decirla a los otros estudiantes)

     E2: ¿Es un mueble?
     E1: No.
     E2: ¿Está en el salón?
     E1: No.
     E3: ¿Está en la cocina?
     E1: ¡Sí!
     E2: ¿Se usa para cocinar? ...

F. ¿Cómo son nuestras casas?

PASO 1.   Piensa en un cuarto de tu casa, residencia o apartamento. Apunta todos los detalles que puedes recordar sobre el cuarto. (Puedes usar estas preguntas para ayudar tu memoria: ¿Qué cuarto es? ¿Qué muebles y otras cosas hay en el cuarto? ¿Dónde se encuentran (*are they located*)? ¿Qué haces en el cuarto?) Para explicar bien la ubicación (*location*) de cada mueble, usa estas expresiones.

a la derecha/izquierda de	detrás de
al lado de	en medio de (*in the middle of*)
cerca/lejos de	encima de (*on top of*)
debajo de (*below*)	enfrente de

PASO 2.   En grupos de dos, túrnense para describir sus cuartos. Mientras una persona describe el cuarto, la otra debe dibujar el plano (*floor plan*) con todas las cosas que escucha y hacer preguntas cuando no comprende bien. Luego, intercambien (*exchange*) dibujos. ¿Es parecido el dibujo de tu pareja al cuarto que describiste?

G. ¿Cómo viven los estudiantes?

PASO 1.   En grupos, túrnense para contestar las preguntas sobre el lugar donde vive cada uno ahora. Un miembro del grupo debe apuntar las respuestas de los otros miembros del grupo.

¿Cómo es el edificio? ¿Cúantos pisos hay? ¿Hay ascensor en el edificio? ¿Hay cocina compartida (*shared*)?

¿Cuántos dormitorios hay? ¿Cuántos cuartos de baño?

Si hay cocina, ¿es moderna o anticuada? ¿Cuáles son los electrodomésticos en la cocina?

¿Cuántos televisores hay? ¿Dónde están? ¿Hay equipo de música? ¿Dónde?

¿Hay lavadora y secadora? ¿Dónde están?

¿Hay garaje? ¿sótano? ¿escaleras? ¿jardín?

PASO 2.   Basándote en la información del **Paso 1,** ¿quiénes viven en un apartamento, quiénes en una residencia estudiantil y quiénes en una casa? ¿Cuáles son algunas otras diferencias en los lugares donde viven tus compañeros?

¿Cuál dormitorio es más similar al tuyo?

ESTRUCTURA

Reciclaje

Present, preterite, and imperfect tenses

¿Quién hace los siguientes quehaceres en tu casa regularmente? ¿Quién los hizo ayer? ¿Y quién los hacía cuando eras niño/a? Dibuja la siguiente tabla y complétala con esta información, usando los verbos indicados. Y si la respuesta es **nadie,** escribe eso, pero con el verbo.

	Regularmente...	Ayer...	Cuando era niño/a...
1. preparar el desayuno			
2. pasar la aspiradora			
3. limpiar la casa			
4. hacer la cama			
5. lavar la ropa			
6. sacudir los muebles			

11.1   He limpiado mi cuarto cinco veces.

The present perfect

Para empezar...

Muchos profesionales en los países hispanos dicen que se vive mejor en su país que en los Estados Unidos o Canadá. Una razón es que es relativamente barato (*inexpensive*) contratar a alguien para hacer los quehaceres domésticos y ayudar con los niños. Esto les deja mucho tiempo que pueden pasar (*spend*) con los amigos y con la familia, y por eso la vida en general es más relajada.

¿Y para ti, cómo es la vida? ¿Tienes que hacer muchos quehaceres domésticos? ¿Tienes tiempo para relajarte con los amigos y la familia? Para explorar este tema, completa las siguientes oraciones con un número (usa el cero si es necesario). Marca **vez** o **veces** según sea necesario.

Los quehaceres domésticos

En la última semana,...

1. **he preparado** (*I have prepared*) la cena _____ vez / veces.
2. **he lavado** los platos _____ vez / veces.
3. **he pasado** la aspiradora _____ vez / veces.
4. **he sacudido** los muebles _____ vez / veces.
5. **he limpiado** mi cuarto _____ vez / veces.
6. **he hecho** (*made*) la cama _____ vez / veces.

He lavado los platos.

(Continues.)

326   **Capítulo 11** ¡Estás en tu casa!

El tiempo con los amigos y la familia

En la última semana,...

1. mis amigos y yo **hemos comido** juntos _____ vez / veces.
2. mis amigos y yo **hemos tomado** un café o un refresco juntos _____ vez / veces.
3. **he visto** (*seen*) una película en el cine _____ vez / veces.
4. **he salido** a bailar _____ vez / veces.

Ahora, ¿cuáles son tus conclusiones?

1. En general, hago _____ quehaceres domésticos.
   a. muchos   b. algunos   c. pocos
2. En general, paso _____ tiempo con mis amigos y mi familia.
   a. mucho   b. algún   c. poco

Actividades analíticas

1 The verbs in first two sections of the **Para empezar** questionnaire are in the *present perfect* (**el presente perfecto**). The use of this verb form is similar in both Spanish and English.

He preparado la cena cinco veces.   *I have prepared dinner five times.*

The present perfect consists of two words: the *auxiliary verb* (**el verbo auxiliar**) **haber** in the present tense and the *past participle* (**el participio pasado**). To make a statement negative, just add **no** in front of the auxiliary verb.

No he preparado la cena todavía.   *I haven't prepared dinner yet.*

Based on what you saw in **Para empezar,** complete the following conjugation of the auxiliary verb **haber** and provide an example of its use.

EL VERBO AUXILIAR *haber*			
yo			
tú	has	¿**Has hecho** la cama?	*Have you made the bed?*
él/ella, Ud.	ha	Javier **ha lavado** los platos.	*Javier has washed the dishes.*
nosotros/as			
vosotros/as	habéis	¿**Habéis comido**?	*Have you eaten?*
ellos/ellas, Uds.	han	Ya **han salido**.	*They have already left.*

2 Use the forms in **Para empezar** to complete this chart of past participles.

	INFINITIVO	PARTICIPIO PASADO
-ar VERBS	lavar	
-er VERBS	comer	
-ir VERBS	salir	

The rule for forming regular past participles is very simple. For **-ar** verbs, add **-ado** to the stem (for example, **preparar → prepar- + -ado**), and for **-er** and **-ir** verbs, add **-ido** to the stem (for example, **sacudir → sacud- + -ido**). Note that regular past participles can only end in **-ado** or **-ido**; they do not change to agree with the subject. Form the past participle for these verbs.

INFINITIVO	PARTICIPIO PASADO
trabajar	
aprender	
vivir	

3 A few verbs have irregular past participles. Use what you saw in **Para empezar** to complete this table of the most common past participles and examples of how they are used.

INFINITIVO	PARTICIPIO PASADO		
decir	dicho	**He dicho** eso muchas veces.	*I have said that many times.*
escribir	escrito	Ella **ha escrito** cinco libros.	*She has written five books.*
hacer			
morir	muerto	El rey **ha muerto.**	*The king has died.*
poner	puesto	¿Dónde **has puesto** la llave?	*Where have you put the key?*
ver			

For more on past participles in Spanish, see **Para saber más 11.1** at the back of your book.

4 You know that **hay,** from the verb **haber,** expresses the idea of *there is* or *there are* in the present tense.

Hay un cambio en nuestros planes.   *There is a change in our plans.*

Hay muchos rumores sobre el nuevo celular.   *There are many rumors about the new cell phone.*

To express this idea in the present perfect (*there has been* or *there have been*), use the auxiliary **ha** and the past participle **habido.**

Ha habido un cambio en el horario.   *There has been a change in the schedule.*

Ha habido muchos rumores sobre la nueva láptop.   *There have been a lot of rumors about the new laptop.*

Notice that just as you saw with **hay,** which has one form for *there is* and *there are*, the singular form **ha habido** is used even when you are talking about something plural, such as **rumores.**

En español...

In general, the use of the present perfect in Spanish parallels its use in English. In both languages, the present perfect describes events that happened in the past but that are still relevant to the current moment.

> **Han cancelado** el vuelo. ¿Ahora qué hago?
>
> *They've canceled the flight. Now what do I do?*

For many speakers from Spain, however, the present perfect is also used to describe events that happened very recently.

> **He comido** a la una.
>
> *I ate at 1:00.*

For Latin American speakers, and for some from Spain as well, the simple preterite is used in these cases.

> **Comí** a la una.
>
> *I ate at 1:00.*

Actividades prácticas

A. Preguntas y respuestas   Empareja cada pregunta con la respuesta apropiada.

1. _____ ¿Qué han dicho los médicos?
2. _____ ¿Dónde has puesto la aspiradora?
3. _____ ¿Qué has hecho últimamente (*lately*)?
4. _____ No me acuerdo. ¿Hemos visto esa película?
5. _____ ¿Ya ha muerto el arquitecto que diseñó ese hotel?
6. _____ ¿Ya has escrito la composición para mañana?
7. _____ ¿Han ido a Ecuador?
8. _____ ¿Les ha gustado esa casa?

a. No, pero me voy a levantar mañana muy temprano para escribirla.
b. Ayer fui al cine y hoy en la mañana ayudé a mi abuela a sacudir la casa.
c. Sí, más o menos. Es pequeña, pero tiene muy bonita terraza.
d. Creo que la dejé en el pasillo.
e. ¡Claro que sí! El DVD está allí (*over there*) en el salón.
f. Dicen que tu abuelo está muy bien.
g. No, pero tenemos muchas ganas de ir a conocerlo.
h. Sí. Se murió hace tres años.

B. Los quehaceres que hemos hecho esta semana   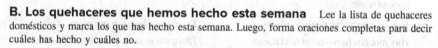 Lee la lista de quehaceres domésticos y marca los que has hecho esta semana. Luego, forma oraciones completas para decir cuáles has hecho y cuáles no.

> **MODELO:**   lavar la ropa → He lavado la ropa esta semana.
>   barrer el piso → No he barrido el piso.

1. ☐ pasar la aspiradora
2. ☐ hacer la cama
3. ☐ pagar una cuenta (*bill*)
4. ☐ lavar los platos
5. ☐ limpiar el baño
6. ☐ sacudir los muebles
7. ☐ sacar la basura
8. ☐ sacar el reciclaje (*recycling*)

C. De África y Asia a América
¿Te has cambiado de casa alguna vez en tu vida? ¿Te has mudado de continente? En la historia de la humanidad, muchos sí lo han hecho, y la población actual de Latinoamérica es prueba (*proof*) de eso. La mayoría es de origen indígena y europeo, pero muchos también tienen sangre (*blood*) africana o asiática. ¿Cómo es eso? Las siguientes oraciones lo explican. Primero, indica si la información tiene que ver con los inmigrantes africanos o asiáticos. Luego, completa la oración con el verbo apropiado en el espacio en blanco. **¡Atención!** Cada verbo se usa dos veces.

Epsy Campbell Barr es una política costarricense. Su abuela era jamaicana.

Jorge Miyagui es un artista peruano, de ascendencia japonesa.

han emigrado (*emigrated*)   **ha habido**   **ha sido**   **han tenido**   **han vivido**

AFRICANOS   ASIÁTICOS

☐   ☐   1. Los filipinos _____ una presencia en Latinoamérica desde los primeros años de la colonia, cuando llegaron a México marineros (*sailors*) de Manila en barcos (*ships*) españoles.

☐   ☐   2. Los chinos y los japoneses _____ en Latinoamérica desde las últimas décadas (*decades*) del siglo (*century*) XIX. Sus descendientes viven ahora en todos los países de Latinoamérica, pero sobre todo en Argentina, México y el Perú.

☐   ☐   3. Desde los primeros años de la colonia, la influencia africana en Latinoamérica _____ muy importante. Algunos africanos llegaron con los españoles como marineros y exploradores, y muchos otros llegaron después como esclavos (*slaves*).

☐   ☐   4. _____ muchos que son famosos: el astronauta costarricense Franklin Chang-Díaz, la actriz mexicana/uruguaya Bárbara Mori y el ex presidente peruano Alberto Fujimori.

☐   ☐   5. Muchos inmigrantes de Jamaica y otras islas del Caribe _____ en Panamá desde los tiempos de la construcción del Canal de Panamá, cuando muchos llegaron para buscar trabajo.

☐   ☐   6. Por siglos, la presencia africana _____ muy notable en el Caribe, Centroamérica, Colombia y Venezuela, pero los afrolatinos _____ influencia en todos los países latinoamericanos, desde México hasta Chile.

☐   ☐   7. _____ muchísimos que son muy famosos: la cantante cubana Celia Cruz, el beisbolista dominicano Robinson Canó y el futbolista mexicano Giovani Dos Santos.

☐   ☐   8. Muchos _____ a los Estados Unidos y a Canadá por razones económicas, y algunos de origen japonés _____ a Japón.

D. Los cambios en la vida

PASO 1.   En parejas, entrevístense sobre los cambios importantes en sus vidas. Pregúntale a tu compañero/a en cuántos países, en cuántas ciudades y en cuántas casas ha vivido. ¿En cuántas universidades ha estudiado? En la casa donde vive su familia ahora, ¿siempre ha dormido en la misma habitación? Apunta los resultados.

> **MODELO:**   E1: ¿En cuántos países has vivido?
> E2: He vivido en dos países: en Canadá y en los Estados Unidos.

PASO 2.   Según los resultados, ¿crees que tu compañero/a ha llevado una vida relativamente estable (*stable*) o una con muchos cambios? ¿Piensas que este caso es típico de tu país? Está preparado/a para compartir los resultados con la clase.

E. Una encuesta

PASO 1.   ¿Quién en tu clase ha hecho las siguientes actividades? Pregúntales a tus compañeros y, en una hoja de papel, apunta por lo menos una persona que ha hecho cada actividad. Si nadie ha hecho una, escribe «nadie». **¡Atención!** Los verbos **hacer** y **ver** tienen participios pasados irregulares.

> **MODELO:**   E1: ¿Has bailado tango?
> E2: No, nunca he bailado tango.
> E1: Yo tampoco. ¿Has probado (*tried, tasted*) comida española?

ACTIVIDAD   NOMBRE

1. bailar tango
2. probar comida española
3. probar comida salvadoreña
4. escuchar la música de Aleks Syntek
5. hablar en español con alguien fuera de la clase
6. hacer surf
7. tomar horchata (*rice drink*)
8. tomar mate (un té que se bebe en Argentina, Uruguay y Paraguay)
9. ver en persona a un actor famoso / una actriz famosa
10. viajar a México

PASO 2.   En grupos, hagan oraciones para decir lo que han hecho todos del grupo, lo que no ha hecho nadie y lo que han hecho solo algunos.

> **MODELO:**   Todos hemos bailado tango y todos hemos tomado horchata.
> Nadie ha hecho surf, nadie ha tomado mate y nadie ha viajado a México.
> Chris y Mary han probado comida española.

PASO 3.   Inventa por lo menos tres preguntas originales para saber qué más han hecho los otros miembros de tu grupo. ¡Sé creativo/a! Luego, haz las preguntas a tus compañeros y contesta las suyas (*theirs*).

> **MODELO:**   ¿Han visto una película española? ¿Han ido a un partido (*game*) de fútbol? ¿Han estudiado otro idioma?

F. ¿Qué has hecho? ¿Qué quieres hacer todavía (*still*)?

PASO 1.   Haz una lista de cuatro cosas significativas (*significant*) que has hecho en tu vida y cuatro cosas que quieres hacer todavía.

> **MODELOS:**   He terminado la escuela secundaria y todavía quiero terminar la universidad.
> He viajado a siete estados. Todavía quiero viajar a Alaska.

PASO 2.   Entrevista a un compañero o una compañera para saber qué cosas significativas ha hecho y qué quiere hacer en la vida. ¿Uds. dos han hecho cosas parecidas o diferentes? ¿Tienen metas (*goals*) parecidas o diferentes?

G. Cultura: Mario Pani y la arquitectura moderna en México

PASO 1. Lee el texto sobre México.

México

México es un país tan cosmopolita como rico[a] en cultura propia,[b] una característica que le ofrece complejidad a su expresión artística. En todo el mundo es conocido por sus grandes artistas, como los muralistas Diego Rivera y José Clemente Orozco. En paralelo a los movimientos artísticos del siglo XX, México produjo varias generaciones de arquitectos que también se han hecho famosos en todo el mundo. Por ejemplo, María Luisa Dehesa fue la primera mujer latinoamericana en recibir su título[c] en arquitectura. El modernista Luis Barragán es conocido por las casas que construyó, por pintar las paredes con colores vibrantes que eran autóctonos[d] de México y por usar ventanas y tragaluces[e] para controlar de manera muy creativa el movimiento de la luz y la sombra. El arquitecto Juan O'Gorman, quien diseñó la casa-estudio de Diego Rivera y Frida Kahlo, también era pintor y tenía vínculos[f] fuertes con los otros artistas de su época. Y la hija de Rivera, Ruth Rivera Marín, es una arquitecta reconocida por su colaboración en la construcción del Museo de Arte Moderno en México.

Para los mexicanos, y sobre todo para los de la capital, el arquitecto Mario Pani es quizás[g] el más emblemático del urbanismo y la arquitectura moderna en México. La gran tarea[h] de Pani fue aplicar los conceptos del funcionalismo del famoso arquitecto suizo Le Corbusier a los aspectos particulares de la vida urbana en México. Logró[i] integrar los estilos de la arquitectura internacional con los detalles coloniales y precolombinos[j] que ya eran intrínsecos a los espacios domésticos en México.

Uno de los edificios más destacados de Pani es el multifamiliar[k] Presidente Alemán, la primera residencia multifamiliar de América Latina, construida en 1948. Este complejo cuenta con nueve edificios de trece pisos y seis edificios de tres pisos, con un total de 1.080 departamentos.[l] A pesar[m] de tener un terreno bastante grande, estos edificios altos solo ocupan un 25 por ciento del espacio y el otro 75 por ciento queda para áreas verdes, como parques y jardines. Era importante para Pani que el multifamiliar fuera[n] no solo una residencia grande, sino una comunidad, como un pueblo chico dentro de una ciudad monstruosa. Por eso el diseño incorporó espacios para los servicios que los habitantes necesitaban todos los días: tiendas, una guardería,[ñ] una oficina de correos, una lavandería y lugares para deportes, como una piscina semiolímpica.

[a]*tanto... both cosmopolitan and rich* [b]*(its) own* [c]*degree* [d]*native* [e]*skylights* [f]*ties, connections* [g]*perhaps* [h]*task* [i]*He succeeded in* [j]*pre-Columbian* [k]*multifamily apartment complex* [l]*apartments (Méx.)* [m]*A... In spite* [n]*be* [ñ]*daycare center*

PASO 2. Completa las oraciones con los participios pasados de los verbos de la lista. **¡Atención!** Cada verbo se usa solo una vez.

decir   haber   producir   seguir   ser   tener

1. México ha _____ varios artistas importantes.
2. Las culturas precolombinas siempre han _____ una influencia sobre la arquitectura mexicana.
3. Las familias de los multifamiliares han _____ participantes en un gran experimento social.
4. Desde que se construyó, siempre ha _____ muchos espacios verdes en el Multifamiliar Presidente Alemán.
5. Muchas personas han _____ que la arquitectura es lo más fascinante de la historia de México.
6. Los arquitectos de hoy han _____ con el estilo moderno que Mario Pani estableció en México en el siglo XX.

PASO 3. En parejas, contesten las preguntas y explíquense las respuestas.

1. México tiene una población muy grande y en comparación con otros países, su economía es fuerte. ¿Ves una relación entre eso y la gran tradición de arquitectura que tiene?
2. En las zonas residenciales más elegantes de las ciudades grandes en México, muchas de las casas tienen un estilo muy contemporáneo. ¿Por qué crees que es así? ¿Piensas que los habitantes son conscientes de la tradición de arquitectura moderna en el país?
3. ¿En tu país, cómo son las casas? ¿En su mayoría, tienen un estilo contemporáneo o un estilo más tradicional (por ejemplo, un estilo colonial o «*ranch*»)? ¿Por qué crees que es así?

Reciclaje

Direct objects and direct object pronouns

¿Tus hábitos en la casa son comunes o son diferentes a los de otras personas? Completa las siguientes oraciones con el pronombre de objeto directo apropiado, y luego indica si la oración es cierta para ti.

¿CIERTO PARA TI?

1. La televisión: _____ veo en la cocina. Es más común ver_____ en el salón. ☐
2. Los libros: _____ leo en la cama. Es más común leer_____ en el sofá. ☐
3. Las sábanas (*sheets*): _____ lavo cada dos meses. Es más común lavar_____ cada dos semanas. ☐
4. El comedor: _____ uso para estudiar. Es más común usar _____ para cenar. ☐
5. La habitación: _____ uso para hacer ejercicio. Es más común usar_____ para dormir. ☐

■ Answers to this activity are in **Appendix 2** at the back of your book.

11.2 ¡No te sientes allí!

Commands with object pronouns

Para empezar...

Los siguientes mandatos son comunes en casi cualquier casa, pero ¿en qué cuarto se oyen, generalmente? Para cada mandato, indica el lugar donde típicamente se escucharía (*you would hear it*): el cuarto de baño (B), la cocina o el comedor (C) o el dormitorio (D). Algunos mandatos pueden tener más de una respuesta.

1. _____ **Duérmete,** hijo. Ya es tarde.
2. _____ **Sírvele** el cereal a tu hermanito. **No le pongas** demasiado (*too much*) azúcar.
3. _____ **No te sirvas** mucho, papi. Ya sabes que no puedes comer todo.
4. _____ **Lávate** las manos. Están sucias.
5. _____ ¡**No te sientes** allí! Es para nuestro invitado.
6. _____ **Báñate.** La fiesta es en dos horas.
7. _____ ¡**Despiértate!**
8. _____ **Levántate.** Vas a llegar tarde a la escuela.
9. _____ Si te quitas los zapatos, **no los dejes** aquí. **Ponlos** en tu dormitorio.
10. _____ **Mírate** en el espejo, porque me parece que no te peinaste.
11. _____ **Ponte** el pijama verde; el rojo está sucio.
12. _____ Si los platos están sucios, **lávalos.**

■ Answers to these activities are in Appendix 2 at the back of your book.

Actividades analíticas

1 As you saw in **Capítulo 10,** object pronouns are attached to the end of positive informal and formal commands. Find examples with the verb **poner** in **Para empezar** to complete the following chart for informal commands.

	EJEMPLO CON MANDATO POSITIVO INFORMAL
Direct Object Pronoun	
Indirect Object Pronoun	Ponle más azúcar al café.
Reflexive Pronoun	

When needed, a written accent mark is added to keep the stress on the same syllable after the pronoun is attached. Can you find examples of this in **Para empezar?**

2 With negative commands, whether informal or formal, object pronouns are written as a separate word before the verb. With this in mind, take the examples from the chart in **Actividades analíticas 1** and convert them to negative commands in the chart below.

	EJEMPLO CON MANDATO NEGATIVO INFORMAL
Direct Object Pronoun	No los pongas en tu dormitorio.
Indirect Object Pronoun	
Reflexive Pronoun	

3 The general rule seen here is that object pronouns appear after and are attached to positive commands and come before negative commands. This holds true for all command forms. Use this rule to complete this chart of commands with **limpiar** and the direct object pronoun **lo.**

	POSITIVO	NEGATIVO
tú		no lo limpies
Ud.	límpielo	
vosotros/as	limpiadlo	no lo limpiéis
Uds.		

Actividades prácticas

A. Objetos y mandatos

PASO 1. Empareja cada objeto con el mandato apropiado. **¡Atención!** Cada mandato solo se puede usar una vez.

1. _____ la aspiradora
2. _____ la cama
3. _____ el equipo de música
4. _____ el fregadero
5. _____ el lavaplatos
6. _____ la mesa
7. _____ el horno y el microondas
8. _____ el refrigerador

a. Sacúdela.
b. Límpialo por dentro (*inside*).
c. Límpialos por dentro.
d. Pásala.
e. Sacúdelo.
f. Hazla.
g. Llénalo (*Fill it*) con agua y lava bien las papas.
h. Ponle los platos sucios.

PASO 2. Ahora, en parejas, túrnense para cambiar los mandatos informales del **Paso 1** a mandatos formales.

¡Ponte los tenis!

B. ¡Limpia tu cuarto!   Cuando limpias un cuarto, una de las cosas más difíciles es decidir qué tirar (*throw out*) y qué guardar (*keep*). ¿Qué consejos darías (*would you give*) en cuanto a los siguientes objetos?

> **Consejos:**   Tíralo/la/los/las.
> No lo/la/los/las tires.

1. _____ una pizza de hace un mes
2. _____ unas revistas del año pasado
3. _____ unos cupones para comprar pizza con un descuento de setenta y cinco por ciento (*percent*)
4. _____ el libro de tu clase de español
5. _____ los exámenes de tus clases del año pasado
6. _____ las llaves de tu coche
7. _____ un periódico del mes pasado
8. _____ los DVDs de las películas en que salen juntos Penélope Cruz y Javier Bardem
9. _____ una foto de tu abuelo cuando era niño
10. _____ una foto de tu exnovio/a

C. Tu «ángel» y tu «demonio»   Cuando tienes que tomar una decisión, ¿qué dicen tu «ángel» (tu lado bueno) y tu «demonio» (tu lado malo)? Con un compañero o una compañera, creen por lo menos un consejo de tu «ángel» y otro de tu «demonio» para cada situación. **¡Atención!** Usa mandatos informales para dar los consejos.

> **MODELO:**   **Situación:** Sabes que tu amigo tiene un examen a las nueve. Son las ocho y media y está dormido todavía.
> «Ángel»: Despiértalo y dile qué hora es.
> «Demonio»: Déjalo dormir. No es tu problema.

SITUACIONES

1. Son las seis y media de la mañana y estás en la cama. Tu primera clase empieza a las ocho.
2. Son las once de la noche. Estás en una fiesta con unos amigos y estás muy contento. Mañana tienes un examen a las ocho.
3. A un compañero en tu clase se le cae un billete de veinte dólares. Tú lo ves pero él no.
4. Un compañero de clase se va al cuarto de baño y deja un sándwich en su escritorio. Tienes mucha hambre.

D. Actuación en la casa y en el jardín

PASO 1.   En grupos de tres o cuatro estudiantes, usen los verbos de la lista para decir cosas que se pueden hacer en la casa o en el jardín y exprésenlas en forma del mandato de **Uds.**

> **MODELO:**   ¡Bárranlo! (apuntando [*pointing*] al piso)
>
> bañarse
>
> despertarse
>
> lavar (apuntando a los platos)
>
> levantarse
>
> planchar (apuntando a la ropa)
>
> preparar (apuntando a la comida)

PASO 2.   Lean sus mandatos a otro grupo. El otro grupo tiene que decir en qué parte de la casa (o en el jardín) se hace cada uno y luego actuarlo.

> **MODELO:**   ¡Báñense! → Se hace en el cuarto de baño. (*El grupo actúa el mandato.*)

⟳ Reciclaje

Ser and *estar*

¿Cómo es el lugar donde vives? ¿Y en qué condiciones está en este momento? Completa las oraciones con **es** o **está**, e indica si son ciertas o falsas para ti.

	CIERTO	FALSO
1. ____ una casa.	☐	☐
2. ____ una habitación en una residencia estudiantil.	☐	☐
3. La ropa limpia ____ guardada (*put away*).	☐	☐
4. La ropa sucia ____ en el piso.	☐	☐
5. ____ en la universidad.	☐	☐
6. La cama ____ grande.	☐	☐
7. ____ buen lugar para estudiar.	☐	☐
8. ____ muy limpio hoy.	☐	☐
9. ____ un apartamento.	☐	☐
10. El coche en el garaje ____ de Japón.	☐	☐

■ Answers to this activity are in **Appendix 2** at the back of your book.

11.3 Estoy ayudando a mi mamá en la casa

The present progressive

Para empezar...

Alicia, una estudiante mexicana, tuitea (*tweets*) varias veces durante el día. Mira las fotos de su día y luego empareja cada una con el tuit que mandó a esa hora.

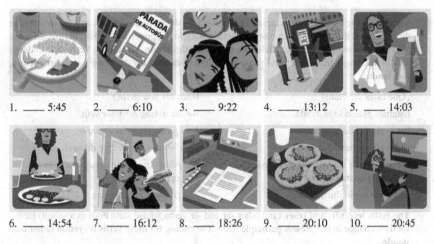

1. ____ 5:45   2. ____ 6:10   3. ____ 9:22   4. ____ 13:12   5. ____ 14:03

6. ____ 14:54   7. ____ 16:12   8. ____ 18:26   9. ____ 20:10   10. ____ 20:45

Los tuits de Alicia

a. «Mi mamá y yo **estamos comiendo.**»
b. «**Estoy haciendo** la tarea.»
c. «**Estoy desayunando.**»
d. «**Estoy ayudando** a mi mamá en la casa.»
e. «**Estoy regresando** (*returning*) a casa.»
f. «**Estoy cenando.**»
g. «Mis amigos y yo nos **estamos tomando** una foto en la universidad.
h. «**Estoy bebiendo** refrescos con mis amigos. ¡Jorge **está bailando** en el pasillo!»
i. «Mi mamá y yo **estamos viendo** televisión.»
j. «**Estoy esperando** el autobús para ir a la universidad.»

■ Answers to these activities are in **Appendix 2** at the back of your book.

Actividades analíticas

1 The verb forms in **Para empezar** are in the *present progressive* (**el presente progresivo**). The present progressive consists of the *auxiliary verb* (**el verbo auxiliar**) **estar** in the present tense, followed by the *present participle* (**el participio presente**), a verb with an **-ndo** ending. Find the present participles in the following sentences and write their infinitives in the column on the right.

		INFINITIVE
Estoy cenando.	*I am having dinner.*	
Están estudiando.	*They are studying.*	
Mari **está escribiendo** una carta.	*Mari is writing a letter.*	

As you saw in **Estructura 5.3**, **-ar** verbs add **-ando** to the stem, and **-er** and **-ir** verbs add **-iendo.** Given this information, what is the present participle (**-ndo** form) of each of these verbs?

EL PARTICIPIO PRESENTE (-ndo)	
comer	
salir	
ayudar	
ver	

2 Verbs from the **e → i** stem-changing family (such as **decir, pedir, seguir,** and **servir**) change their vowel in the present tense (see **Estructura 4.2**), in the preterite (see **Estructura 8.1**), and here in the present participle: **diciendo, pidiendo, siguiendo, sirviendo.** Verbs that undergo a **o → u** change in the preterite (only **dormir** and **morir**) do the same here: **durmiendo, muriendo.**

¿Qué estás diciendo?	*What are you saying?*
Estamos pidiendo tu ayuda.	*We are asking for your help.*
Estoy siguiendo tu ejemplo.	*I am following your example.*
¡Ya están sirviendo la cena!	*They're already serving dinner!*
morir (ue, u): Las plantas están muriéndo porque no ha llovido.	*The plants are dying because it hasn't rained.*
Los niños están durmiendo.	*The children are sleeping.*

The verbs **leer, oír,** and **traer** (and other **-er** and **-ir** verbs whose stem ends in a vowel) have a spelling change in the present participle form. The ending for these verbs is **-yendo** rather than **-iendo.**

¿Estás leyendo?	*Are you reading?*
Estamos oyendo la música.	*We're listening to the music.*

3 The present progressive describes an action in progress and is very similar in meaning to its counterpart in English with *-ing.* The present progressive is used less frequently in Spanish than it is in English, however. This is partly because the simple present in Spanish is often used for actions that are currently underway, whereas English has to use *-ing* in these cases.

Voy a la biblioteca.	*I am going to the library.*

In addition, *-ing* is often used in English to refer to future events, but the Spanish present progressive is not used in this way. The present indicative is used instead.

Mañana **hablo** con ella.	*I am speaking with her tomorrow.*

Autoprueba

Form the present progressive for the following situations by using the pattern you just learned.

1. Nosotros _____ (preparar) la cena.
2. Los chicos _____ (poner) la mesa.

This next one includes a verb that is probably new to you (**batir** [*to beat, stir, whip*]), but since it's regular and follows the rule, you can do it!

3. Mi padre _____ los ingredientes.

Now try a verb with a stem change. Again, this is a new verb to you (**hervir** [**ie, i**] [*to boil*]), but you know the pattern for **-ir** stem-changing verbs, so try it!

4. El agua _____ (hervir).

Respuestas: 1. estamos preparando. **2.** están poniendo. **3.** está batiendo. **4.** está hirviendo

4 The **–ndo** form may also be used with **ir, andar** (*to walk*) or **seguir** (*to continue*) in place of **estar. Andar** gives the sense of doing the action while moving around, and **seguir** gives the sense of continuing the action.

Manuel **va/anda buscando** una casa.	*Manuel is looking for a house.*
¿Qué **andas haciendo** aquí?	*What are you doing here?*
¿**Sigues barriendo** el pasillo?	*Are you still sweeping the hallway?*

■ To learn how to say in Spanish what you were doing in a past moment, see **Para saber más 11.3** at the back of your book.

¿Por qué?

Why is the verb **estar** used in the present progressive instead of **ser?** You saw in **Estructura 5.3** that **estar** is used with adjectives to describe a state that is subject to change or is the result of a change.

Estamos contentos.	We are happy.

In the present progressive, the verb **estar** plays the same role with respect to verbs. It shows that the action described by the verb is subject to change or is the result of change.

Estamos trabajando.	We are working.

Just as **estamos contentos** conveys the idea that we haven't necessarily always been happy, **estamos trabajando** suggests that we are working right at the moment, but that this wasn't necessarily true in the past and might not be in the future either.

Actividades prácticas

A. ¿Qué estás haciendo?   Empareja cada pregunta con la respuesta apropiada.

1. _____ ¿Qué estás comiendo?
2. _____ ¿Sigues buscando un coche?
3. _____ ¿Qué están leyendo en esa clase?
4. _____ ¿Qué andas diciendo de mí?
5. _____ ¿Están pidiendo mi consejo?
6. _____ ¿Por qué hay tanto ruido?
7. _____ ¿Dónde está tu hermano?
8. _____ ¿Estás haciendo la cama cada mañana como te dije?

a. Está en la cocina lavando platos.
b. Sí. No sabemos qué hacer.
c. No. Sí quiero, pero se me olvida.
d. Una novela de detectives.
e. ¡Que eres muy inteligente!
f. Pan con chocolate. ¿Quieres?
g. Están pasando la aspiradora.
h. Sí, todavía necesito uno.

B. ¿Dónde estoy?   Escucha las oraciones e indica en qué lugar normalmente pasa ese tipo de acción.

	LA COCINA	EL COMEDOR	EL DORMITORIO	EL JARDÍN
1.	☐	☐	☐	☐
2.	☐	☐	☐	☐
3.	☐	☐	☐	☐
4.	☐	☐	☐	☐
5.	☐	☐	☐	☐
6.	☐	☐	☐	☐
7.	☐	☐	☐	☐
8.	☐	☐	☐	☐

Estoy trabajando en el jardín.

■ The audio files for in-text listening activities are available in the eBook, within Connect Plus activities, and on the Online Learning Center.

C. Un día típico para un estudiante típico

PASO 1.   Si un estudiante típico de tu universidad tuiteara (*tweeted*) en cada uno de los siguientes momentos, ¿qué diría que está haciendo? Escribe el tuit más probable, según tu criterio.

MODELO: 7:00 Estoy desayunando.

Mensaje

7:00	_____
9:00	_____
12:00	_____
16:00	_____
18:00	_____
22:00	_____

PASO 2.   Compara tus respuestas con las de un compañero o una compañera. ¿Pueden llegar a un acuerdo entre los dos sobre los tuits más probables?

D. ¿Qué están haciendo?

PASO 1.   Piensa en por lo menos tres de tus seres queridos (*loved ones*) y en qué están haciendo probablemente en este momento. Comparte tus ideas con un compañero / una compañera de clase.

> **MODELOS:**   Mi perro probablemente está durmiendo en el sofá.
> Mis padres probablemente están trabajando en su restaurante.

PASO 2.   Ahora, túrnense para nombrar a por lo menos cuatro personas famosas (por ejemplo, el papa, el presidente, tu estrella de cine favorita, tu atleta favorito) e imaginar qué es lo que probablemente están haciendo en este momento.

E. ¡Actúen!   Escoge una acción de la lista o inventa tu propia acción. En grupos pequeños, actúala para tus compañeros. ¿Pueden adivinar qué estás haciendo?

barrer

sacar la basura

hacer la cama

lavar (la ropa, el coche, los platos, el suelo)

pasar la aspiradora

sacudir

¡Leamos!

La casa en Mango Street, por Sandra Cisneros

Antes de leer

Contesta las preguntas sobre tu casa ideal y el lugar en que vives ahora.

	LA CASA IDEAL	EL LUGAR EN QUE VIVES
1. ¿Es casa propia (*own*)?		
2. ¿Cómo es el jardín? ¿Hay flores? ¿árboles? ¿bancos (*benches*)?		
3. ¿Tiene sótano? ¿desván (*attic*)?		
4. ¿Es grande o pequeña?		
5. ¿De qué color es?		
6. ¿Cuántos cuartos de baño tiene? ¿Cuántos dormitorios?		

A leer

PASO 1. En la novela *La casa en Mango Street,* Esperanza, la narradora, habla de la pequeña y vieja casa en que vive con su familia en un barrio pobre de Chicago. También habla de su casa ideal. Presta atención a las descripciones de las dos casas y enfócate en las diferencias.

La casa en Mango Street

Siempre decían que algún día nos mudaríamos[a] a una casa, una casa de verdad, que fuera[b] nuestra para siempre, de la que no tuviéramos que[c] salir cada año, y nuestra casa tendría[d] agua corriente y tubos[e] que sirvieran.[f] Y escaleras interiores propias, como las casas de la tele. Y tendríamos[g] un sótano, y por lo menos[h] tres baños para no tener que avisarle a todo mundo cada vez que nos bañáramos. Nuestra casa sería[i] blanca, rodeada de[j] árboles, un jardín enorme y el pasto creciendo sin cerca. Esa es la casa de la que hablaba Papá cuando tenía un billete de lotería y esa es la casa que Mamá soñaba[k] en los cuentos que nos contaba[l] antes de dormir.

Pero la casa de Mango Street no es de ningún modo como ellos la contaron. Es pequeña y roja, con escalones apretados[m] al frente y unas ventanitas tan chicas que parecen guardar su respiración. Los ladrillos[n] se hacen pedazos[ñ] en algunas partes y la puerta del frente se ha hinchado tanto que uno tiene que empujar fuerte para entrar. No hay jardín al frente sino cuatro olmos chiquitos[o] que la ciudad plantó en la banqueta.[p] Afuera, atrás hay un garaje chiquito para el carro que no tenemos todavía, y un patiecito[q] que luce[r] todavía más chiquito entre los edificios de los lados. Nuestra casa tiene escaleras pero son ordinarias, de pasillo, y tiene solamente un baño. Todos compartimos recámaras,[s] Mamá y Papá, Carlos y Kiki, yo y Nenny.

[a]nos... *we would move*   [b]*was*   [c]*no... we wouldn't have to*   [d]*would have*
[e]agua... *running water and plumbing*   [f]*worked*   [g]*we would have*   [h]*por... at least*   [i]*would be*   [j]*rodeada... surrounded by*   [k]*was dreaming about*
[l]*nos... she told us*   [m]*escalones... narrow steps*   [n]*bricks*   [ñ]*se... are falling apart*   [o]*olmos... little elm trees*   [p]*sidewalk*   [q]*little patio*   [r]*appears*   [s]*dormitorios*

(*Continues*)

340   **Capítulo 11** ¡Estás en tu casa!

PASO 2.   Según el fragmento que has leído de *La casa en Mango Street*, indica si cada afirmación se refiere a la casa ideal (**I**) o la casa verdadera en que vive la narradora (**V**).

I   V   1. Una casa con agua corriente (*running*).

I   V   2. Tiene la puerta tan hinchada (*swollen*) que uno tiene que empujar fuerte para entrar.

I   V   3. Tiene un sótano.

I   V   4. Tiene escaleras ordinarias (*bad quality*).

I   V   5. Tiene un jardín enorme lleno de pasto (*grass*).

I   V   6. Tiene las ventanitas muy chicas.

I   V   7. Tiene olmos (*elm trees*) chiquitos al frente que la ciudad plantó en la banqueta.

I   V   8. Tiene por lo menos tres cuartos de baño.

Después de leer

PASO 1.   Contesta las siguientes preguntas.

1. Según la lectura, ¿qué quiere la narradora? ¿Por qué?

2. ¿Dónde ha visto la narradora escaleras interiores propias?

3. Según la narradora, ¿cuál es el problema con compartir un cuarto de baño con muchas personas?

4. Nombra tres detalles que menciona la narradora sobre la casa que desea.

5. Nombra tres detalles que menciona la narradora sobre la casa en que vive ahora.

6. ¿Cuántos dormitorios hay en la casa de Mango Street?

   PASO 2.   En parejas, entrevístense sobre sus casas ideales. ¿Cómo son? ¿Tienen sus casas ideales algo en común con la casa ideal que describe Esperanza? ¿Dónde están? ¿Cuántos cuartos hay? ¿Qué hay dentro de cada cuarto? ¿Cómo es el jardín? Apunten las respuestas.

¡Escuchemos!

¿Cuánto cuesta vivir aquí?

 Antes de escuchar

En grupos, hagan una lista de los lugares en que pueden vivir los estudiantes de su universidad. Luego, pongan los lugares en orden de más barato a más caro. **¡Atención!** Recuerda que la palabra para *dorm* en español es **residencia estudiantil.**

Así se dice

Las personas del video son de México, España, Panamá y Argentina, y las palabras que usan varían bastante.

	el apartamento	la comunidad	el dinero	el pago
Abigaíl y Óscar (México)	el departamento	la colonia	pesos (mexicanos)	la renta
Armando (España)	el piso	el barrio	euros	el alquiler
Liliana (Panamá)	el apartamento	el barrio	dólares	el alquiler
Eugenia y Carina (Argentina)	el departamento	el barrio	pesos (argentinos)	el alquiler

 A escuchar

Mira y escucha. Mientras escuchas, indica las respuestas a las preguntas.

1. Según Abigaíl, ¿cuánto cuesta un departamento en una zona residencial del D.F. (la Ciudad de México) que tenga electricidad y servicios sanitarios?
   a. 2.000 pesos
   b. 4.000 pesos
   c. 6.000 pesos
   d. 8.000 pesos

2. Según Óscar, ¿cuánto cuesta un departamento en una colonia cultural en México?

   a. de 3.000 a 4.000 pesos
   b. de 5.000 a 6.000 pesos
   c. de 7.000 a 8.000 pesos
   d. de 10.000 a 12.000 pesos

3. Según Óscar, ¿dónde en México pagas entre 5.000 y 6.000 pesos mensuales?
   a. en una colonia cultural
   b. en el centro de la ciudad
   c. en colonias no tan buenas
   d. en apartamentos exclusivos

4. Según Armon, ¿cuánto es el alquiler en el centro de Madrid?
   a. entre 200 y 300 euros
   b. entre 300 y 400 euros
   c. entre 400 y 500 euros
   d. entre 500 y 600 euros

5. Según Armon, ¿cuánto es el alquiler en las afueras de Madrid?
   a. entre 200 y 300 euros
   b. entre 300 y 400 euros
   c. entre 400 y 500 euros
   d. entre 500 y 600 euros

6. Según Liliana, ¿cuánto es un alquiler económico (*affordable*) en Panamá?
   a. 500
   b. 1.000
   c. 1.500
   d. 2.000

(Continues)

7. Según Liliana, ¿cuánto es un alquiler caro en Panamá?
   a. 500
   b. 1.000
   c. 1.500
   d. 2.000

8. Según Eugenia y Carina, ¿cuánto cuesta un departamento con un dormitorio en el centro de Buenos Aires?
   a. entre 600 y 700 pesos
   b. entre 700 y 800 pesos
   c. entre 800 y 900 pesos
   d. entre 900 y 1.000 pesos

 Después de escuchar

En grupos, hablen de las ventajas y desventajas de vivir en diferentes comunidades (las comunidades urbanas, rurales, en las afueras, ciudades grandes / de tamaño medio / pequeñas). Sin hablar de los costos específicos, hablen de sus propias experiencias. ¿Dónde prefiere vivir la mayoría? ¿Por qué?

¡Escribamos!

Un día típico en casa

Cuando compartimos con otras personas nuestras experiencias de la infancia (*childhood*), muchas veces tenemos más en común de lo que pensábamos. En esta actividad vas a describir tu rutina diaria cuando eras más joven (o niño/a o adolescente). Antes de escribir, vas a comparar tus ideas con un compañero / una compañera.

 Antes de escribir

Vas a describir los fines de semana cuando eras niño/a o adolescente. Primero, rellena las primeras dos columnas de la tabla con los miembros de tu familia y las actividades (los quehaceres tanto como las actividades divertidas) en que participaba cada uno. Luego, intercambia tablas con un compañero / una compañera de clase. Lee su tabla y dale comentarios o hazle preguntas a tu compañero/a. Apunta los comentarios de la otra persona en la tercera columna.

los miembros de mi familia	lo que hacían estas personas	comentarios y preguntas
yo		

MODELO: E1: Veo que todos los sábados por la mañana ibas a un café con tu padre y él leía el periódico. Luego Uds. iban al parque. ¿Qué hacían Uds. en el parque? ¿Jugaban algún deporte?

E2: Eso es lo más interesante. Mi padre es biólogo y me enseñaba los nombres científicos de diferentes plantas, animales, insectos y cosas así. Luego jugábamos para ver si yo podía recordar los nombres.

ESTRATEGIA

Brainstorm with a Partner

Hearing someone else's ideas can help trigger your own or help you consider things from a different perspective. Therefore, it is often worthwhile to pair up and discuss writing assignments with a partner while you are in the initial planning stages. Take time to present your initial ideas, ask each other questions, seek more details, and then give your partner feedback concerning what you find most interesting about what he/she has shared. Is there anything missing? Are there pieces he/she could eliminate? Aim to suggest at least one way your partner could improve his/her plan.

A escribir

Ahora escribe tres párrafos para describir tu rutina y trata de incorporar las sugerencias de tu compañero/a de clase para fortalecer (*strengthen*) tu descripción. En el primer párrafo, escribe una introducción en la que presentes el tema de la composición y la información que vas a detallar en los siguientes párrafos. En el segundo párrafo, describe el lugar donde vivías cuando eras niño/a. Luego, describe qué hacían los miembros de tu familia allí.

Después de escribir

Revisa tu ensayo. Luego, intercambia ensayos con un compañero / una compañera para evaluarlos.

1. Lee la introducción. ¿Sabes qué esperar (*to expect*) en el resto del ensayo?
2. Subraya todos los verbos en el segundo párrafo.
   a. ¿Tienen concordancia los sujetos y los verbos subrayados?
   b. ¿Controla el pretérito e imperfecto?
3. Después de leer toda la composición, lee de nuevo la introducción. ¿Describe lo que va a presentar en los siguientes párrafos en el orden en que se presenta en el resto del ensayo?

Después de revisar el ensayo de tu compañero/a, devuélveselo (*return it to him/her*). Mira tu propio (*own*) ensayo para ver los cambios que tu compañero/a recomienda y haz las revisiones necesarias.

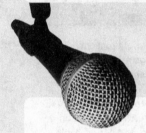

¡Hablemos!

Andamos buscando un apartamento

Antes de hablar

1. ¿Has alquilado un apartamento o comprado una casa? ¿Cómo fue la experiencia? ¿Qué aprendiste?
2. ¿Qué hacen los agentes de bienes raíces? ¿Has trabajado con uno/a? ¿Para qué?
3. ¿Cuáles son las preguntas que normalmente le hacen los clientes al / a la agente de bienes raíces?
4. ¿Cuáles son las cosas más importantes para investigar al ver un apartamento por primera vez?

A hablar

En grupos de tres, creen un diálogo en el que uno o una de Uds. va a hacer el papel de agente de bienes raíces que debe darles un tour de un apartamento disponible a los otros miembros del grupo, que andan buscando un apartamento para alquilar. Primero, el/la agente debe darles la bienvenida a los clientes (los otros estudiantes). Luego, debe invitarlos a entrar y darles un tour de un apartamento. El apartamento puede ser perfecto para ellos o absolutamente terrible. Lo importante es que el/la agente mantenga (*maintains*) un tono cortés (*polite*) y una actitud profesional.

Después de hablar

Ahora ensayen (*rehearse*) su diálogo y prepárense a presentarlo al resto de la clase.

344   **Capítulo 11** ¡Estás en tu casa!

Conéctate a la música

Canción: «Loca» (2009)
Artista: Aleks Syntek

Aleks Syntek (Raúl Alejandro Escajadillo Peña) es cantante y compositor de música pop, a veces conocido como «el rey (*king*) del pop mexicano».

Antes de escuchar

En general, decir que una persona está loca es un comentario bastante negativo, pero a veces sí tiene un significado más positivo. ¿Cuáles de la siguientes palabras podrían ser equivalentes de «loco» en su sentido positivo?

☐ aburrido   ☐ divertido   ☐ serio

☐ alegre   ☐ espontáneo   ☐ trabajador

Expresiones útiles...

me encanta cuando provocas   I love it when you provoke (me)

voy a sacarte el instinto animal   I'm going to bring out your animal instinct

---

Aleks Syntek, cantante
mexicano

A escuchar

PASO 1.   El cantante usa los siguientes verbos en forma de mandato. Escribe la forma exacta que él usa, incluyendo los pronombres y **no,** cuando los usa.

acercarse (*to approach*): _____

besar: _____

ser: _____

PASO 2.   El cantante usa el participio presente de cuatro verbos. Apúntalos aquí y escribe el infinitivo de cada verbo.

PARTICIPIO PRESENTE	INFINITIVO
	bailar
	(*to dream*)
	(*to fight*)

■ For copyright reasons, the songs referenced in **Conéctate a la música** have not been provided by the publisher. The video for this song can be found on YouTube, and it is available for purchase from the iTunes store.

Después de escuchar

Todos tenemos un lado (*side*) loco de nuestra personalidad. En general, ¿piensas que en tu vida diaria deberías (*you should be*) ser un poco más serio/a o un poco más loco/a? ¿Por qué?

VOCABULARIO

Comunicación

¡Bienvenido/a/os/as!	Welcome!
subject + ser + bienvenido/a (bienvenidos/as).	____ is/are welcome.
Ud. es (siempre) bienvenido/a.	You are (always) welcome.
indirect object pronoun + dar + la bienvenida.	subject + welcome + direct object.
¡Le damos la bienvenida a Ud.!	We welcome you!
¡Come/Coma(n) más!	Have some more!
¡Diviértete!/¡Diviérta(n)se!	Have fun!
¡Siéntate!/¡Siénte(n)se!	Have a seat!
¡Sírvete!/¡Sírva(n)se!	Help yourself!

La casa y los muebles / House and furniture

el armario	armoire, closet
el ascensor	elevator
la aspiradora	vacuum cleaner
el balcón	balcony
la bañera	bathtub
la cama	bed
la cocina	kitchen
el comedor	dining room
el (cuarto de) baño	bathroom
la despensa	pantry
el dormitorio / la habitación	bedroom
la ducha	shower
el edificio (de apartamentos)	(apartment) building
la escalera	stairs
el espejo	mirror
el estante	bookshelf
la estufa	stove
el fregadero	kitchen sink
el horno	oven
el inodoro	toilet

el jardín	yard; garden
la lámpara	lamp
el lavabo	bathroom sink
la lavadora	washing machine
el lavaplatos	dishwasher
la mesa	table
la mesita de noche	nightstand
el microondas	microwave
el pasillo	hallway
la piscina	pool
el piso	floor, story; apartment (Sp.)
la (primera, segunda, tercera) planta	(second, third, fourth) floor
los quehaceres (domésticos)	(household) chores
el salón	living room
la silla	chair
el sillón	armchair
el sofá	sofa
el sótano	basement
el techo	roof
el televisor	television (set)
el tendedero	clothesline
la terraza	terrace

Cognados: el apartamento, el garaje, el refrigerador

Los verbos

barrer	to sweep
hacer (irreg.) la cama	to make the bed
descansar	to rest
lavar (los platos, el suelo)	to wash/clean (the dishes, the floor)
limpiar	to clean
pasar la aspiradora	to vacuum
sacar (qu) la basura	to take out the trash
sacudir	to dust

El deporte y el bienestar

El equipo de la República Dominicana celebra después de ganar el Clásico Mundial de Béisbol en 2013.

Objetivos

In this chapter you will learn how to:

- wish someone well
- say what needs to be done
- talk about sports, wellness, and injuries
- say what you would like to happen
- talk about sports and wellness in the Spanish-speaking world

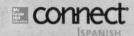

COMUNICACIÓN

¡Suerte!
Wishing someone good luck

 A. A ver: ¿Qué dicen? ¿Qué les dice a las personas que se preparan para correr un maratón? Mira y escucha, luego escoge la respuesta que corresponde a lo que dice cada persona.

1. Rogelio, de México
   a. Ánimo.
   b. Que les vaya bien.
   c. Suerte.
   d. Las respuestas **b** y **c** están bien.

2. Sonia, de España
   a. Ánimo.
   b. Que les vaya bien.
   c. Suerte.
   d. Las respuestas **b** y **c** están bien.

3. Olman, de Costa Rica
   a. Adelante.
   b. Ánimo.
   c. Suerte.
   d. Las respuestas **b** y **c** están bien.

4. Delano, de Argentina
   a. Les deseo mucha suerte.
   b. Mucha suerte.
   c. Que les vaya bien.
   d. Suerte.

5. Marta, de Argentina
   a. Ánimo.
   b. Buena suerte.
   c. Les deseo muchísima suerte.
   d. Las respuestas **a** y **b** están bien.

6. Erick, de Nicaragua
   a. Espero que les vaya muy bien.
   b. Les deseo mucha suerte.
   c. Sí, se puede.
   d. Suerte.

7. Anlluly, de Costa Rica
   a. Espero que les vaya muy bien.
   b. Les deseo mucha suerte.
   c. Suerte.
   d. Sí, se puede.

8. Ramón, de Argentina
   a. Ánimo.
   b. Les deseo mucha suerte.
   c. Mucha suerte.
   d. Que les vaya bien.

9. Darío, de Argentina
   a. Les deseo mucha suerte.
   b. Buena suerte.
   c. Que les vaya bien.
   d. Suerte.

10. Juan, de Argentina
    a. Ánimo.
    b. Muchísima suerte.
    c. Que les vaya bien.
    d. Que sigan adelante.

11. Francisco, de Colombia
    a. Les deseo muchísima suerte.
    b. Mucha suerte.
    c. Que les vaya bien.
    d. Suerte.

12. Mauricio, de Panamá
    a. Ánimo.
    b. Les deseo muchísima suerte.
    c. Que les vaya bien.
    d. Las respuestas **b** y **c** están bien.

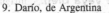

To wish someone good luck in Spanish, you can use one of these expressions.

Buena suerte.	Good luck.
Suerte (con todo).	Good luck (with everything).
Mucha suerte.	Best of luck.
Le(s) deseo mucha suerte.	I wish you well. / I wish you lots of luck.

To give someone extra encouragement with something difficult (such as during a competition or before an exam or interview), you can use one of these.

¡Ánimo!	Best of luck! / Keep your spirits high! / Give it all you've got! / You can do it!
¡Adelante!	Come on! / Go, go, go! / Let's go! / You can do it!
¡Sí se puede!	Yes you/we can! (*Lit.,* Yes, it can be done!)

To wish someone well in Spanish when you are saying good-bye, use one of these expressions.

Que te/le(s) vaya bien.	Have a good one. / I hope things go well for you.
Que tenga(s) un(a) buen(a) + *period of time*	Have a good . . .
Que tenga(s) un buen día / fin de semana / verano.	Have a good day/weekend/summer.
Que tenga(s) una buena tarde.	Have a good afternoon.

B. Que te vaya bien. Imagínate que un amigo o una amiga te dice las siguientes cosas. ¿Qué le contestas? Indica la mejor expresión para responder.

1. —Me voy al médico a hacerme unas pruebas (*tests*). No sé qué me van a decir.
   a. —Adiós.
   b. —Que tengas una buena tarde.
   c. —Suerte.

2. —Mi equipo perdió ayer y estoy destrozado (*devastated*).
   a. —¡Ánimo!
   b. —¡Que te vaya bien!
   c. —¡Suerte!

3. —Me voy al gimnasio a hacer ejercicio. Nos vemos más tarde.
   a. —Adiós.
   b. —Ánimo.
   c. —Mucha suerte con todo.

4. —Me voy a la biblioteca; tengo un examen de biología mañana. Hasta luego.
   a. —Adiós.
   b. —Buena suerte.
   c. —Que tengas un buen fin de semana.

5. —Hace semanas que estoy entrenando, pero no estoy lista (*ready*) para correr el maratón el sábado.
   a. —Adiós.
   b. —Ánimo.
   c. —Que tengas una buena tarde.

6. —Y con esto terminamos la tarea para hoy. Hasta el lunes.
   a. —Ánimo.
   b. —Muy buena suerte.
   c. —Que tengas un buen fin de semana.

C. Después de clase Pregúntale a un compañero / una compañera qué va a hacer hoy después de clase, hoy por la noche y este fin de semana. Luego despídete de él/ella usando una de las expresiones que acabas de aprender (*you just learned*).

MODELO: E1: ¿Qué vas a hacer después de clase?
E2: Voy a estudiar para mi examen de biología.
E1: ¿Y esta noche?
E2: Voy a acostarme temprano. El examen es a las 8 de la mañana.
E1: ¡Suerte en tu examen!

Para mantenerse sano/a,° hay que...

stay healthy

Giving advice on healthy living

To say *You (don't) have to* (do something) using the impersonal or generic *you* (where *one, a person,* or *people* might be used instead as the subject), use: **(No) Hay que** + *infinitive.* This can also be translated as *It's (not) necessary to* (do something).

Para mantenerse sano/a, hay que comer bien. Para bajar de peso, hay que hacer ejercicio.	To stay healthy, one has to (it's necessary to) eat well. To lose weight, one has to exercise.
No hay **que levantar pesas para mantenerse en forma.**	People/You don't have to lift weights to stay in shape.

A. Para llevar una vida más sana...

PASO 1. Indica si estás de acuerdo o no con cada afirmación que escuchas.

	ESTOY DE ACUERDO	NO ESTOY DE ACUERDO
1.	☐	☐
2.	☐	☐
3.	☐	☐
4.	☐	☐
5.	☐	☐
6.	☐	☐
7.	☐	☐
8.	☐	☐

PASO 2. En parejas, completen cada frase de dos maneras: con algo que hay que hacer y también con algo que *no* hay que hacer. No repitan la información del **Paso 1.**

MODELO: Para participar en deportes, no hay que tener talento. Hay que querer jugar.

1. Para llevar una vida más activa…
2. Para comer mejor…
3. Para bajar de peso…
4. Para conocer a otras personas sanas…
5. Para participar en deportes…

B. ¿Qué hay que hacer para mantenerse o ponerse más sano/a?

PASO 1. Escribe tres oraciones sobre lo que debes hacer tú para ponerte más sano/a.

MODELO: Para vivir una vida más sana, debo inscribirme (*sign myself up*) en un gimnasio. También debo comer más verduras y menos azúcar. Debo preparar la comida en casa en vez de ir a restaurantes y comer comida rápida.

PASO 2. En grupos, compartan lo que quieren hacer para vivir más sano. Decidan cuáles son los dos puntos más importantes y preséntenlos a la clase. Empiecen su resumen (*summary*) con: **Según nuestro grupo…**

MODELO: Según nuestro grupo, para vivir una vida sana hay que comer muchas verduras y dormir ocho horas cada noche.

The audio files for in-text listening activities are available in the eBook, within Connect Plus activities, and on the Online Learning Center.

En español...

Mantenerse contains the verb **tener** and therefore is conjugated the same way.

Ella se mantiene en forma usando una combinación de ejercicio y dieta.	She stays in shape using a combination of exercise and diet.

You'll find the same pattern with other verbs you will come across that contain the verb **tener**, such as **contener** (*to contain*), **detener** (*to stop; to detain*), **obtener** (*to get, obtain*), **retener** (*to retain*), and **sostener** (*to sustain; to hold, support*).

VOCABULARIO

Los deportes y cómo mantenerse en forma
Sports, health, and fitness

A. ¿Eres sedentario/a o activo/a?   Haz la encuesta para saber si eres una persona sedentaria o activa.

PASO 1.   ¿Con qué frecuencia haces las siguientes actividades?

1. ____ Miro la televisión...
   a. menos de una hora al día.
   b. de una a tres horas al día.
   c. más de tres horas al día.

2. ____ Viajo en coche o transporte público...
   a. menos de 30 minutos al día.
   b. de 30 a 90 minutos al día.
   c. más de 90 minutos al día.

3. ____ Camino... (Hago caminatas... / Voy a la universidad a pie...)
   a. más de 45 minutos al día.
   b. de 20 a 45 minutos al día.
   c. menos de 20 minutos al día.

4. ____ Practico un deporte o hago una actividad física...
   a. más de cuatro horas a la semana.
   b. de dos a cuatro horas a la semana.
   c. menos de dos horas a la semana.

5. ____ Tomo siestas largas...
   a. muy raras veces.
   b. de vez en cuando.
   c. todos los días.

6. ____ Uso la computadora...
   a. menos de dos horas al día.
   b. de dos a cuatro horas al día.
   c. más de cuatro horas al día.

NÚMERO TOTAL DE CADA RESPUESTA

   a. _____
   b. _____
   c. _____

PASO 2. Ahora, indica todos los deportes y otras actividades físicas que haces con frecuencia.

☐ **andar en bicicleta**   ☐ **hacer alpinismo**   ☐ **jugar voleibol**

☐ **andar en patineta**   ☐ **jugar béisbol**   ☐ **levantar pesas**

☐ **boxear,** el boxeo   ☐ **jugar fútbol americano**   ☐ **patinar sobre hielo,** el patinaje

☐ **esquiar,** el esquí   ☐ **jugar tenis**   ☐ **surfear,** el surf

☐ bailar   ☐ hacer ejercicio aeróbico   ☐ montar a caballo   ☐ otro: _____
☐ correr   ☐ jugar básquetbol   ☐ nadar, **la natación**
☐ dar paseos largos   ☐ jugar fútbol   ☐ practicar yoga

¿Cuántas actividades físicas marcaste? _____

PASO 3. Ahora, calcula los resultados.

En el **Paso 1,** todas las respuestas **a** valen 10 puntos; las **b** valen 5 puntos y las **c** valen 0 puntos. Para calcular los resultados de la encuesta, suma los resultados de tus respuestas al **Paso 1** (máximo: 60). Luego suma el número total de deportes y actividades del **Paso 2** (máximo: 18) y agrega (*add*) el total al primer número.

0–25: Tienes una vida muy sedentaria. No te gusta mucho la actividad física o no tienes tiempo en tu horario para hacerlo. Piensa en maneras en que puedes incorporar más actividad en tu vida. El trabajo es importante, pero mantenerte en buena salud también es importante.

26–45: Participas con frecuencia en actividades físicas y tal vez has encontrado un buen equilibrio entre el trabajo y el ejercicio. ¡Felicidades! Si también comes bien y duermes lo suficiente, vas hacia una vida muy sana.

46+: Eres una persona muy activa. Te gusta moverte y te molesta quedarte tranquilo/a. ¡Lo que puedes hacer ahora es explorar y probar otras actividades físicas para buscar aún (*even*) más aventuras!

B. ¿Para qué se usa?

PASO 1. En parejas, túrnense para decidir para qué deporte(s) puede servir cada uno de los siguientes elementos.

1. la bicicleta

4. **la raqueta**

8. los pies

5. **la patineta**

9. **la piscina**

2. **el casco**

6. **la pelota**

10. los tenis

7. **las pesas**

3. las manos

PASO 2. En parejas, túrnense para pensar en un deporte y —sin decir el nombre del deporte— nombrar todo el equipo que se necesita para jugarlo. Tu compañero/a debe adivinarlo.

> **MODELO:** E1: Este deporte requiere una piscina, un traje de baño, un gorro…
> E2: ¡Es la natación!

C. A ver: El deporte en los países hispanos

PASO 1. Mira y escucha. Mientras miras, contesta las siguientes preguntas.

1. ¿Qué deporte(s) menciona cada persona?

Adrián, de México

Eduardo, de México

Isabel, de España

Zaryn, de la República Dominicana

Marco Antonio, de México

Juan, de Argentina

2. ¿Qué deporte(s) les gusta ver en la televisión?

Moravia y Gisela,   Paula, de México   Henry, de Costa Rica   Adrián, de España
de México

PASO 2.   Mira y escucha otra vez. Luego, contesta las preguntas en oraciones completas.

1. Según Zaryn, ¿cuál es el deporte nacional de la República Dominicana?
2. ¿Qué tipo de patinaje sobre hielo practica Eduardo?
3. ¿Es atlética Isabel? ¿Qué hace ella para mantenerse en forma?
4. ¿A Juan le gustaría hacer ejercicio en un gimnasio? ¿Por qué sí o por qué no?
5. ¿Cuáles son los dos equipos de la NFL que mencionan Moravia y Gisela?
6. ¿Cuál es el deporte que a Adrián (de España) no le gusta ver en la televisión?

 PASO 3.   En parejas, contesten las preguntas del video (¿Qué deportes practican?, ¿Qué deporte les gusta ver en la televisión?) según sus propios (*own*) intereses. ¿Tienen algo en común las respuestas de Uds. con las respuestas de las personas del video?

D. Los mejores atletas

PASO 1.   Lee sobre estos tres atletas hispanos. Mientras lees, subraya (*underline*) el país de origen de cada atleta, el año en que nació y el deporte (o los deportes) en que compite.

1. **Kilian Jornet Burgada,** atleta de élite nacido en 1987 en el norte de España, es corredor de montaña (*ultrarunner*), esquiador, alpinista (*mountaineer*) y ciclista de montaña. En la corrida de montaña, los participantes corren mientras aguantan (*put up with*) cambios de terreno y de temperatura y falta de acceso a las «necesidades básicas» como comida, agua y cama. Durante sus carreras (*races*), Jornet sube a las cumbres (*peaks*) más altas y cubre distancias que a la mayoría de la gente no le interesa viajar en coche, y lo hace en tiempo récord. En los meses fríos del invierno, cambia sus zapatos por los esquís Jornet ha ganado más de ochenta carreras y competencias de esquí.

Kilian Jornet Burgada

2. **Fernanda González** es una nadadora mexicana. Después de ganar tres bronces en los Juegos Panamericanos de 2011 en Guadalajara y competir en los Juegos Olímpicos de verano en Londres en 2012, se prepara para los Juegos Olímpicos de Río de Janeiro en 2016. Nacida en 1990, González es la mejor nadadora de dorso (*backstroker*) de México y una de las mejores del mundo.
3. **Gastón Ramírez:** Este joven futbolista juega en dos equipos: Southampton en Inglaterra y su equipo nacional de Uruguay, con el que participó en los Juegos Olímpicos de verano en Londres en 2012. Ramírez nació en 1990, empezó a jugar profesionalmente en 2009 y en ese mismo año participó en la Copa Mundial Sub-20 de la FIFA en Egipto. Su posición es volante ofensivo (*attacking central midfielder*): juega en el mediocampo recuperando pelotas con facilidad, creando jugadas (*plays*) y contribuyendo a la anotación de goles. Ha jugado en varios equipos y ganó su fama en Italia como parte del equipo de Boloña.

 PASO 2.   En parejas, hagan una lista de tres actividades que hay que hacer y tres hábitos que hay que tener para mantenerse en forma y tener éxito (*success*) como atleta de élite en cada uno de estos deportes: la carrera de montaña, el esquí, el alpinismo, la natación, el fútbol. **¡Atención!** No repitan actividades ni hábitos.

 PASO 3.   Formen un grupo de cuatro con otra pareja y pongan en orden los elementos de las dos listas, de lo más importante a lo menos importante para mantenerse en forma para cada deporte. ¿Qué deporte les parece más difícil? ¿Por qué les parece tan difícil?

Vocabulario

Para hablar de **las heridas** (*wounds, injuries*), **las enfermedades** (*illnesses*) y **los síntomas** (*symptoms*), puedes usar las siguientes palabras.

desmayarse	to faint	**el dolor**	pain
doler (ue)	to hurt, ache	**el estornudo**	sneeze
estornudar	to sneeze	**la fiebre**	fever
lastimarse	to injure oneself	**la gripe**	flu
pegar	to hit; to paste	**la hinchazón**	swelling
romperse	to break	**el moretón**	bruise
sufrir (de)	to suffer (from)	**el resfriado**	cold (the illness)
torcerse (ue)	to sprain (one's	**la torcedura**	sprain
(el tobillo)	ankle)	**la tos**	cough
constipado/a	congested		

Cognados: vomitar; las alergias, el asma (*f.*), **la depresión, la fractura, la infección, el insomnio, las náuseas.**

El verbo **doler** funciona como **gustar.**

—**¿Te duele la cabeza?** — Does your head hurt?
—**No, pero me duele mucho el estómago.** — No, but my stomach hurts a lot.

—**¿Le duelen a Ud. los pies?** — Do your feet hurt?
—**No, no me duelen los pies; pero ayer** — No, my feet don't hurt; but yesterday
   me torcí el tobillo.   I sprained my ankle.

E. ¿De qué sufren? Empareja la oración con la imagen más apropiada.

1. _____ Tiene el insomnio y no quiere comer. Sufre de **depresión.**

2. _____ Está constipado y tiene fiebre y nauseas. Sufre de **gripe.**

3. _____ Se ha roto el brazo. Sufre de **una fractura.**

4. _____ Se ha torcido el tobillo. Sufre de **una torcedura.**

a.

b.

c.

d.

F. ¿Herida, enfermedad o síntoma?

PASO 1. Estudia el vocabulario sobre las heridas, las enfermedades y los síntomas. Luego, organiza las palabras en categorías: **heridas, enfermedades** o **síntomas.**

PASO 2. En grupos de tres o cuatro estudiantes, túrnense para actuar las palabras. ¿Pueden adivinar (*guess*) qué herida, enfermedad o síntoma tiene cada persona?

G. ¡Cuidado!

PASO 1. Con un compañero / una compañera, di cuáles son las heridas más comunes para los atletas que practican los siguientes deportes.

MODELO: el tenis → torcerse el tobillo, lastimarse la muñeca (*wrist*), romperse el brazo...

1. el boxeo
2. la carrera por montaña
3. el esquí

4. el alpinismo
5. la natación
6. el fútbol americano

PASO 2. ¿Qué pueden hacer los atletas que participan en los deportes mencionados en el **Paso 1** para protegerse mejor y no sufrir de las heridas? Usa las palabras de la lista para contestar.

estirarse (*stretch*)   usar casco
hacer calentamientos (*warm-ups*)   usar rodilleras (*knee pads*) y coderas (*elbow pads*)
tomar mucha agua

H. La historia médica

PASO 1. ¿Has experimentado (*Have you experienced*) estas condiciones o síntomas alguna vez? Marca tu historia médica.

SÍ	NO	
☐	☐	1. ¿Te has desmayado alguna vez?
☐	☐	2. ¿Has sufrido de insomnio?
☐	☐	3. ¿Has tenido una fiebre alta?
☐	☐	4. ¿Te has torcido alguna parte del cuerpo? (¿Cuál?)
☐	☐	5. ¿Te has fracturado algo? (¿Qué?)
☐	☐	6. ¿Has sufrido de una quemadura (*burn*)?
☐	☐	7. ¿Has sufrido de una hinchazón? (¿De qué?)
☐	☐	8. ¿Has tenido escalofríos (*chill*)?
☐	☐	9. ¿Has tenido la gripe?
☐	☐	10. ¿Has sufrido de alergias? (¿A qué?)

PASO 2. Ahora entrevista a un compañero o una compañera para saber más detalles de su historia médica y anota sus respuestas.

MODELO: E1: ¿Qué pasó cuando te desmayaste? ¿Dónde estuviste?
E2: Fue terrible. Me desmayé en la escuela cuando tenía 14 años. Cuando me caí, me pegué la cabeza en un estante y me lastimé. Tuve una hinchazón grave (*serious*) que luego se convirtió en un moretón muy feo.

PASO 3. ¿Cuántas diferencias y semejanzas hay entre tu historia médica y la de tu compañero/a? ¿Han experimentado algunas de las mismas condiciones? ¿Hay alguna condición que ninguno/a de Uds. haya experimentado? Compartan los resultados con la clase.

MODELO: Teresa y yo sufrimos de hinchazones, por diferentes razones: ella se torció el tobillo y yo sufrí una reacción alérgica a algo que comí.

356   **Capítulo 12**   El deporte y el bienestar

I. ¿Qué deben hacer?

PASO 1.   En parejas, túrnense para explicar la situación médica y ofrecer consejos.

> **MODELO:**   E1: Necesito hacer más ejercicio pero me duelen las rodillas.
> E2: Debes practicar la natación. Y no uses tenis viejos para hacer ejercicio.

1. Me duele la cabeza.
2. Creo que tengo gripe.
3. Mi doctor me dijo que tengo que perder diez libras (*pounds*).
4. Quiero mantenerme en forma, pero no soy muy bueno/a en deportes.
5. Sufro de insomnio.
6. Necesito hacer más ejercicio y prefiero jugar en un equipo.
7. Me siento muy débil (*weak*) y quiero tener músculos más grandes.
8. Hace tres semanas que tengo tos.
9. Mi tobillo está hinchado.
10. Tengo náuseas.

PASO 2.   En parejas, representen el papel de un entrenador (*trainer*) personal y su cliente. Usen mandatos para preparar un plan de entrenamiento (*training*) para mejorar la salud de los siguientes clientes y para mantenerse en forma para siempre. No se olviden de pensar en la edad y la habilidad física de cada cliente al crear su plan.

1.

Un hombre de 45 años que trabaja en una oficina de cincuenta a setenta horas a la semana. Come comida rápida por lo menos una vez al día, toma algunas cervezas después del trabajo todos los días y fuma veinte cigarrillos cada día.

2.

Un ama de casa (*housewife*) de 37 años que pesa (*weighs*) 175 libras, pasa dos o tres horas diarias llevando a sus dos hijos a sus varias actividades; camina dos millas (*miles*) tres veces cada semana con otras señoras de su comunidad. En su tiempo libre limpia la casa, cultiva el jardín y mira la televisión.

3.

Un estudiante universitario que no duerme lo suficiente, no tiene tiempo para comer bien y toma muchas bebidas con cafeína cada día. Pasa todo su tiempo estudiando y trabajando en una tienda.

4.

Una señora de 70 años con artritis que come mucha comida grasosa (*greasy*) y no hace ningún tipo de ejercicio.

COMUN VOCABU **ESTRUCTURA** ATE

Reciclaje

The present perfect

PASO 1. Dicen que es bueno para la salud hacer las siguientes actividades todos los días. Para cada actividad, crea una oración para decir cuántas veces has hecho esa actividad en las últimas cuarenta y ocho horas. Si no has hecho la actividad, dilo.

1. caminar por más de veinte minutos
2. comer frutas o verduras
3. meditar o practicar yoga
4. dormir una noche completa (de ocho horas)
5. hacer media hora de ejercicio aeróbico
6. tomar agua

En las últimas cuarenta y ocho horas...

1. _____   4. _____
2. _____   5. _____
3. _____   6. _____

PASO 2. Haz dos comparaciones entre lo que tú has hecho en las últimas cuarenta y ocho horas y lo que ha hecho una persona muy saludable (*healthy*). ¿A qué conclusión llegas? ¿Llevas una vida relativamente sana?

MODELO: En las últimas cuarenta y ocho horas, una persona muy saludable ha hecho ejercicio aeróbico pero yo no he hecho nada de ejercicio.

En las últimas cuarenta y ocho horas...

1. _____
2. _____

Conclusión: _____

■ Answers to this activity are in Appendix 2 at the back of your book.

12.1 Sofía lo ha ganado

The present perfect with object pronouns

Para empezar...

Sofía Mulánovich es una surfista peruana que ha ganado muchos premios (*awards*), incluyendo el título de Campeona Mundial (*World Champion*) de Surf de la Asociación de Surfistas Profesionales. En las siguientes oraciones, vas a aprender un poco más sobre su carrera como deportista. Empareja cada oración con el objeto apropiado.

Sofía Mulánovich se desliza sobre (*rides*) una ola.

1. ____ **Lo ha practicado** desde que tenía 9 años, porque vivía cerca de la playa.
2. ____ **Lo han considerado** desde hace tiempo como uno de los mejores lugares para surfear en Latinoamérica.
3. ____ Sofía es la primera latinoamericana que **lo ha ganado.**
4. ____ **Los han tomado** más en serio desde que Sofía Mulánovich empezó a tener tanto éxito.
5. ____ **Las ha tenido** desde muy chica.
6. ____ **La han introducido** al Salón de la Fama (*Hall of Fame*) del Surf.
7. ____ **Los ha usado** para estar en contacto con los aficionados (*fans*).
8. ____ **Lo ha sabido** hacer desde que tenía 3 años, cuando empezó a tomar clases.

a. el surf
b. el Campeonato Mundial de Surf
c. Sofía Mulánovich
d. nadar
e. ganas de ganar
f. el Perú
g. los surfistas latinoamericanos
h. su página web y su blog

■ Answers to these activities are in Appendix 2 at the back of your book.

Actividades analíticas

1 As you saw in **Estructura 6.3,** object pronouns (**pronombres de objeto**) appear before conjugated verbs.

Sofía **lo ganó.**   *Sofía won it.*

It's no different in the present perfect tense, where object pronouns appear before the auxiliary verb **haber,** because it is the conjugated verb.

Sofía **lo ha** ganado.   *Sofía has won it.*

In this example, the object pronoun (**lo**) is a direct object pronoun. What type of pronoun do you see in the following sentences: direct object, indirect object, or reflexive?

_____   Sofía **se** ha despertado temprano.   *Sofía has woken up early.*

_____   Sofía **le** ha escrito una carta.   *Sofía has written a letter to him/her/you* (form.).

2 You also saw in **Estructura 6.3** that when a conjugated verb is followed by an infinitive, the object pronoun may appear either before the conjugated verb or after and attached to the infinitive.

Sofía **lo quiere** ganar. }
Sofía quiere **ganarlo.** }   *Sofía wants to win it.*

The same is true when a present perfect verb form is followed by an infinitive. The object pronoun may appear either before the conjugated form of **haber** or after and attached to the infinitive. The meaning is the same regardless of the placement of the object pronoun.

Sofía **lo ha** querido ganar. }
Sofía ha querido **ganarlo.** }   *Sofía has wanted to win it.*

The present perfect follows the same pattern of object pronoun placement as other verb tenses, but English speakers sometimes find these sentences difficult to understand. Check your comprehension by translating the following sentences into English.

Lo he tenido que hacer. _____

¿Le has podido contestar su pregunta? _____

La hemos querido comprar por mucho tiempo. _____

Actividades prácticas

A. Los deportes y el mundo hispano
Empareja cada oración con el deporte o premio que le corresponde. **¡Atención!** Dos respuestas se usan más de una vez.

1. _____ Los puertorriqueños Roberto Clemente y Orlando Cepeda **se han considerado** desde los años 60 como figuras muy importantes en la historia de este deporte tan popular en el Caribe.

2. _____ Argentina, España y Uruguay son los únicos países hispanos que **la han ganado** (¡y Argentina y Uruguay **la han ganado** dos veces!).

3. _____ El panameño Roberto Durán **lo ha practicado** desde 1968 y es reconocido (*recognized*) como uno de los mejores en toda la historia de este «deporte de los guantes».

4. _____ El español Ricky Rubio **lo ha practicado** a nivel (*level*) profesional desde los 14 años. Ahora lo juega en la NBA de los Estados Unidos.

5. _____ Los futbolistas de Chile nunca **la han ganado,** pero sí han llegado a las semifinales.

6. _____ Cuba **la ha ganado** más de setenta veces, más que cualquier otro país hispano. (Nunca ha participado en los Juegos Olímpicos de invierno.)

7. _____ España es el único país hispano que **la ha ganado** en esquí alpino.

8. _____ La República Dominicana **les ha mandado** a más de 400 jugadores a las Grandes Ligas (*Leagues*) de este deporte, entre ellos el lanzador Juan Marichal y el segunda base Robinson Canó.

a. la Copa Mundial de Fútbol
b. la medalla de oro (*gold medal*) en los Juegos Olímpicos de verano
c. la medalla de oro en los Juegos Olímpicos de invierno
d. el béisbol
e. el boxeo
f. el básquetbol

B. El deporte en tu país

PASO 1. Para cada deporte en la tabla, escribe cuántas veces lo has visto (en televisión o en persona) y cuántas veces lo has practicado este año.

Número de veces que...	LO/LA HE VISTO	LO/LA HE PRACTICADO
1. el básquetbol		
2. el béisbol		
3. la escalada		
4. el esquí (esquiar)		
5. el fútbol		
6. el fútbol americano		
7. la natación (nadar)		
8. el tenis		
9. el voleibol		
10. el yoga		

PASO 2. En grupos, comparen sus respuestas. Para cada deporte, ¿quién lo ha visto más y quién lo ha practicado más? ¿Hay algún deporte que todos han visto o han practicado?

C. Compras para el deporte

Escoge una de las cuatro respuestas posibles para responder a las siguientes preguntas. Completa cada respuesta con el pronombre de objeto directo o indirecto apropiado y escríbela en el espacio indicado.

Respuestas posibles:　Sí, _____ he comprado.
Sí, _____ hemos comprado.
Sí, _____ he comprado una raqueta.
Sí, _____ hemos comprado una raqueta.

PREGUNTAS	RESPUESTAS
1. ¿Has comprado el casco?	
2. ¿Han comprado las revistas de deporte que les recomendé?	
3. ¿Has comprado las bicicletas?	
4. ¿Le han comprado algo a Victoria?	
5. ¿Han comprado los boletos para el partido?	
6. ¿Has comprado la raqueta de tenis que querías?	
7. ¿Le has comprado algo a Gerardo?	

D. ¿Qué te ha funcionado?

PASO 1. Todos hemos empezado algún hábito bueno y después no lo continuamos. ¿A ti te ha pasado lo contrario (*the opposite*)? ¿Has podido empezar algo bueno para tu salud (hacer algún tipo de ejercicio, por ejemplo, o cambiar tu manera de comer) y lo has podido continuar? En parejas, hablen de este tema y creen una lista de cosas que han funcionado para Uds. Un ejemplo ya está hecho.

HÁBITO/ACTIVIDAD	¿POR CUÁNTO TIEMPO LO HAS HECHO?
Correr por la mañana	Lo he hecho por dos años.

PASO 2. Ahora, crea dos mandatos informales para tu compañero/a y justifica tus recomendaciones con tu propia experiencia.

MODELO:　Corre. Lo he hecho por dos años ya y me siento más fuerte y he bajado de peso.

360 **Capítulo 12** El deporte y el bienestar

Colombia

Venezuela

E. Cultura: Los deportes en Colombia y Venezuela

PASO 1. Lee el texto sobre Colombia y Venezuela.

Si preguntas a los sudamericanos cuál es el deporte más importante para su país, muchos van a mencionar el fútbol. Este es el caso de Colombia, donde la selección nacional ha participado cuatro veces en la Copa Mundial de fútbol y en 2001 ganó la Copa América. Por otro lado, su nación vecina Venezuela no ha podido generar tanto entusiasmo alrededor del fútbol y, de hecho,[a] es el único país sudamericano que nunca ha participado en la Copa Mundial. Sin embargo, los venezolanos sí tienen mucho orgullo y mucho éxito en su deporte nacional: el béisbol. Se ve evidencia de esto en el gran número de beisbolistas —¡más de 300!— que participaron en las Grandes Ligas desde la primera edición en 1939.

Entonces, ¿el fútbol es el deporte nacional de Colombia? Para nada. El deporte nacional se llama «el tejo», un juego que se originó en la época prehispánica. El jugador tiene que lanzar un disco de metal a una distancia de dieciocho metros al centro de una cancha de arcilla.[b] Lo divertido es que cuando el disco cae exactamente en el centro, hace ruido y saca chispas[c] porque allí hay unos pequeños paquetes de pólvora.[d] Y aparte del fútbol y el tejo, los colombianos son ciclistas excelentes. El ciclista Víctor Hugo Peña llevó el maillot[e] amarillo durante tres días en el Tour de France de 2003.

En Venezuela, no todos los deportistas están satisfechos con el ritmo lento de un partido de béisbol. De hecho, el país es conocido por la naturaleza espectacular que ofrece lugares tanto bellos como peligrosos, ideales para los deportes extremos. En la zona alrededor de Mérida, se puede hacer alpinismo en varios picos, los dos más altos de casi 5.000 metros. Los más atrevidos[f] pueden bajar volando, haciendo parapente,[g] un deporte muy popular. ¿Y en qué deporte participan los más atrevidos (o los más locos)? Hacen salto[h] B.A.S.E. de la catarata[i] más alta del mundo, el Salto Ángel, ubicada en el Parque Nacional Canaima.

[a]de… *in fact* [b]*clay* [c]saca… *makes sparks* [d]*gunpowder* [e]*jersey* [f]*daring* [g]*paragliding* [h]*jumping* [i]*waterfall*

PASO 2. Usa la lectura para identificar a lo que se refieren los siguientes objetos directos.

1. La selección nacional de fútbol de Colombia <u>la</u> ha ganado. _____
2. Venezuela <u>los</u> ha mandado a las Grandes Ligas más de 300 veces. _____
3. Los colombianos <u>lo</u> han jugado desde los tiempos prehispánicos. _____
4. <u>Las</u> genera el disco de tejo cuando cae en el centro de la cancha. _____
5. <u>Lo</u> ha llevado el ciclista Víctor Hugo Peña en el Tour de France. _____
6. Los que hacen parapente en Venezuela <u>la</u> pueden admirar porque es espectacular.
_____
7. Los deportistas más atrevidos de Venezuela <u>lo</u> han hecho.
_____

PASO 3. En parejas, contesten las preguntas y explíquense las respuestas.

1. El béisbol empezó en los Estados Unidos en el siglo XIX y ganó mucha popularidad en países que tenían mucho contacto con los Estados Unidos. Considerando la ubicación geográfica de Colombia y de Venezuela, ¿por qué crees que el béisbol se hizo mucho más popular en Venezuela que en Colombia?
2. Basándote de nuevo en la geografía, ¿en qué otros países hispanos piensas que es muy popular el béisbol?
3. ¿Cómo se comparan el béisbol y el fútbol en tu país? ¿Cuál se juega más? ¿Cuál es más popular en la televisión?

Reciclaje

The present progressive

¿Qué están haciendo en los siguientes dibujos? **¡Atención!** Usa el presente progresivo para formar tus respuestas.

1. _____

2. _____

3. _____

4. _____

5. _____

6. _____

7. _____

8. _____

■ Answers to this activity are in Appendix 2 at the back of your book.

362 **Capítulo 12** El deporte y el bienestar

Rafael Nadal en el
Abierto de Francia

12.2 Lo está ganando

The present progressive with object pronouns

Para empezar...

Estos son algunos momentos clave (*key*) en la vida del tenista español Rafael Nadal. Él es de Mallorca, una isla en el Mediterráneo, y se considera uno de los mejores jugadores de la historia del tenis. Empareja cada hora, fecha y tema con lo que está haciendo Nadal en ese momento.

	HORA	FECHA	TEMA
a.	16:32	23 de mayo, 2005	El Abierto (*Open*) de Francia
b.	11:08	13 de febrero, 2008	La Fundación Rafa Nadal
c.	19:28	6 de julio, 2008	Roger Federer
d.	10:35	12 de julio, 2008	El asteroide 128036
e.	14:42	16 de agosto, 2008	La medalla de oro en los Juegos Olímpicos
f.	20:35	24 de octubre, 2008	El premio Príncipe de Asturias
g.	10:48	8 de enero, 2010	Un video con Shakira, la cantante colombiana
h.	17:47	8 de junio, 2014	El Abierto de Francia

1. ____ **La está recibiendo** en Pekín (*Beijing*).
2. ____ **La está anunciando** como una fundación de asistencia social.
3. ____ **Lo está ganando** por primera vez, y con eso **se está haciendo** muy famoso en todo el mundo.
4. ____ **Lo está filmando** en Barcelona.
5. ____ **Lo está ganando** por novena (*ninth*) vez —más que cualquier otro tenista.
6. ____ La Unión Astronómica Internacional **le está dando** el nombre «Rafaelnadal» en honor a «uno de los mejores tenistas de todos los tiempos».
7. ____ **Lo está recibiendo** del Príncipe Felipe en una ceremonia en Oviedo.
8. ____ **Lo está venciendo** (*beating*) en Wimbledon. Según muchos, es el mejor partido en la historia del tenis.

■ Answers to these activities are in Appendix 2 at the back of your book.

Actividades analíticas

1 As you saw in **Estructura 11.3**, the present progressive consists of the auxiliary verb **estar** followed by the present participle of the main verb. Object pronouns can appear before **estar,** since it is the conjugated verb of the form.

Nadal **lo está** ganando.   *Nadal is winning it.*

In this example, the pronoun **lo** is a direct object pronoun. In **Para empezar,** find one example each of an indirect object pronoun and a reflexive pronoun, and write the pronoun and complete verb form here.

With indirect object pronoun: _____

With reflexive pronoun: _____

2 Object pronouns may instead appear after and attached to the present participle of the verb, just as you've seen with infinitives (see **Estructura 8.3**).

Nadal está **ganándolo.**   *Nadal is winning it.*

If you attach the object pronoun to the end of a present participle, you will need to write an accent mark in order to keep the stress on the right vowel: on the **a** of **-ando** for **-ar** verbs, and over the **e** of the **-iendo** of **-er** and **-ir** verbs. Whether you place the object pronoun before the conjugated verb or attach it to the end of the present participle, the meaning is the same.

Take the sentences that you wrote in **Actividad analítica 1** and move the object pronoun to the end of the present participle. Don't forget the accent marks!

Indirect object: _____

Reflexive: _____

Autoprueba

Use what you now know about placement of object pronouns with the present progressive to answer the following questions affirmatively in two different ways.

1. ¿Están mirando el partido Uds.?
2. ¿Los jugadores están siguiendo las reglas del partido?
3. ¿El entrenador está organizando la alineación (*lineup*) de jugadores?

Respuestas: 1. Sí, lo estamos mirando., Sí, estamos mirándolo. **2.** Sí, las están siguiendo., Sí, están siguiéndolas. **3.** Sí, la está organizando., Sí, está organizándola.

■ For more on the use of object pronouns with the present progressive, see **Para saber más 12.2** at the back of your book.

Actividades prácticas

A. ¡Qué mala excusa!

PASO 1. Si invitas a un amigo o una amiga a hacer ejercicio contigo y te da una de las siguientes excusas, ¿cuáles son buenas y cuáles son ridículas?

No puedo hacer ejercicio contigo porque...	BUENA	RIDÍCULA
1. ya me estoy acostando. Tengo que levantarme muy temprano mañana.	☐	☐
2. me interesa más la televisión. La estoy viendo y cuando cambio el canal (*channel*), eso es muy buen ejercicio.	☐	☐
3. me estoy acordando de que mi abuela me decía que el ejercicio era malo.	☐	☐
4. me estoy sintiendo mal y creo que me estoy enfermando.	☐	☐
5. me estoy lavando los dientes.	☐	☐
6. encontré un libro en la basura y lo estoy leyendo.	☐	☐
7. tengo que presentar este libro mañana en mi clase de literatura y apenas (*barely*) lo estoy empezando a leer.	☐	☐
8. no encuentro mi computadora y la ando buscando.	☐	☐

 PASO 2. Ahora, en parejas, creen dos excusas buenas y dos excusas ridículas para decir por qué no pueden hacer ejercicio en este momento. ¿Qué están haciendo que no les permite hacer ejercicio?

B. ¿Qué está haciendo? En parejas, para cada foto, túrnense para contestar la pregunta «¿Qué está(n) haciendo?»

1. Mónica   2. Luis   3. El padre y su hija   4. Yo

5. Gloria   6. Francisco   7. Elena   8. Amaya y Marlén

C. Dos contra dos En parejas, túrnense para actuar para otra pareja algunas de las siguientes acciones, pero sin hablar. ¿La otra pareja puede adivinar qué están haciendo?

MODELO: ¿Lo/La estás ayudando a practicar yoga? (¿Estás ayudándolo/la a practicar yoga?)

ayudarla/la a ponerse un casco	hablarle en francés
ayudarlo/la a practicar yoga	invitarlo/la a nadar
darle una raqueta	pasarle la pelota en un partido de fútbol
decirle que es muy buen(a) futbolista	saludarlo/la
decirle que tiene que comer más frutas y verduras	seguirlo/la

⟳ Reciclaje
Commands

Usando las recomendaciones de la lista, crea consejos en forma de mandatos para tus compañeros que tienen los problemas mencionados. Cada recomendación se puede usar solo una vez. **¡Atención!** Algunos de los mandatos tienen que estar en forma singular (**tú**) y otros en plural (**Uds.**).

| comer menos y hacer más ejercicio | dormir más | practicar yoga |
| correr | levantar pesas | tomar agua |

PROBLEMA	CONSEJO
1. Tenemos sed.	_____
2. Quiero tener más flexibilidad.	_____
3. Queremos tener más músculo.	_____
4. Siempre tengo sueño.	_____
5. Quiero bajar de peso.	_____
6. Queremos tener mejor condición cardiovascular.	_____

■ Answers to this activity are in Appendix 2 at the back of your book.

12.3 **Te recomiendo que comas chocolate**

The subjunctive: Volition with regular verbs

Para empezar...

Lee las siguientes preguntas sobre la salud y las respuestas del Doctor América. Él te recomienda (*recommends*) puros productos autóctonos (*native*) de América para ayudarte con los problemas de salud. Pero, ¡cuidado! Una de sus recomendaciones es falsa.

1. Quiero bajar (*lower*) mi colesterol. ¿Qué hago?
   Doctor América dice: «Yo te recomiendo que **comas** mucho aguacate».

2. ¿Qué me recomienda para aumentar (*increase*) mi consumo (*consumption*) de antioxidantes?
   Doctor América dice: «Te recomiendo que **comas** o **tomes** mucho chocolate. El chocolate tiene un nivel muy alto de antioxidantes».

3. No me gusta el jugo de naranja. ¿Qué puedo hacer para tener suficiente vitamina C?
   Doctor América dice: «Te recomiendo que **comas** chiles. Los chiles contienen muchísima vitamina C».

4. Soy vegetariano. ¿Qué me recomienda para comer suficiente proteína?
   Doctor América dice: «Te recomiendo que **busques** quinua. Es de los Andes (sobre todo Bolivia) y tiene muchísima proteína. Se usa en forma de harina para hacer pan».

5. A veces tengo problemas digestivos. ¿Qué me recomienda?
   Doctor América dice: «Te recomiendo que **compres** papaya. Ayuda mucho a la digestión y tiene muchas vitaminas y antioxidantes».

Una planta de quinua roja

6. Sé que tengo que comer más verduras, pero no me gustan. ¿Qué hago?
   Doctor América dice: «Te recomiendo que le **des** una oportunidad al maíz. ¿Lo has probado (*tried*) en verano? Con sal y mantequilla (o chile, ¿por qué no?), es muy rico».

7. Me estoy quedando calvo (*bald*) y no sé qué hacer. ¿Ud. me puede recomendar algo?
   Doctor América dice: «Te recomiendo que **vivas** una vida muy tranquila y que **tomes** agua con vainilla todas las noches antes de acostarte. En poco tiempo vas a tener mucho pelo de nuevo (*once again*)».

8. ¿Ud. me puede recomendar alguna fruta o verdura para ayudar a prevenir (*prevent*) el cáncer?
   Doctor América dice: «Yo te recomiendo que **comas** mucho tomate. Su color rojo es por la presencia de licopeno (*lycopene*), un antioxidante importante».

La recomendación falsa es la del número _____.

■ Answers to these activities are in Appendix 2 at the back of your book.

Actividades analíticas

1 The verbs in bold in **Para empezar** are all in the **tú** form of the *present subjunctive* (**el presente de subjuntivo**). The subjunctive is used in a variety of situations, and here it is used to express a recommendation, a piece of advice, or a desire.

Write the subjunctive forms in bold from **Para empezar** in the right-hand column of this chart. Then write the **tú** form for the *present indicative* (**el presente de indicativo**), the grammatical name for the simple present tense.

INFINITIVO	PRESENTE DE INDICATIVO	PRESENTE DE SUBJUNTIVO
	tú	tú
buscar	buscas	
comer		
comprar	compras	
dar	das	
tomar		
vivir		

2 You can identify subjunctive forms by the vowel in the ending. Just as in the formal commands and negative informal commands, both **-ar** and **-er/-ir** verbs use the "opposite" vowel (**vocal**). Use the examples given to complete the following chart.

	La vocal en el presente de indicativo	La vocal en el presente de subjuntivo
-ar verbs	-a-	
Example	Tom**a**s chocolate.	…que tom**e**s chocolate.
-er/-ir verbs	-e-	
Example	Com**e**s chocolate.	…que com**a**s chocolate.

3 Apart from the change in vowel that you just saw in **Actividades analíticas 2,** the endings in the present subjunctive are similar to those of the present indicative. Complete the following chart to see the entire conjugation.

	tomar	comer	vivir
yo	tome	coma	viva
tú			
él/ella, Ud.	tome		viva
nosotros/as		comamos	
vosotros/as	toméis		viváis
ellos/ellas, Uds.			vivan

Note that the **yo** form and the **él/ella, Ud.** form are identical in the subjunctive. Context will help to determine which subject is intended, or the subject pronoun may be used.

366   **Capítulo 12**   El deporte y el bienestar

4 You saw in **Para empezar** that the verb **recomendar** is followed by the subjunctive. Here are some other expressions that do the same.

Se usa el subjuntivo después de...	Ejemplo
esperar (*to hope*)	**Espero** que **puedas** venir a la fiesta. *I hope that you can come to the party.*
ojalá (*I hope*)	**Ojalá** que **puedas** venir a la fiesta. *I hope that you can come to the party.*
pedir	**Están pidiendo** que **trabajemos** en Bolivia. *They're asking us to work in Bolivia.*
querer	**Quiero** que **lleguen** temprano mañana. *I want them to arrive early tomorrow.*
ser necesario	**Es necesario** que tu papá **coma** más fruta. *It's necessary for your father to eat more fruit.*

These expressions trigger the use of subjunctive after **que** because they convey a recommendation, a piece of advice, or a desire.

5 The verb **decir** sometimes expresses a recommendation, in which case it is followed by the subjunctive. When it simply describes a situation, it is followed by the indicative.

decir CON EL SUBJUNTIVO Y EL INDICATIVO	
Subjunctive (Recommendation)	Los médicos **dicen** que **tomes** mucho chocolate. *The doctors say that you should / tell you to drink a lot of hot chocolate.*
Indicative (Description)	Los médicos **dicen** que **tomas** mucho chocolate. *The doctors say that you drink a lot of hot chocolate.*

Verbs such as **pensar** and **creer** never express a recommendation, so they are followed by the indicative.

Pienso que mi hijo **toma** mucho chocolate.   *I think my son drinks a lot of hot chocolate.*

■ For more expressions of volition, see **Para saber más 12.3** at the back of your book.

Autoprueba

Use what you've just learned to conjugate the following verbs in the present subjunctive.

1. hablar
   yo _____
2. correr
   tú _____
3. sufrir
   nosotros/as _____

Respuestas: 1. hable **2.** corras **3.** suframos

¡Anticipa!

As you have seen, the present indicative and the present subjunctive are conjugated very similarly, apart from the change in vowel. With this in mind, how do you think stem-changing verbs like **poder** and **cerrar** are conjugated in the subjunctive?

1. poder (ue)	2. cerrar (ie)
yo _____	yo _____
tú _____	tú _____
él / ella, Ud. _____	él / ella, Ud. _____
nosotros/as _____	nosotros/as _____
vosotros/as _____	vosotros/as _____
ellos/as, Uds. _____	ellos/as, Uds. _____

¡Anticipa! 1. pueda, puedas, pueda, podamos, podáis, puedan. **2.** cierre, cierres, cierre, cerremos, cerréis, cierren

Actividades prácticas

A. ¿Pensar o querer? Escoge **pensar** o **querer** para completar cada oración. **¡Atención!** Presta atención al verbo que sigue después de **que.** ¿Está en el indicativo o el subjuntivo?

1. **Pienso / Quiero** que Pepe está en el gimnasio.
2. **Pienso / Quiero** que Martina trabaja en San José.
3. **Pienso / Quiero** que gane Nadal.
4. **Pienso / Quiero** que van a limpiar la piscina al mediodía.
5. **Pienso / Quiero** que llueva mañana.
6. **Pienso / Quiero** que va a ganar Nadal.
7. **Pienso / Quiero** que esté muy limpia la casa.
8. **Pienso / Quiero** que corramos todos juntos en el parque mañana.

B. En otras palabras En el español, como en el inglés, a veces hay más de una manera de decir las cosas. Empareja cada oración con la oración en el subjuntivo con el mismo sentido (*meaning*).

1. _____ Llámame antes del partido, por favor.
2. _____ ¿Por qué no hablan tus padres con el entrenador? Creo que sería buena idea.
3. _____ Diles a tus padres que tienen que hablar con el entrenador.
4. _____ ¡Por favor! ¡Come más fruta!
5. _____ Los atletas tienen que practicar. Es obligatorio.
6. _____ Tienes que cooperar (*cooperate*) con el resto del equipo. No hay otra opción.
7. _____ Si trabajas bien con el resto del equipo, voy a estar muy contento.
8. _____ Si ganas en la competencia (*competition*), voy a estar muy contento.

a. Es necesario que trabajes bien con ellos.
b. Recomiendo que tus padres hablen con el entrenador.
c. Espero que ganes en la competencia.
d. Ojalá que trabajes bien con ellos.
e. Te estoy pidiendo que me llames antes del partido.
f. Quiero que tus padres hablen con el entrenador.
g. Te estoy pidiendo que comas más manzanas, naranjas, plátanos, etcétera.
h. Es necesario que los atletas practiquen.

¿Por qué?

Why does the subjunctive look so similar to formal commands (and negative **tú** commands)? The reason is that their meaning is almost the same. Commands express what you want to happen, and the subjunctive does something similar: it expresses what the subject of the main verb wants to happen. These commands and the subjunctive both use the "opposite" vowel in their endings, and as you saw in **10.3**, this makes sense. Spanish only uses **a**, **e**, and **o** in unstressed endings, and since **o** is reserved for the **yo** ending of the present indicative, the simplest way to distinguish the subjunctive from the indicative is to "switch" the vowels **a** and **e**.

C. Lo que dice la gente Indica el verbo más lógico en cada oración. **¡Atención!** Presta atención al sentido de la oración. ¿Está expresando una recomendación o una descripción?

1. Mi mamá siempre me está diciendo que **come / coma** más frutas y verduras para estar más sana.
2. Este artículo en el Internet dice que Nadal **juega / juegue** tenis.
3. Gloria dice que muchos estudiantes en su universidad **nadan / naden** todos los días.
4. La maestra dice que **escribimos / escribamos** una carta en español como tarea para mañana.
5. Las instrucciones dicen que **nos acostamos / nos acostemos** después de tomar la pastilla (*pill*).
6. Marcos dice que sus papás **viven / vivan** en el Perú.
7. La televisión dice que el presidente **está / esté** viajando esta semana.
8. Para poder ganar la competencia, dicen que **estamos / estemos** presentes en todos los entrenamientos.

D. ¿Qué nos recomiendan los médicos?

PASO 1. En cada una de las siguientes oraciones, usa el verbo entre paréntesis en su forma **nosotros/as**. Luego, indica si la oración es **cierta** o **falsa**.

Los médicos nos recomiendan...

	CIERTO	FALSO
1. que (consultar) _____ con un doctor antes de empezar un programa de ejercicio fuerte.	☐	☐
2. que (comer) _____ mucho azúcar para tener los dientes muy bonitos.	☐	☐
3. que (tomar) _____ jugo de papaya para poder nadar más rápido.	☐	☐
4. que (usar) _____ bloqueador solar cuando estamos expuestos (*exposed*) al sol.	☐	☐
5. que (escuchar) _____ música en español una hora al día.	☐	☐
6. que (evitar) _____ el estrés si es posible.	☐	☐
7. que (lavarse) _____ los dientes por lo menos dos veces al día.	☐	☐
8. que le (dar) _____ muchos regalos a nuestro médico favorito.	☐	☐

PASO 2. Ahora Uds. son los doctores. En grupos, creen seis recomendaciones para sus pacientes que tienen gripe. Usen las sugerencias de la lista o inventen otras.

beber muchos líquidos

comer caldo de pollo

comprar jarabe (*syrup*) para la tos

descansar

sonarse (ue) (*to blow*) la nariz

tomar unas aspirinas

MODELO: Les recomendamos que Uds. se queden en casa.

E. El espíritu deportivo (*Good sportsmanship*)

En parejas, creen tres recomendaciones para un atleta que quiere ser un(a) ganador(a) cortés y no un perdedor resentido / una perdedora resentida (*sore loser*).

Te recomiendo que...   Ojalá que...   Es necesario que...

MODELO: Te recomiendo que no insultes a nadie.

¡Leamos!

Trancos° de gratitud en la 21K   °strides

Antes de leer

Contesta las siguientes preguntas sobre un deporte popular: carreras de fondo (*long-distance running*).

1. Para cada distancia, rellena la tabla con el nombre de la carrera y los tiempos típicos para completar cada una.

maratón	ultramaratón	2–8 horas
medio maratón	1–3 horas	24 horas o más

DISTANCIA	NOMBRE DE LA CARRERA	TIEMPO TÍPICO
21 kilómetros		
42 kilómetros		
100 kilómetros		

2. En general, ¿qué pisan (*step on*) los corredores?
   a. asfalto   b. flores   c. agua

3. En tu opinión, ¿para qué participan los mejores atletas?
   a. el espíritu de la competencia   b. el viaje   c. los premios

4. ¿Qué tipo de zapatos llevan la mayoría de los participantes en las carreras de fondo?
   a. Corren descalzos.   b. Llevan tenis.   c. Llevan sandalias.

5. ¿Qué tipo de ropa llevan los participantes?
   a. cómoda y ligera   b. fuerte y tradicional   c. larga y elegante

6. ¿Cuál no es un requisito para participar en una carrera de fondo?
   a. el entrenamiento   b. la predisposición genética   c. la resistencia (*endurance*) física

A leer

PASO 1. Hay varias distancias de carrera, algunas cortas y otras muy largas, pero cada una requiere habilidad y disciplina. La siguiente lectura trata de un grupo de corredores indígenas que tienen una profunda apreciación por las carreras y una manera bastante única de correrlas.

Trancos de gratitud en la 21K

por Santino Ayala

Saltillo, Coahuila, México — Mañana, nuestras calles se atestarán de[a] participantes en la Gran Carrera de México, la 21K de Coahuila. ¡A correr!

Las motivaciones para correr son tan variadas como las personas que corren: el buen estado físico, los beneficios cardíacos y aeróbicos, el alivio[b] del estrés y el deseo de competir. Y claro, a veces corremos por el peligro[c] o el miedo.

[a]se... *will be filled with*   [b]*relief*   [c]*danger*

(*Continues*)

370   **Capítulo 12** El deporte y el bienestar

En la Sierra[d] Tarahumara del estado de Chihuahua, los tarahumaras corren por motivaciones muy disímiles[e] de las que típicamente influyen en que nosotros salgamos con tenis a correr unos kilómetros por el vecindario[f] o el parque.

Correr es la tradición más antigua de los tarahumaras. Históricamente, corrían, descalzos[g] o con huaraches,[h] para cazar,[i] para comunicarse y para expresar su devoción y agradecimiento[j] a dios por su existencia. Rarámuri, el nombre de los tarahumaras en su idioma, significa *pie corredor*.[k]

Una de las carreras más importantes de su comunidad es el *rarajípari* o carrera de bolas.[l] Es una carrera que puede durar[m] unas horas o un par[n] de días. En esta carrera comunitaria, dos equipos de corredores lanzan[ñ] una bola entre sí hasta llegar a la meta,[o] que puede ser de unos metros o hasta 200 kilómetros. Para las carreras más largas, la comunidad corre con los equipos. Las mujeres participan con aros y palitos[p] y otros miembros corren al lado de los equipos, proveyéndoles[q] comida y bebida y, durante la noche, luz para iluminar el paso.

Un rarámuri expresa su devoción

Según un miembro de la comunidad tarahumara, los rarámuris corren «para alegrar[r] al corazón de la Madre Tierra, al mismo Sol que es nuestro dios y nuestra Madre Luna[s]».

Aunque por muchas décadas esta comunidad vivía muy aislada del mundo moderno, ahora participan en carreras más allá de[t] la Sierra. Corren en maratones en las ciudades más grandes de México y también en maratones en el extranjero, en lugares como Colorado, Nevada y California.

Este año, un grupo de diez tarahumaras de Tatahuichi vuelve a Saltillo para participar en la Gran Carrera de México, la 21K de Coahuila. Entre ellos, Martín Roberto Ramírez dice que ha participado en esta carrera por cuatro años seguidos.[u] ¿Le será difícil? Dudable.[v] Más de una vez, Martín se puso los huaraches y corrió 100 millas seguidas en ultramaratones de los Estados Unidos.

Mientras Martín y sus compañeros expresan su gratitud y devoción durante la carrera, nosotros también queremos expresar nuestro agradecimiento a su comunidad y a esta gran comunidad de corredores que llega a nuestro estado todos los veranos —¡algunos por veinte años seguidos!— para correr. A todos les deseamos suerte y una buena carrera.

[d]*Mountains* [e]*unlike* [f]*neighborhood* [g]*barefoot* [h]*sandals* [i]*hunt* [j]*thankfulness* [k]*running* [l]*balls* [m]*last* [n]*couple* [ñ]*equipos... running teams throw* [o]*finish line* [p]*aros... hoops and sticks* [q]*providing them with* [r]*fill with joy* [s]*Moon* [t]*más... beyond* [u]*in a row* [v]*Doubtful*

PASO 2. Ahora lee las siguientes preguntas y, según lo que leíste en la lectura, responde con oraciones completas.

1. ¿Cuántos kilómetros corren los participantes en la carrera de Saltillo, en México?
2. ¿Por qué tienen un significado especial las carreras para los tarahumaras?
3. ¿Cómo corren los hombres y las mujeres tarahumaras en la sierra? ¿Qué cosas llevan?
4. ¿En qué tipo de carrera han participado los tarahumaras en los Estados Unidos?
5. ¿Qué llevan en los pies para correr los tarahumaras?
6. ¿Cómo son los tarahumaras como (*like*) los corredores / las corredoras de maratones de tu país? ¿Cómo son diferentes? Explica.

Después de leer

En parejas, lean las siguientes situaciones y den una felicitación, una reacción o una sugerencia apropiada para cada una. **¡Atención!** Pueden usar las expresiones en la página 348 y en **Estructura 12.3.**

1. tu amigo está por correr su primera carrera 5K
2. tu amiga ha corrido la mitad de (*half of*) su carrera y está cansada, pero quiere seguir
3. a tus amigos solo les queda una milla más (*only one mile left*) por correr en el maratón
4. tu amiga no sabe qué llevar para correr una carrera de larga distancia
5. un corredor tarahumara está por correr por veinticuatro horas seguidas y te pide consejos (*advice*)

¡Escuchemos!

El sueño° de ser deportista   *dream*

Antes de escuchar

PASO 1.   Completa cada una de las siguientes oraciones con tres posibilidades.

MODELO: De niña, quería trabajar como guía naturalista, periodista o veterinaria.

1. De niño/a, esperaba trabajar como…

2. Soy aficionado/a (*fan*) de los siguientes equipos deportistas: …

3. Los miembros de mi familia son aficionados de los siguientes equipos deportistas: …

4. Según mi opinión, los deportes más populares en el mundo hispano son…

 PASO 2.   En grupos pequeños, comparen sus respuestas al **Paso 1** y luego contesten las siguientes preguntas.

1. ¿Quiénes del grupo aún (*still*) quieren hacer el mismo trabajo que querían hacer en su niñez?

2. ¿Qué hacen los aficionados de los varios equipos deportistas que apuntaron en el **Paso 1?** ¿Cuál es la tradición más extraña?

3. ¿Quién(es) conoce(n) a alguien que haya tenido éxito como atleta profesional?

4. Según la mayoría, ¿cuál es el deporte más popular en el mundo hispano?

CONÉCTATE AL MUNDO HISPANO

Los buenos **comentaristas del fútbol** tienen un estilo de narrar los partidos para que cada patada (*kick*) de la pelota parezca emocionante (*seems exciting*). Tienen fama de gritar (*yell*) y cantar el «GOOOOOOOOOOOOOOOLLLLLL!» como en ningún otro deporte. Imagínate la siguiente escena emocionante en un partido entre dos gran rivales.

COMENTARISTA: ¡La reconocida pelota blanca y negra pasa con rapidez entre los jugadores de los dos equipos: Barcelona y Manchester United! El entrenador Vilanova grita, pero nadie lo oye porque los aficionados en el estadio hacen un ruido tremendo. Ninguno de los dos equipos ha marcado (*scored*) un gol y ahora —en los últimos segundos del partido— el nuevo jugador joven está por meter un gol: patea (*he kicks*) la pelota hacia el hombro izquierdo del portero (*goalkeeper*) inglés, pero el portero salta y agarra (*jumps and grabs*) la pelota con las manos. ¡Y así el partido termina en un empate (*tie*): 0–0!

A escuchar

PASO 1. Mira y escucha el video. Mientras escuchas, marca los trabajos que mencionan los entrevistados.

bailador(a)   corredor(a)   guitarrista   tenista

beisbolista   futbolista   nadador(a)   torero/a (*bullfighter*)

PASO 2. Según lo que escuchaste, empareja cada equipo con su mejor descripción.

1. _____ un equipo profesional de fútbol de Madrid

2. _____ un equipo profesional de fútbol de la capital de México, el Distrito Federal

3. _____ el equipo representativo del país en los partidos nacionales

a. Real Madrid

b. La selección de fútbol de Paraguay

c. Cruz Azul

Después de escuchar

PASO 1. Mira y escucha otra vez. Luego, contesta las preguntas.

El futbolista portugués Cristiano Ronaldo, del
Real Madrid Club de Fútbol

LOS AFICIONADOS

1. Según Laura, ¿cuál es el deporte nacional de España?

2. Según Ludmila y Paula, ¿cuál es el deporte nacional de Argentina?

3. ¿Qué hizo Víctor el sábado por la tarde?

4. ¿Qué término usan Mariano, David y William para decir «jugador de fútbol»?

EL SUEÑO DE MUCHOS NIÑOS

1. Describe el sueño de Mariano.

2. Describe el sueño de Pedro. ¿Por cuánto tiempo entrenó profesionalmente? ¿Por qué dejó de entrenar profesionalmente?

3. ¿Qué carrera quiere seguir Dávid?

4. ¿Qué sueño tiene William?

 PASO 2. En parejas, contesten las siguientes preguntas sobre lo que escucharon.

1. Laura dice que el fútbol es «el deporte Rey (*King*)». ¿Qué significa? ¿Cuál es «el deporte Rey» donde viven Uds.?

2. ¿Por qué puede costar mucho dinero cumplir el sueño de ser atleta profesional? ¿No ganan mucho dinero los atletas profesionales?

¡Escribamos!

Cómo nos mantenemos en forma

Cada persona tiene su propia perspectiva en cuanto a la salud, la dieta y el ejercicio. Pero a veces es difícil mantener esa perspectiva. En esta actividad, le vas a ofrecer consejos a alguien que, debido (*due*) a un cambio de circunstancias, busca nuevo equilibrio.

Antes de escribir

Lee las descripciones de la salud y los hábitos de Mila, Félix y Elena e indica las partes tal vez problemáticas. Para cada descripción, apunta algunas cosas que debe hacer esta persona para mejorar su salud.

MILA: Estoy en clase toda la mañana de lunes a viernes. Luego por las tardes estudio y trabajo en la oficina de seguridad pública de la universidad. Como en la cafetería tres veces al día y no he subido de (*gained*) peso, pero siempre me siento cansada y sé que soy más débil que hace un año cuando hacía mucho más ejercicio con los equipos deportivos de mi colegio. Tengo que mantenerme en forma. ¿Qué hago?

FÉLIX: Recientemente me hice socio del nuevo gimnasio al lado de mi oficina. Voy los cinco días de la semana, pero no he perdido ni un kilo. Con todo el ejercicio, tengo ganas de comer más de lo normal para mí. Además de las comidas normales, como un sándwich y unas papas fritas en la tarde y algún postre después de la cena.

ELENA: Antes iba al gimnasio cinco veces a la semana pero ahora con un trabajo de tiempo completo y dos hijos no tengo tiempo. Seguir una dieta equilibrada es muy importante para mí y más o menos sigo comiendo lo que siempre he comido.

A escribir

Escoge una de las tres personas de **Antes de escribir** y escribe una composición para ayudarla a mejorar su salud. Escribe dos párrafos: un párrafo de introducción en el que describes lo que está haciendo mal la persona y un párrafo en que le ofreces recomendaciones de lo que debe hacer para mejorar su salud. Para convencer a la persona de que debe cambiar sus hábitos, explica por qué cada acción sugerida (*suggested*) es beneficiosa. Trata de anticipar las respuestas de la persona y responde también a ellas.

MODELO: No coma el sándwich y las papas fritas extras.

(Reacción anticipada: ¡Pero tengo hambre por hacer tanto ejercicio!)
En vez de comer el sándwich y las papas fritas, coma fruta y un puñado (*handful*) de nueces; así no tendrá hambre, pero podrá bajar de peso. Estas comidas son mejores que su merienda típica porque la fruta tiene muchas vitaminas y poca grasa (*fat*), y las nueces son altas en proteína.

Después de escribir

Revisa tu composición. Luego, intercambia composiciones con un compañero / una compañera para evaluarlas.

☐ Lee la introducción. ¿Explica lo que está haciendo la persona mal?

☐ ¿Tiene un párrafo en el que le ofrece consejos usando el subjuntivo?

☐ Subraya todos los adjetivos en el ensayo. ¿Tienen concordancia los adjetivos y los sustantivos que describen?

☐ Hazle una recomendación a tu compañero/a: *Recomiendo / Es necesario que…*

☐ Dile a tu compañero/a qué hay que hacer para recibir una A en la composición: *Para recibir una A, hay que…*

Después de revisar la composición de tu compañero/a, devuélvesela. Revisa tu propia composición para ver los cambios que tu compañero/a recomienda y haz las revisiones necesarias.

¡Hablemos!

Somos entrenadores

Antes de hablar

Haz una lista de seis o más pasos básicos que hay que seguir para practicar un aspecto de tu deporte favorito o actividad física favorita.

MODELO: dar un paseo → ponerse los calcetines y los tenis, levantarse, levantar el pie derecho, dar un paso, levantar el pie izquierdo, dar un paso, repetir más rápidamente…

 ### A hablar

En grupos de tres o cuatro estudiantes, túrnense en el papel de entrenador/a para enseñarles a los otros estudiantes cómo hacer el deporte o la actividad que explicaron en su lista. Los otros miembros del grupo deben intentar seguir las instrucciones del entrenador o la entrenadora. Presten atención y anoten si a los líderes se les olvida algún paso importante. **¡Atención!** Usen mandatos de **Uds.** para dar instrucciones a más de una persona.

MODELO: dar un paseo → Pónganse los calcetines y los tenis. Ahora levántense. Levanten el pie derecho y den un paso. Levanten el pie izquierdo y den otro paso. Repitan más rápidamente…

 ### Después de hablar

En parejas, comenten las siguientes preguntas.

1. ¿Hay alguna instrucción importante que los otros entrenadores / las otras entrenadoras en tu grupo hayan olvidado (*have forgotten*) incluir? Añadan por lo menos una instrucción más a cada una de sus presentaciones.

2. ¿Cuáles son las instrucciones más comunes que dieron los entrenadores / las entrenadoras?

Expresiones útiles

coger	to catch
doblar	to bend
lanzar	to throw
mover	to move
patear	to kick
pegar	to hit
rebotar	to bounce
saltar	to jump
usar rodilleras y coderas	to wear knee pads and elbow pads

Conéctate al cine

Película: *Hermano* (drama, Venezuela, 2010)
Director: Marcel Rasquín

Sinopsis:

Julio, un niño, y su madre encuentran a un bebé abandonado en la calle, llorando como un gato. La madre lo adopta y Julio y Daniel crecen como hermanos. Julio le da a Daniel el apodo (*nickname*) «gato». A los dos hermanos les encanta jugar fútbol y son muy competitivos entre sí. Llega la oportunidad de ir a las pruebas (*tryouts*) de un equipo profesional, el Caracas Fútbol Club. Sin embargo, sucede una tragedia que les complica la vida.

Escena (Netflix, 00:03:40 to 00:08:52):

Julio y Daniel/Gato están jugando en un partido importante. Después del partido, un cazatalentos (*talent scout*) del Caracas Fútbol Club quiere hablar con ellos.

Antes de ver

Julio y Daniel son hermanos que juegan en el mismo equipo. ¿Puedes imaginar cómo sería (*would be like*) la interacción entre dos hermanos en un campo de fútbol? Indica qué se dirían (*they would say to each other*). Luego explica tu respuesta.

_____ ¡Ánimo!   _____ ¡Lo hiciste mal!

_____ ¡Bien hecho!   _____ ¡No hagas eso!

_____ ¡Corre más rápido!

A ver

PASO 1. Lee las **Expresiones útiles** y ve el video. No trates de entender cada palabra, pero escucha con atención.

PASO 2. Indica si cada declaración es cierta (**C**) o falsa (**F**).

	C	F
1. Julio le sugiere al portero que se quede quieto.	☐	☐
2. El entrenador les dice a los jugadores que metan (*score*) dos goles más.	☐	☐
3. Daniel (Gato) le dice a Julio que suba y espere el pase.	☐	☐
4. La mamá desea que el equipo vaya a las finales.	☐	☐
5. Daniel le pide a su amiga que deje a su novio por él.	☐	☐
6. El entrenador aconseja a los hermanos que no hablen con el cazatalentos.	☐	☐
7. El cazatalentos recomienda a los hermanos que vayan a las pruebas.	☐	☐
8. Daniel no quiere que Julio juegue en Caracas Fútbol Club con él.	☐	☐

Expresiones útiles

la (tarjeta) roja	red card
quieto	quiet, calm
canchita	small, neighborhood field
el pase	pass
¡Qué golazo!	What a great goal!
licorería	liquor store
¡Qué juegazo!	What a great game!
la generación de relevo	incoming team/players
unos mesecitos	just a few short months
el más chamo (*Ven.*)	the youngest
humillar	humiliate

 ## Después de ver

En parejas, túrnense para hacerse las siguientes preguntas y contestarlas.

¿Has practicado algún deporte? ¿Lo sigues haciendo? ¿Eres/Eras competitivo/a o juegas/jugabas para divertirte? ¿Tienes/Tenías sueños de ser deportista profesional? ¿Qué es lo más importante que has aprendido de practicar ese deporte?

■ For copyright reasons, the feature-film clips referenced in **Conéctate al cine** have not been provided by the publisher. Each of these films is readily available through retailers or online rental sites such as Amazon, iTunes, or Netflix.

VOCABULARIO

Comunicación

¡Adelante!	Come on! / Let's go! / Cheer up!
¡Ánimo!	Come on! / Let's go! / Cheer up!
(No) Hay que + *inf.*	You (don't) have to / It's (not) necessary to (*do something*)
Que le(s) vaya bien.	May things go well for you (*sing./pl.*)
Que tenga(s) un(a) buen(a)...	Have a good . . .
¡Que tengas un buen día!	Have a good day!
Sí, se puede.	Yes, we can! (It can be done!)
¡Suerte!	Good luck!
¡(Buena/Mucha) suerte!	Good luck!
Le(s) deseo mucha suerte.	I wish you (*sing./pl.*) luck.

Los deportes / Sports

el/la atleta	athlete
el béisbol	baseball
la carrera	race
el casco	helmet
la competencia	competition
el/la entrenador(a)	coach, trainer
el equipo	team
el estadio	the stadium
el fútbol americano	(American) football
los Juegos Olímpicos	Olympic Games
el/la jugador(a)	player
la natación	swimming
el partido	game, match
los patines	skates
la patineta	skateboard
la pelota	ball
las pesas	weights
las piscina	pool
la raqueta	raquet
el tenis	tennis
el voleibol	volleyball

La salud / Health

el dolor	pain
la enfermedad	illness
el estornudo	sneeze
la fiebre	fever
la gripe	flu
la herida	wound; injury
la hinchazón	swelling
el moretón	bruise
el peso	weight
el resfriado	cold
el síntoma	symptom
la torcedura	sprain
la tos	cough
bajar/subir de peso	to lose/gain weight
desmayarse	to faint
doler (ue)	to hurt, to ache
estornudar	to sneeze
lastimarse	to injure oneself
sufrir de	to suffer (from)
tener alergia a	to be allergic to
torcerse (ue) (el tobillo)	to sprain (one's ankle)
constipado/a	congested

Cognados: las alergias, el asma (*f.*), la depresión, la fractura, la infección, el insomnio, las náuseas; vomitar

Los verbos

andar...	
en bicicleta	to ride a bike
en patineta	to skateboard
boxear	to box
esperar	to hope; to wait (for)
esquiar	to ski
ganar	to win
hacer alpinismo	to do/go mountaineering (mountain climbing)
jugar...	to play . . .
béisbol	baseball
fútbol americano	football
tenis	tennis
voleibol	volleyball
levantar pesas	to lift weights
mantenerse/ponerse en forma	to stay/get in shape
mantenerse sano	to stay healthy
patinar sobre hielo	to ice skate
recomendar (ie)	to recommend
surfear	to surf

La naturaleza y el medio ambiente

Un tour de la Reserva
Nacional Tambopata en la
selva amazónica del Perú

Objetivos

In this chapter you will learn how to:

- say what you think should happen
- say how long something has been going on
- talk about nature and the environment
- express what someone wants to happen
- express what someone thinks may not be true
- discuss nature and the environment in the Spanish-speaking world

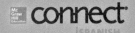

378 **Capítulo 13** La naturaleza y el medio ambiente

COMUNICACIÓN

Debería...

Talking about what you think someone should do

A. A ver: ¿Qué deberíamos hacer para mejorar el mundo?

PASO 1. Empareja cada frase con la palabra que describe.

1. _____ Todos deberíamos cuidar (*take care of*) el planeta.
2. _____ Todos deberían ayudarse y entenderse.
3. _____ Deberían visitar la naturaleza bonita.

a. el ecologismo
b. el ecoturismo
c. el humanitarismo

PASO 2. Mira y escucha. Luego, indica si cada persona habla del **ecologismo,** del **ecoturismo** o del **humanitarismo.**

		ECOLOGISMO	ECOTURISMO	HUMANITARISMO
1.	Nelly habla del…	☐	☐	☐
2.	Yenaro habla del…	☐	☐	☐
3.	Juan Andrés habla del…	☐	☐	☐
4.	María Emilia habla del…	☐	☐	☐
5.	Enrique habla del…	☐	☐	☐
6.	Mayra habla del…	☐	☐	☐

PASO 3. Mira y escucha otra vez y luego indica qué sugiere cada uno.

1. _____ Nelly dice que todos deberíamos…
2. _____ Yenaro dice que todos deberíamos…
3. _____ Juan Andrés dice que todos deberíamos…
4. _____ María Emilia dice que todos deberíamos…
5. _____ Enrique dice que todos deberíamos…
6. _____ Mayra dice que todos deberíamos…

a. ayudarnos los unos a los otros.
b. cuidar el agua y poner la basura en el lugar apropiado.
c. cuidar el planeta.
d. hacer el turismo sin dañar el medio ambiente (*environment*).
e. servirle a la humanidad y servirles a las personas.
f. tratar de no contaminar más el medio ambiente.

To talk about what you think you or someone else should or should not do, use a form of **(no) debería** + *infinitive.*

Debería ir en bicicleta en vez de coche.	I should ride my bike instead of driving.
Deberíamos reciclar.	We ought to recycle.
No deberías contaminar.	You shouldn't pollute.
Deberían cuidar el planeta.	They should take care of the planet.

B. ¿Qué deberíamos hacer?   Empareja la imagen con la cita (*quote*) más adecuada.

1. _____ «Deberíamos ahorrar (*save*) agua.»
2. _____ «Deberíamos evitar (*avoid*) el uso excesivo de electricidad.»
3. _____ «Deberíamos hacer abono (*fertilizer*) con los desechos (*waste*) orgánicos.»
4. _____ «Deberíamos proteger (*protect*) el mar (*sea*).»
5. _____ «Deberíamos reciclar.»
6. _____ «Deberíamos usar menos los coches.»

a.   c.   e.

b.   d.   f.

 C. ¿Qué deberían hacer los nuevos estudiantes? En parejas, decidan qué deberían hacer los nuevos estudiantes que quieren participar en diversas actividades. Luego, compartan sus respuestas con la clase.

¿Qué debería hacer un nuevo estudiante o una nueva estudiante que quiere...

1. comprar productos de bajo impacto medio ambiental (*environmental*)?
2. ahorrar agua?
3. hacer abono con los desechos orgánicos de la cafetería y los restaurantes de la universidad?
4. reciclar el papel y los plásticos del campus?

¿Cuánto tiempo hace que... ?

Expressing how long you've been doing something

To ask someone how long they have been doing something, use one of these expressions. Recall that you learned the present participle (the **-ndo** forms) with the present progressive in **Estructura 11.3**.

¿Cuánto tiempo lleva(s) + *present participle***?**
¿Cuánto tiempo hace que + *present tense***?**

¿Cuánto tiempo llevas reciclando?
¿Cuánto tiempo hace que reciclas? } How long have you been recycling?

To respond, you can use one of these expressions.

Llevo + *time expression* + *present participle*.
Hace + *time expression* + *present tense*.

Llevo tres años reciclando.
Hace tres años que reciclo. } I've been recycling for three years.

To express that something *hasn't* happened for a certain period of time, you can use one of these.

Llevo + *time expression* + **sin** + *infinitive*.
Hace + *time expression* + **que no** + *present tense*.

Llevo tres años sin usar bolsas de plástico.
Hace tres años que no uso bolsas de plástico. } I haven't used plastic bags for three years. / It's been three years since I've used plastic bags.

Here are some useful time expressions.

toda la vida — all my (your/his/her) life; all our (your/their/our) lives

mucho tiempo — a long time
number + **días/semanas/meses/años** — *number* + days/weeks/months/years

A. La historia de la ecología Lee las siguientes oraciones con fechas importantes en la historia de la ecología. Luego, completa las oraciones para decir cuántos años hace (*how many years it's been*) que pasan estas cosas. **¡Atención!** ¡Vas a tener que hacer un poco de matemática!

1. En 1962, la Fundación Charles Darwin estableció una estación de investigación (*research*) en las islas Galápagos.
   Hace _____ **años que** los científicos (*scientists*) de la Fundación Charles Darwin estudian los animales de las islas Galápagos.

2. En 1977, el presidente Jimmy Carter instaló los primeros paneles solares en la Casa Blanca de los Estados Unidos.
   Hace _____ **años que** se usan paneles solares en la Casa Blanca.

3. En 1996, se fundó la organización Amazon Watch para proteger los bosques tropicales (*rainforests*) de Colombia, Ecuador, el Perú y Brasil.
   La organización Amazon Watch **lleva** _____ **años trabajando** para proteger los bosques tropicales.

4. En 2005, la Universidad de Puerto Rico en Humacao empezó su programa de reciclaje (*recycling*).
   Los estudiantes de la Universidad de Puerto Rico en Humacao **llevan** _____ **años reciclando.**

5. En 2011, la energía eólica (*wind*) se convirtió en la principal industria enérgica en España.
   Hace _____ **años que** la energía eólica es la fuente (*source*) de energía más usada en España.

B. Actividades a favor del medio ambiente

PASO 1.   Indica todas las actividades ambientales en que participas.

☐ comer comidas orgánicas

☐ comprar productos de bajo impacto
  ambiental

☐ conducir un auto eléctrico o híbrido

☐ ahorrar agua

☐ evitar el uso excesivo de electricidad

☐ hacer abono de los desechos orgánicos
  de la cocina

☐ llevar bolsas reusables al supermercado

☐ reciclar (el papel, las botellas, el cartón
  [*cardboard*], las latas [*cans*], etcétera)

☐ trabajar con organizaciones ecologistas

☐ transportarse en bicicleta en lugar de en
  coche

PASO 2.   Para cada actividad del **Paso 1** en que participas, di cuánto tiempo llevas haciéndola.

1. ¿Cuánto tiempo hace que comes comidas orgánicas? _____
2. ¿Cuánto tiempo llevas comprando productos de bajo impacto ambiental? _____
3. ¿Cuánto tiempo hace que intentas ahorrar agua? _____
4. ¿Cuánto tiempo llevas ahorrando (*saving*) electricidad? _____
5. ¿Cuánto tiempo llevas guardando los desechos orgánicos en el jardín? _____
6. ¿Cuánto tiempo hace que vas y vienes en bicicleta? _____
7. ¿Cuánto tiempo hace que reciclas? _____
8. ¿Cuánto tiempo llevas trabajando con una organización ecologista? _____

PASO 3.   En parejas, túrnense para hacer y contestar preguntas sobre su participación
en las actividades del **Paso 1.** Si no participas en una actividad, debes decirlo.

MODELO: E1: ¿Cuánto tiempo hace que comes comidas orgánicas? / ¿Cuánto tiempo
          llevas comiendo comidas orgánicas?
          E2: Hace cinco años que como comidas orgánicas. / Llevo cinco años
          comiendo comidas orgánicas. (Nunca como comidas orgánicas.)

C. Todos somos ecologistas   Contesta las preguntas para decir cuántos años estas
personas llevan haciendo cosas que benefician al medio ambiente.

MODELO: ¿La ciudad tiene un programa de reciclaje? (1990)
          Hace _____ años que la ciudad tiene un programa de reciclaje.

1. ¿Cuántos años lleva Teresa usando transporte público en vez de conducir? (2013)

   _____

2. ¿Cuánto tiempo hace que tu tío conduce un auto híbrido? (2003)

   _____

3. ¿Cuánto tiempo llevan participando en el club de ecologistas? (2009)

   Sí, _____

4. ¿Hace mucho tiempo que tu familia usa abono natural en su jardín? (1998: tener un
   compostador para desechos orgánicos)

   Sí, _____

5. ¿Las tiendas de tu barrio todavía ofrecen bolsas de plástico a sus clientes? (2012: no ofrecer)

   No, _____

CONÉCTATE AL MUNDO HISPANO

El lago Enriquillo en la República Dominicana siempre ha sido el lago más grande del Caribe. Pero últimamente
le pasa algo muy raro: se está haciendo más grande todavía. En 2004, el lago cubría (*covered*) 164 kilómetros
cuadrados (102 millas cuadradas), pero diez años después, se había duplicado el tamaño: hasta 350 kilómetros
cuadrados (217 millas cuadradas). El lago tenía tres islas, pero dos de ellas ya desaparecieron bajo el agua. Nadie
sabe cuál es la causa, pero parece que el cambio climático es uno de los factores. El agua del mar Caribe se
ha calentado (*gotten warmer*), y eso ha provocado un aumento (*increase*) en la cantidad de lluvia. Muchos
campos (*fields*) agrícolas se han inundado (*flooded*) y un pueblo entero está en peligro (*danger*). El gobierno
dominicano está construyendo un pueblo nuevo para que la gente afectada tenga dónde vivir.

COMUN VOCABULARIO ICTURATE

La naturaleza y el medio ambiente
Nature and the environment

A. Nuestro medio ambiente Lee las siguientes descripciones y emparéjalas con la imagen que mejor corresponde a cada una.

1. Hay varias causas de la **deforestación.**

_____ El descuido (*carelessness*) de una persona con un cigarrillo puede resultar en la quema (*burning*) de **bosques** enteros, matando (*killing*) muchos **árboles** y animales en muy poco tiempo.

_____ La agricultura y la ganadería (*ranching*) requieren mucha **tierra** y resultan en la masiva **tala de árboles.** Esto pone a los bosques, como la **selva** amazónica, en **peligro** (*danger*).

_____ Con la muerte de tantos árboles, la cadena alimenticia (*food chain*) sufre porque muchos animales dependen de los árboles para comer.

_____ El **daño** (*damage*) a los árboles puede causar gran efecto sobre todo tipo de **fauna y flora** que puede llegar hasta la **extinción** de las **especies.**

2. El **planeta Tierra** está en peligro.

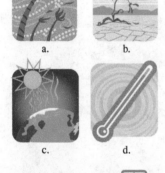

_____ La **contaminación** del aire lleva al **calentamiento global;** o sea, la temperatura del planeta sube.

_____ Las temperaturas del agua del **mar** van calentando también, causando el derretimiento (*melting*) de los casquetes polares (*polar ice caps*) y los icebergs y la subida (*rise*) del nivel (*level*) del mar.

_____ El cambio climático puede causar otros problemas graves, como la **sequía** (cuando no llueve por mucho tiempo).

_____ También puede causar los **huracanes*** que muchas veces causan **inundaciones*** (un exceso de agua que pone calles, coches y casas bajo el agua).

3. Hay que **cuidar** la Tierra.

_____ Varios grupos de **activistas** luchan para **proteger** el medio ambiente.

_____ Algunos activistas quieren **conservar** las plantas y animales que viven en el mar, que sufren a causa de los productos químicos y la basura que ponemos en el agua.

_____ La **ecología** del mar es compleja: un mundo entero existe dentro de un **arrecife** (*reef*): corales, plantas y peces.

_____ Si mueren muchos de estos animales **marinos,** la cadena alimenticia puede deteriorar rápidamente hasta afectarnos a todos los seres humanos.

*La forma singular de **huracanes** es **huracán** y la forma singular de **inundaciones** es **inundación.**

4. A mucha gente le gusta visitar los parques nacionales y reservas naturales.

    _____ Allí pueden ver vistas panorámicas de las montañas, el mar o el desierto.

    _____ Sin embargo, la **disminución** de importantes **recursos naturales** como el agua, la madera y el petróleo pone en peligro estos **paisajes** bonitos y el planeta entero.

    _____ Si los grandes países y sus industrias **explotan** los recursos naturales, vamos a ver el **agotamiento** de los bosques y el agua dulce, y sin árboles y agua no podemos vivir.

    _____ Dependemos de la naturaleza, la tierra y el agua del planeta. Por eso, deberíamos buscar soluciones **sostenibles** para mantener el planeta verde y saludable.

a.

b.

c.

d.

Vocabulario

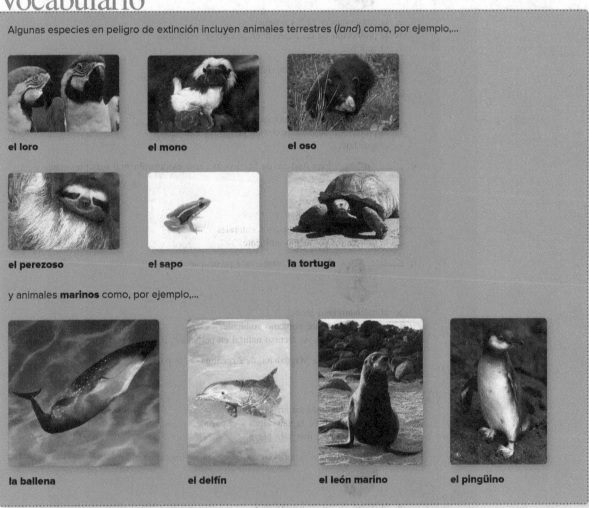

Algunas especies en peligro de extinción incluyen animales terrestres (*land*) como, por ejemplo,...

el loro   **el mono**   **el oso**

el perezoso   **el sapo**   **la tortuga**

y animales **marinos** como, por ejemplo,...

la ballena   **el delfín**   **el león marino**   **el pingüino**

B. A ver: Los temas más importantes

PASO 1.   Algunas personas van a presentar sus ideas sobre los problemas medioambientales más graves. Mira el video y luego completa cada frase con la mejor expresión.

1. ____ Para Óscar, de Costa Rica, la causa medioambiental más importante es…

   a. la conservación de los arrecifes.
   b. la conservación del ecosistema.
   c. la protección del mar y la playa.

2. ____ Para Cinthya, de Costa Rica, es importante…

   a. la conservación de los bosques.
   b. la protección de las especies en peligro de extinción.
   c. el reciclaje.

3. ____ Para Yenaro, de Costa Rica, es importante…

   a. la conservación de los bosques.
   b. la protección de las especies en peligro de extinción.
   c. el reciclaje.

4. ____ Para Andrea, de México, la causa medioambiental más importante es…

   a. el calentamiento global.
   b. la explotación de los recursos naturales.
   c. la protección del medio ambiente.

5. ____ Luis, de Panamá, está preocupado por…

   a. el calentamiento global.
   b. la enseñanza sobre el medio ambiente.
   c. la explotación de un recurso natural en particular: la naturaleza.

6. ____ Para Magdalena, de Argentina, es importante…

   a. la conservación de los arrecifes.
   b. la conservación de la naturaleza y el paisaje.
   c. la protección del mar y la playa.

7. ____ Para Victorino, de Costa Rica, es importante…

   a. la conservación de los bosques.
   b. la protección del medio ambiente.
   c. el reciclaje.

8. ____ Para Henry, de Costa Rica, es importante…

   a. el calentamiento global.
   b. la enseñanza sobre el medio ambiente.
   c. la explotación de los recursos naturales.

PASO 2.   Según sus intereses, ¿qué debería hacer cada persona del video?

1. _____ Óscar debería…
2. _____ Cinthya debería…
3. _____ Yenaro debería…
4. _____ Andrea debería…
5. _____ Luis debería…
6. _____ Magdalena debería…
7. _____ Victorino debería…
8. _____ Henry debería…

a. empezar un programa sobre la diversidad de los bosques y la protección del medio ambiente.
b. fundar una compañía que proteja el mundo ecológico.
c. participar en el turismo ecológico de alguna manera.
d. participar en un programa que promueva el reciclaje para contaminar menos con basura.
e. promover (*promote*) el uso de menos plástico.
f. sembrar (*plant*) árboles.
g. trabajar en un lugar que proteja las especies en peligro de extinción.
h. trabajar para el sistema de parques nacionales.

PASO 3.   Explícale a un compañero o una compañera con quién del video tienes más en común y por qué. Usa la información del **Paso 1** para formar tus respuestas.

MODELO: Tengo más en común con _____ porque los/las dos (ninguno de los/las dos)…

C. A cuidar y disfrutar del planeta

PASO 1.   De las siguientes actividades, ¿cuáles te gustaría hacer?

Me gustaría…

☐ cuidar las playas y el mar
☐ disfrutar de la naturaleza
☐ participar en el turismo ecológico
☐ pasar tiempo al aire libre
☐ proteger la flora y fauna
☐ trabajar en una compañía que proteja el medio ambiente
☐ trabajar de voluntario/a para cuidar el planeta
☐ ver el paisaje de un parque nacional

PASO 2.   En grupos, dense consejos sobre qué deberían hacer para impulsar sus metas medioambientales personales. Usen la estructura **debería** + *infinitivo*.

MODELO: Si a ti te gustaría trabajar de voluntaria para cuidar el planeta, entonces *deberías ponerte* en contacto con un grupo medioambiental como Greenpeace. También *deberías trabajar* con una organización local para limpiar parques en tu comunidad.

D. El medio ambiente en las noticias

PASO 1.   Lee los siguientes titulares (*headlines*) de varios periódicos y revistas. En grupos, hagan una lista de por lo menos diez palabras del **Vocabulario** que esperarían (*you would expect*) leer en cada artículo. Luego, comparen sus listas con otro grupo.

1. **Huracanes amenazan° la costa**   *threaten*

2. **La tala masiva de árboles sigue en las selvas**

3. **Grupo estudiantil recauda fondos° para la protección de las especies**   *raises funds*

4. **Nueva ley protege la fauna y flora del país**

5. **El turismo: ¿ayuda o daña al medio ambiente?**

6. **¿Estamos reciclando? Nuevo estudio pone en duda la mayoría de los programas de reciclaje**

7. La explotación de recursos naturales a nivel mundial sigue en aumento

8. Nuevo estudio científico dice que están muriendo los arrecifes a un ritmo alarmante

PASO 2.   En parejas, escojan uno de los titulares del **Paso 1** y escriban el primer párrafo del artículo. Intenten usar todas las palabras de la lista que su grupo formó para ese titular. Cuando leen el artículo a los otros estudiantes, ¿pueden identificar el titular del **Paso 1**?

PASO 3.   En parejas, piensen en un tema medioambiental que les importe mucho y escriban un titular para un artículo sobre el tema. Luego, consideren las siguientes preguntas y escriban el primer párrafo del artículo.

¿Por qué se considera «noticia» este tema? ¿Por qué es un problema esta situación? ¿Cuáles son los datos (*pieces of information*) más importantes que deben incluir? ¿Cuáles son los factores que contribuyen al problema?

386   **Capítulo 13**   La naturaleza y el medio ambiente

COMUN VOCABU **ESTRUCTURA** TE

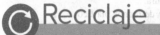Reciclaje

Present indicative: Verbs with irregular **yo** forms

Usa la forma **yo** del presente indicativo del verbo más lógico para completar cada oración. Luego, indica si es algo que diría (*would say*) un **jaguar**, un **pájaro** o una **tortuga** si pudiera hablar (*if it could talk*). Cada verbo se puede usar solo una vez. El primer verbo ya está hecho.

decir	ir	ser
estar	poner	tener
hacer	salir	traer

	JAGUAR	PÁJARO	TORTUGA
1. «A veces ___voy___ a los lagos y a los ríos a cazar (*hunt*) animales que están tomando agua.»	☐	☐	☐
2. «_____ nidos (*nests*) en los árboles.»	☐	☐	☐
3. «_____ una concha (*shell*) muy dura.»	☐	☐	☐
4. «_____ reptil.»	☐	☐	☐
5. «_____ de noche a cazar animales grandes y chicos.»	☐	☐	☐
6. «_____ comida al nido para los bebés.»	☐	☐	☐
7. «En la selva, _____ en el punto más alto de la cadena alimenticia.»	☐	☐	☐
8. «_____ pío, pío, pío.»	☐	☐	☐
9. «_____ los huevos en la arena (*sand*).»	☐	☐	☐

■ Answers to this activity are in Appendix 2 at the back of your book.

13.1   Le pedimos que no salga de los senderos° *paths*

The subjunctive: Irregular verbs

Para empezar...

El Parque Nacional Tikal es la reserva natural y cultural más famosa de Guatemala y la zona arqueológica más importante de la antigua civilización maya. Aquí hay una lista de reglas (*rules*) para los visitantes del parque, pero ¡no todas son de verdad! Indica si cada regla es **cierta** o **falsa**.

Durante su estancia (stay) en el Parque Nacional Tikal, le pedimos que...

	CIERTO	FALSO
1. no **haga** ningún tipo de fuego.	☐	☐
2. no **salga** de los senderos.	☐	☐
3. **sea** respetuoso con las reglas del parque.	☐	☐
4. **se vaya** inmediatamente y nunca **vuelva**.	☐	☐
5. **tenga** mucho cuidado al momento de escalar (*climb*) los monumentos.	☐	☐
6. **ponga** comida para los animales en los senderos.	☐	☐
7. no **haga** fotos o videos con propósitos (*purposes*) comerciales sin la autorización adecuada.	☐	☐
8. **traiga** basura de su casa y que la **deje** en el parque.	☐	☐
9. **ponga** atención a la hora. Se apaga (*turn off*) la energía eléctrica a las 21:30. Por eso, pedimos que **esté** en su hotel antes de esa hora.	☐	☐

Las ruinas del Parque Nacional Tikal, Guatemala

Actividades analíticas

1 The verbs in bold in **Para empezar** are in the present subjunctive form. Use this information, as well as what you know about how the present subjunctive is formed, to conjugate these verbs:

	hacer	poner	salir	tener	traer
yo	haga			tenga	
tú		pongas			traigas
él/ella, Ud.					
nosotros/as	hagamos		salgamos		
vosotros/as		pongáis		tengáis	
ellos/ellas, Uds.			salgan		traigan

2 For all of these verbs, the stem in the subjunctive contains a **-g-** that is not present in the infinitive: **hag-, pong-, salg-, teng-** and **traig-.** This stem is the same as that used in the **yo** form of the present indicative: **hago, pongo, salgo, tengo** and **traigo.** The verb **decir** (**digo** in the **yo** form of the present indicative) also forms its subjunctive in this way.

Quiero que me **digas** la verdad.	*I want you to tell me the truth.*
Es necesario que **digan** si van a pasar la noche en el parque.	*It's necessary for you (plur.) to say if you are going to spend the night in the park.*

3 Two other common irregular verbs in the subjunctive are **ir** and **ser.** Use the forms that you saw in **Para empezar** to complete these conjugations.

	ir	ser
yo	vaya	
tú		seas
él/ella, Ud.		
nosotros/as	vayamos	
vosotros/as		seáis
ellos/ellas, Uds.		

Actividades prácticas

A. Voluntarios en las islas Galápagos Cientos de voluntarios van a las islas Galápagos cada año para ayudar en el trabajo de conservación e investigación (*research*). Pon en orden los elementos de la siguiente conversación entre María, una coordinadora de voluntarios en la conservación, y Alicia, una voluntaria que acaba de llegar (*has just arrived*).

a. __1__ MARÍA: ¡Qué bueno que estás aquí en las islas Galápagos! ¿Estás contenta?

b. ____ MARÍA: ¡Ah, sí! Les voy a pedir también que hagan un conteo (*count*) de las iguanas marinas que se encuentran en la isla Genovesa. Parece que ahora hay menos y estamos un poco preocupados.

c. ____ ALICIA: Está bien. Vamos a la isla Genovesa, entonces. Ayer mencionaste algo de las iguanas en esa isla, ¿no?

d. ____ ALICIA: Bueno, vamos a hacer el conteo. El viernes viene otro grupo de voluntarios de Quito. ¿Quieres que traigan algo en especial?

e. ____ MARÍA: Quiero que salgan a inspeccionar los senderos en la isla Genovesa. Ha habido muchísimos turistas allí últimamente y hacen mucho daño.

f. ____ ALICIA: ¡Muy contenta! Mañana empezamos a trabajar todos los voluntarios de mi grupo. ¿Qué quieres que hagamos?

g. ____ MARÍA: Sí. ¿Pueden traer más folletos (*brochures*) para los turistas sobre los problemas medioambientales que tenemos aquí?

h. ____ ALICIA: ¡Claro! Les voy a decir que los traigan.

¿Por qué?

Why are there so many verbs that add a **-g-** both to the **yo** form of the present indicative (**pongo, salgo, tengo,** etc.) and to all of the subjunctive forms (**ponga, salga, tenga,** etc.)? These verb endings add either **-o** or **-a** to the stem, and these two vowels are both pronounced with the tongue in the back of the mouth. The consonant **-g-** is pronounced in this area too, and inserting it makes the transition between the stem (**pon-, sal-, ten-**) and the vowel easier. The vowels **-e** and **-i** are pronounced in the front of the mouth, so the **-g-** is not inserted when these vowels are added to the stem (e.g. **pone, salimos,** etc.).

■ Answers to these activities are in Appendix 2 at the back of your book.

■ For more verbs in the subjunctive, see **Para saber más 13.1** at the back of your book.

Una iguana en las islas Galápagos

388   **Capítulo 13** La naturaleza y el medio ambiente

El Salto Ángel en el Parque Nacional de Canaima

El Parque Nacional Rapa Nui en la isla de Pascua

B. Los parques nacionales

PASO 1.   Primero, indica con un círculo el verbo apropiado para completar cada oración.

1. ____ Muchos dicen que este parque (es / sea) uno de los lugares más impresionantes del mundo. Las cataratas (*waterfalls*) son enormes y se encuentran cerca de la triple frontera (*border*) entre Paraguay, Brasil y Argentina.

2. ____ Para ir a este lugar, al norte de Brasil, te recomiendan que (vas / vayas) en un coche que está en muy buena condición, que (traes / traigas) una cámara y que (sacas / saques) fotos del famoso Salto Ángel.

3. ____ En este lugar, es necesario que (se ponen / se pongan) ropa caliente en algunos meses, por el intenso frío que hace. Hay cientos de glaciares en este parque en los Andes, a ocho horas al norte de Lima.

4. ____ (Dicen / Digan) que los jaguares en este lugar, en la costa caribeña de este país centro-americano, solo (salen / salgan) de noche.

5. ____ Si (tienes / tengas) ganas de ver muchos loros y colibríes (*hummingbirds*), puedes ir a este parque, en el extremo este de la isla.

6. ____ Si te gustan las cataratas, los jaguares y las orquídeas, te recomiendo que (vas / vayas) aquí. Por su ubicación entre los Andes y la zona amazónica, tiene una gran diversidad de hábitats, desde selvas hasta sabanas (*savannahs*).

7. ____ Si quieres que tus próximas vacaciones (son / sean) muy interesantes, considera un viaje a este parque en la Isla de Pascua, donde puedes encontrar cráteres volcánicos y estatuas creadas por los antiguos habitantes (*inhabitants*).

PASO 2.   Ahora, escoge el parque nacional que corresponde a cada descripción en el **Paso 1.** Las pistas (*clues*) geográficas y los mapas al fin del libro te pueden ayudar.

Parques Nacionales

a. Parque Nacional Rapa Nui (Chile)
b. Parque Nacional de Canaima (Venezuela)
c. Parque Nacional Huascarán (el Perú)
d. Parque Nacional de Iguazú (Argentina)
e. Parque Nacional Noel Kempff Mercado (Bolivia)
f. Reserva de la Biosfera de Río Plátano (Honduras)
g. Parque Nacional Alejandro de Humboldt (Cuba)

C. El medio ambiente   Empareja cada oración con la terminación apropiada. **¡Atención!** Hay que prestar atención al verbo en cada terminación. ¿Está en el indicativo o el subjuntivo?

1. ____ Me gusta andar en bicicleta. Voy a estar muy contento si...
2. ____ Me gusta andar en bicicleta. Quiero que...
3. ____ Si vives en la ciudad, yo te recomiendo que...
4. ____ Si vives en la ciudad, probablemente no...
5. ____ Es importante que todos nosotros...
6. ____ No todos nosotros...
7. ____ A tus papás les gustan las montañas y por eso...
8. ____ Si a tus papás les gustan las montañas, yo les recomiendo que...

a. salgas a la naturaleza de vez en cuando.
b. vayan al Parque Torres del Paine en el sur de Chile.
c. ponen un sistema de carriles (*lanes*) para bicicletas en mi ciudad.
d. somos conscientes (*conscious*) del impacto que tenemos en el medio ambiente.
e. pongan un sistema de carriles para bicicletas en mi ciudad.
f. deberían ir al Parque Torres del Paine en el sur de Chile.
g. sales a la naturaleza mucho.
h. seamos conscientes del impacto que tenemos en el medio ambiente.

D. Tus prioridades para tu comunidad

PASO 1.   ¿Qué quieres que haga la gente de tu comunidad para mejorar el medio ambiente? Escoge las tres ideas más importantes para ti y crea tres oraciones que expresen lo que tú quieres.

MODELO: hacer más esfuerzo (*effort*) para usar el transporte público →
Quiero que la gente haga más esfuerzo para usar el transporte público.

1. decirles a los niños que es importante cuidar el medio ambiente
2. ir al trabajo o a la escuela a pie cuando es posible
3. poner más atención al reciclaje
4. salir más a la naturaleza
5. ser más conscientes del impacto que tienen sobre el medio ambiente
6. tener más conocimiento sobre el turismo sostenible
7. traer botellas de agua de metal, y no de plástico

PASO 2.   Ahora, en parejas, comparen sus prioridades. ¿Pueden llegar a un acuerdo sobre cuál es la máxima (*top*) prioridad para mejorar el medio ambiente?

Reciclaje

Meanings of **creer, esperar, pensar,** and **saber**

Empareja cada expresión con su sinónimo.

1. ____ Creo que sí.
2. ____ No sé.
3. ____ Espero que no.
4. ____ Sé que sí.
5. ____ Espero que sí.
6. ____ Pienso que no.

a. No tengo idea.
b. Estoy muy seguro que sí.
c. No sé si es así, pero quiero que sea así.
d. Pienso que sí.
e. No creo.
f. No sé si es así, pero no quiero que sea así.

■ Answers to this activity are in Appendix 2 at the back of your book.

13.2   No creen que exista ya el sapo dorado°   *golden*

The subjunctive: Disbelief and uncertainty

Para empezar...

El sapo dorado vivió en el bosque de Monteverde en Costa Rica. Lo descubrieron por primera vez en 1966, pero no lo han visto desde 1989 y lo declararon extinto (*extinct*) en 2004. ¿Qué dicen los expertos de esto? Lee las siguientes oraciones: ocho son ciertas y dos son falsas. Indica cuáles son **ciertas** y cuáles son **falsas. ¡Atención!** Solo hay dos oraciones falsas.

Un sapo dorado

	CIERTO	FALSO
Los expertos...		
1. creen que los machos (*males*) tenían un color dorado fluorescente.	☐	☐
2. creen que las hembras (*females*) eran de un color verde oliva con manchas (*spots*) rojas.	☐	☐
3. no creen que nadie **pueda** encontrar un sapo dorado hoy día.	☐	☐
4. piensan que vivían bajo tierra la mayor parte del año.	☐	☐
5. no piensan que las demás especies de sapos y ranas (*frogs*) **estén** fuera de peligro (*out of danger*).	☐	☐
6. esperan que no **pase** lo mismo a las otras especies de ranas y sapos.	☐	☐
7. dicen que es posible que el cambio climático **sea** un factor en la extinción de los sapos y ranas.	☐	☐
8. saben que hay sapos dorados en Wyoming.	☐	☐
9. esperan que **aprendamos** algo de esta triste historia.	☐	☐
10. esperan que otras especies **tengan** el mismo futuro que el sapo dorado.	☐	☐

■ Answers to these activities are in Appendix 2 at the back of your book.

CONÉCTATE AL MUNDO HISPANO

El lobo (*wolf*) **mexicano** es uno de los animales del hemisferio occidental (*western*) en más peligro de extinción. Su hábitat original se extendía del norte de México hasta Arizona, Nuevo México y Texas en los Estados Unidos. Sin embargo, el lobo fue casi totalmente exterminado en el siglo veinte. En las últimas décadas, los científicos han tratado de salvar al lobo mexicano y establecerlo de nuevo en las zonas donde vivía antes. Poco a poco, lo están logrando (*achieving*). Ahora hay lobos salvajes (*wild*) en Arizona y Nuevo México, y en 2014, anunciaron dos grandes eventos: nació la primera camada (*litter*) de lobos en libertad en México y nació la primera camada por inseminación artificial en el Zoológico de Chapultepec, en la Ciudad de México.

390   **Capítulo 13**   La naturaleza y el medio ambiente

Actividades analíticas

1 As you saw in **Estructura 12.3** with expressions of volition, certain verbs and expressions require the verb that follows to be in the subjunctive form. Based on what you saw in **Para empezar,** indicate which of the following expressions require the subjunctive.

☐ creer que…   ☐ esperar que…   ☐ saber que…
☐ no creer que…   ☐ pensar que…
☐ es posible que…   ☐ no pensar que…

2 What do the expressions that you selected in **Actividades analíticas 1** all have in common?

☐ They all express the idea that what follows is (at least in the mind of the speaker) likely true.
☐ They all express the idea that what follows may not be true.

There are many more expressions that indicate uncertainty in Spanish, including **No es obvio** (*obvious*) **que…** and **Es improbable que…**

3 Similarly, expressions such as **Es imposible que…** , **No es cierto que…** , and **No es verdad que…** also require the subjunctive because what follows them is (at least in the mind of the speaker) not true.

No es cierto que puedas ver el sapo dorado en Costa Rica.   *It is not true that you can see the golden toad in Costa Rica.*

Antonio piensa que **no es verdad que seas** estudiante.   *Antonio thinks that it's not true that you're a student.*

The expressions **Es cierto que…** , **Es verdad que…** , and **Es obvio que…** are followed by an indicative form, since they express something thought to be true.

Es cierto que eres muy buen estudiante.   *It is true that you are a very good student.*

Actividades prácticas

A. ¿De acuerdo?

PASO 1. Escucha las oraciones e indica si estás de acuerdo (**DA**) o no (**NDA**) con lo que dice.

1. ___   2. ___   3. ___   4. ___
5. ___   6. ___   7. ___   8. ___

PASO 2. Ahora explica a la clase por qué no estás de acuerdo con ciertas declaraciones.

B. El oso hormiguero (*anteater*)   ¿Cuánto sabes del oso hormiguero? Indica si cada oración debe comenzar con «**Es cierto que…** » o «**No es cierto que…** ». ¡**Atención!** Presta atención a la forma del verbo. ¿Es indicativo o subjuntivo?

ES CIERTO QUE…	NO ES CIERTO QUE…	
☐	☐	1. come hormigas (*ants*) y termitas.
☐	☐	2. tiene una lengua muy larga.
☐	☐	3. sea un tipo de oso.
☐	☐	4. viva en África.
☐	☐	5. es pariente de los perezosos.
☐	☐	6. use su cola (*tail*) para matar (*kill*) hormigas.
☐	☐	7. duerma bajo el agua.
☐	☐	8. varias especies del oso hormiguero están amenazadas (*threatened*) por la destrucción de su hábitat.
☐	☐	9. coma pájaros.
☐	☐	10. vive solo en América.

El oso hormiguero

■ To learn how to use the subjunctive to describe things that don't exist, or to express how you feel about something, see **Para saber más 13.2** at the back of your book.

■ The audio files for in-text listening activities are available in the eBook, within Connect Plus activities, and on the Online Learning Center.

Autoprueba

When you come across a new expression, consider if it implies that what follows is true or thought to be true (+), is uncertain or doubtful (?), or is not true or thought to be not true (–). This will help you know whether it is followed by the indicative (+) or the subjunctive (? and –). Try it here with these expressions. Does each one trigger the indicative or the subjunctive?

1. Estoy seguro/a de que…
2. No estoy seguro/a de que…
3. Es una mentira (*a lie*) que…
4. Creemos que…
5. No pensamos que…
6. Es imposible que…
7. No es probable que…

Respuestas: 1. indicative, **2.** subjunctive, **3.** subjunctive, **4.** indicative, **5.** subjunctive, **6.** subjunctive, **7.** subjunctive

C. Cuatro especies

PASO 1.   Las siguientes cuatro especies son muy interesantes, pero no son muy conocidas fuera de su región. En parejas, crean oraciones usando **Creo que** y **No creo que** y las seis frases que siguen para comentar sobre los animales.

El cóndor andino
Distribución: Cordillera de los Andes
Estado de conservación: No
amenazado

El quetzal
Distribución: México, Centroamérica
Estado de conservación: Amenazado

El lince (*lynx*) **ibérico**
Distribución: España
Estado de conservación: En peligro
de extinción

El tapir
Distribución: Centroamérica,
Sudamérica
Estado de conservación: Amenazado

> **MODELO:**   vuela / vuele →
> E1: No creo que el tapir vuele.
> E2: Yo tampoco, pero creo que el quetzal vuela.

1. pasa / pase mucho tiempo en el agua
2. come / coma carne
3. vive / viva en Europa
4. pone / ponga huevos
5. tiene / tenga pelo
6. vuela / vuele

PASO 2.   Piensa en un animal del que sabes mucho. Dile a un compañero / una compañera dos oraciones ciertas y dos oraciones falsas sobre el animal. Tu compañero/a debe decir **Es cierto que...** o **No es cierto que...** para cada oración. Si no está seguro/a, puede decir **Es posible que...**

> **MODELO:**   E1: Los conejos (*rabbits*) comen carne.
> E2: No es cierto que los conejos coman carne.
> E1: Los conejos tienen el pelo muy suave.
> E2: Es cierto que los conejos tienen el pelo muy suave.

D. Los pingüinos   Crea ocho oraciones sobre los pingüinos usando las siguientes expresiones y las oraciones que siguen. **¡Atención!** En algunos casos, tienes que cambiar el verbo al subjuntivo.

> Sé que...   Creo que...   Espero que...   No creo que...

> **MODELO:**   Los pingüinos son pájaros. → Sé que los pingüinos son pájaros.

1. Hay pingüinos azules y rojos.
2. Viven en Argentina, Chile, el Perú y las islas Galápagos.
3. Viven en Bolivia y en el Polo Norte.
4. Van a México durante el verano.
5. Trabajan en restaurantes como camareros.
6. Tienen una vida muy feliz.
7. Comen mucho pescado.
8. Tienen un futuro seguro.

Creo que los pingüinos son
lindos.

Ecuador   **Bolivia**

El lago Titicaca, Bolivia

E. Cultura: Las luchas (*struggles*) ecológicas en Ecuador y Bolivia

PASO 1.   Lee el texto sobre Ecuador y Bolivia.

Los países de Ecuador y Bolivia tienen mucho en común. Los dos tienen sitios naturales espectaculares y diversos, como las islas Galápagos y los altiplanos[a] en Ecuador, y en Bolivia el lago Titicaca, la Laguna Verde y el salar[b] de Uyuni. En los dos países hay selvas amazónicas. Los dos países también cuentan con[c] grandes poblaciones indígenas que hablan una variedad de lenguas. Pero lamentablemente, desde la época de la Conquista española hasta hoy en día, los habitantes de los dos países han tenido que luchar en contra del imperialismo. El imperialismo del último siglo no solo es una conquista de la cultura autóctona,[d] sino[e] también del medio ambiente y los recursos naturales.

Desde 1971 hasta 1992, la gran empresa petrolera[f] transnacional Texaco se juntó[g] con el gobierno de Ecuador para extraer petróleo de la región amazónica y construir el Oleoducto[h] Transecuatoriano. Ahora este proyecto es conocido por muchos como «el peor desastre petrolero del mundo». Según algunas fuentes,[i] la empresa contaminó las aguas de la zona con casi 20 mil millones[j] de galones de residuo[k] tóxico. Además, del oleoducto se derramaron[l] casi 17 millones de galones de petróleo crudo. Como resultado, en las comunidades afectadas por la contaminación se aumentó drásticamente el número de casos de cáncer, enfermedades dermatológicas, problemas reproductivos y defectos de nacimiento.[m] En 2011, después de ocho años de lucha, las comunidades ganaron un juicio[n] en contra de Texaco (que ahora es Chevron).

Los problemas medioambientales en Bolivia también se conectan con el agua, pero de otra forma. A finales de los años 90, el gobierno boliviano (siguiendo los requisitos[ñ] del Banco Mundial[o]) firmó dos tratos[p] para privatizar el suministro y saneamiento[q] del agua. Les vendió a corporaciones transnacionales los sistemas de agua municipales de La Paz y de Cochabamba. Como resultado, el precio del agua subió[r] bastante y la gente pobre perdió el acceso natural que tenían a diferentes fuentes de agua potable. En 2000, hubo protestas violentas en la ciudad de Cochabamba.* En 2006, el nuevo presidente Evo Morales declaró que «El agua no puede ser un negocio privado porque […] se estaría[s] violando los derechos[t] humanos».

[a]*high plateaus* [b]*salt flat* [c]*cuentan... have* [d]*native* [e]*but* [f]*empresa... oil company* [g]*se... joined up with* [h]*pipeline* [i]*sources* [j]*mil... billions* [k]*waste* [l]*se... spilled* [m]*birth* [n]*lawsuit* [ñ]*requirements* [o]*World* [p]*firmó... signed two accords* [q]*suministro... supply and sanitation* [r]*went up* [s]*se... it would be* [t]*rights*

PASO 2.   Ahora lee cada declaración y selecciona la frase apropiada para indicar si estás de acuerdo o no. Luego, completa la oración con la forma correcta del indicativo o el subjuntivo del verbo entre paréntesis.

1. (Creo / No creo) que las empresas petroleras _____ (deber) extraer petróleo de las zonas amazónicas.
2. (Pienso / No pienso) que Texaco-Chevron _____ (ser) el responsable del desastre petrolero.
3. (Es cierto / No es cierto) que la contaminación del agua con residuo tóxico _____ (causar) problemas de la salud entre los habitantes.
4. (Es verdad / No es verdad) que las corporaciones transnacionales _____ (querer) explotar la mano de obra (*workforce*) y los recursos naturales de los países más pobres.
5. (Estoy seguro/a / No estoy seguro/a) que limitar el acceso que una comunidad tiene al agua _____ (violar) los derechos humanos de esa comunidad.
6. (Es verdad / No es verdad) que Ecuador y Bolivia _____ (tener) que luchar para proteger su naturaleza y su herencia (*heritage*) cultural.

PASO 3.   En parejas, contesten las preguntas y explíquense las respuestas.

1. Muchas veces, los países que aceptan que las grandes empresas transnacionales trabajen en zonas ecológicamente delicadas son países de pocos recursos (*resources*) económicos, como Bolivia y Ecuador. ¿Por qué crees que es así?
2. Los residentes de Bolivia y Ecuador causan mucho menos daño al planeta que los residentes de países como los Estados Unidos o Canadá. Por ejemplo, tienen una huella (*footprint*) de carbono muy baja. ¿Por qué crees que es así?
3. En tu país, ¿los grandes proyectos que pueden hacer daño al medio ambiente, como las minas o la extracción petrolera, también ocurren frecuentemente en zonas relativamente pobres?

*Estas protestas son el trasfondo (*background*) de la película *También la lluvia*, que vas a ver en la sección **Conéctate al cine** del **Capítulo 14**.

◯ Reciclaje

Para and *por*

Empareja las frases para hacer oraciones completas lógicas, completándolas con **para** o **por.**

____ 1. Reciclamos papel …
____ 2. Ahorramos agua …
____ 3. Mantenemos los parques …
____ 4. Va a haber cambios climáticos …
____ 5. El huracán Mitch pasó …
____ 6. La contaminación causa muchos problemas …

a. ____ Honduras en 1998.
b. ____ los bosques.
c. ____ no tener que cortar tantos árboles.
d. ____ conservar la diversidad de zonas ecológicas.
e. ____ la sequía en los últimos años.
f. ____ el calentamiento global.

■ Answers to this activity are in Appendix 2 at the back of your book.

13.3   **Para que las tortugas puedan sobrevivir°**   *survive*

The subjunctive: Purpose and contingency

Para empezar...

Todas las especies de tortugas marinas están en peligro de extinción. Un grupo de biólogos (*biologists*) en Costa Rica ha tomado varias medidas (*measures*) para tratar de prevenir (*prevent*) la extinción de estas tortugas. Empareja cada medida con el objetivo más lógico. **¡Atención!** Cada objetivo solo se puede usar una vez.

1. ____ No usan luz en la playa de noche…
2. ____ Cuando las tortugas ponen huevos en la arena (*sand*), los conservacionistas los sacan…
3. ____ Guardan los huevos en un lugar de temperatura controlada…
4. ____ Cuando los bebés salen del huevo, los ponen en la playa…
5. ____ Tratan de limitar el desarrollo (*development*) turístico de la costa…
6. ____ Tratan de educar a la población local…
7. ____ Hacen todo esto…

a. para que **entren** al mar.
b. para que las tortugas **lleguen** a la playa sin miedo (*without fear*) a poner los huevos en la arena.
c. para que las tortugas **tengan** playas limpias y sin gente para poner sus huevos.
d. para que los perros no los **coman.**
e. para que no **usen** los huevos de las tortugas como alimento.
f. para que las tortugas **puedan** sobrevivir en el futuro.
g. para que **se desarrollen** (*develop*) bien.

Una tortuga marina en Costa Rica

Actividades analíticas

1 Based on what you saw in **Para empezar,** which form of the verb is used after **para que** (*so that*)?

☐ indicative   ☐ subjunctive

■ Answers to these activities are in Appendix 2 at the back of your book.

Para que expresses what you want to happen as a result of your action.

Voy a hablar muy despacio **para que** me **entiendas.**

I'm going to speak very slowly so that you understand me.

In this example, you speak slowly because you want the other person to understand you. The meaning of **para que** is thus similar to that of **querer:** both express what you want to happen. As you saw in **12.3, querer que…** is always followed by the subjunctive, so it is not surprising that **para que** behaves the same.

Quiero que me **entiendas.**

I want you to understand me.

2 Another common expression that is followed by the subjunctive is **en caso de que** (*in case, in the event that*).

En caso de que llueva mañana, llámame.	*In the event that it rains tomorrow, call me.*
En caso de que no encuentres el parque, búscalo en el mapa.	*In case you don't find the park, look for it on the map.*

En caso de que expresses what might happen, when it is not at all certain that it will. Its meaning is thus similar to expressions like **Es posible que... ,** and both are typically followed by the subjunctive.

Es posible que llueva mañana.	*It's possible that it will rain tomorrow (but I don't know for sure).*

3 Expressions that simply introduce a fact (rather than something that you *want* to happen or something that *might* happen) are followed by an indicative verb form. For example, **porque** is generally followed by the indicative.

Voy a hablar muy despacio, **porque** a veces no me **entiendes.**	*I'm going to speak very slowly, because sometimes you don't understand me.*
Llámame, **porque va** a llover mañana.	*Call me, because it's going to rain tomorrow.*

To see how to use the subjunctive to express situations that haven't happened yet or that will only happen under certain conditions, see **Para saber más 13.3** at the back of your book.

■ To see how to use the subjunctive to express situations that haven't happened yet or that will only happen under certain conditions, see **Para saber más 13.3** at the back of your book.

Resumen (*Summary*) de los usos del indicativo y del subjuntivo	
Indicativo	**Subjuntivo**
To indicate a fact, something thought to be true (Estructura 13.2)	**To indicate a desire, something that you want to be true (Estructura 12.3, 13.3)**
Sé que las tortugas **están** bien. *I know that the turtles are fine.*	Quiero que las tortugas **estén** bien. *I want the turtles to be fine.*
Pienso que **ahorras** agua. *I think that you save water.*	Te recomiendo que **ahorres** agua. *I recommend that you save water.*
Te voy a invitar a la playa porque **eres** mi amigo. *I'm going to invite you to the beach because you are my friend.*	Te voy a invitar a la playa para que **seas** mi amigo. *I'm going to invite you to the beach so that you'll be my friend.*
	To indicate something that may not be true (Estructura 13.2, 13.3)
	No creo que los bosques **estén** en buenas condiciones. *I don't think that the forests are in good condition.*
	Es posible que ese pájaro **sea** un cóndor. *It's possible that that bird is a condor.*
	En caso de que **veas** un oso, dime. *In the event that you see a bear, tell me.*

¿Por qué?

Why does Spanish have a subjunctive form for verbs? In the examples you have seen, the subjunctive always expresses the same core idea: how things *might* be, rather than how they necessarily are. The subjunctive is used for expressing what someone *wants* to be true, but isn't yet (such as, **Quiero que estudiemos esta noche**), or what is false or possibly isn't true (such as, **No es cierto que estudiemos todas las noches.** and **Es posible que estudiemos esta noche**). The indicative mood, on the other hand, is used for expressing what is *thought* to be true (such as, **Ellos saben que estudiamos todas las noches**). This distinction between what is true and what might not be true is extremely important, and like many other languages, Spanish signals this distinction by changing the ending on the verb.

Actividades prácticas

A. ¿Qué hacemos para ayudar?   Empareja la primera parte de cada oración con la terminación apropiada. **¡Atención!** Presta atención a los verbos en las terminaciones. ¿Están en subjuntivo o indicativo?

1. _____ Uso bicicleta para moverme por la ciudad para que…
2. _____ Uso bicicleta para moverme por la ciudad porque…
3. _____ Pongo los productos reciclables en los contenedores de reciclaje para que…
4. _____ No pido una bolsa cuando compro algo en una tienda porque…
5. _____ Trato de usar muy poca agua para que…
6. _____ Compro frutas y verduras orgánicas porque…
7. _____ Compro frutas y verduras orgánicas para que…
8. _____ Trato de minimizar el uso del papel para que…

a. no quiero que mi comida tenga pesticidas.
b. me gusta saber que no uso tanta gasolina.
c. no hagamos más daño a los bosques.
d. tengan suficiente en el futuro.
e. no esté tan sucio el aire de nuestra ciudad.
f. no la necesito y no quiero generar más basura.
g. no usen tanto pesticida en el campo.
h. puedan usarlos para producir otros productos.

B. Una casa ecológica   Imagínate que planeas la construcción de una casa ecológica. Completa cada oración con una conclusión lógica, usando las frases de la lista y conjugando el verbo en su forma más adecuada.

darme dinero	poder trabajar	visitarme en la nueva casa
no molestarse	ser totalmente ecológica	ya estar viviendo allí en verano
no tener ningún defecto		

1. Primero, debo conseguir el permiso de la ciudad para que los obreros (*workers*) _____
2. Tengo que pedir un préstamo (*loan*) para que el banco _____.
3. Voy a avisar a los vecinos (*let the neighbors know*) para que _____.
4. Luego, voy a escoger puros materiales reciclados para la casa para que _____
5. Les voy a pedir a los obreros que trabajen con mucho cuidado para que la casa _____
6. Quiero que la casa esté lista para julio para que mi familia _____.
7. Voy a invitar a todos mis amigos para que _____.

C. ¡Está preparado/a!   Dile a un compañero / una compañera qué hay que llevar **en caso de que** pase una de las siguientes situaciones. Tu compañero/a debe decidir si lo que dices es lógico o no.

> **MODELO:**   E1: En caso de que llueva, hay que llevar un bolígrafo.
> E2: ¡No es lógico!

En caso de que...

1. poder andar en las montañas
2. hacer mucho calor
3. ir a la playa
4. tener tiempo para relajarse
5. querer explorar el río
6. hacer mucho frío

Hay que llevar...

un abrigo

mucha agua

una balsa (*raft*)

botas de montaña

una gorra

un libro

un traje de baño

D. ¿Qué hacer en el peor de los casos?   Pasar tiempo en la naturaleza puede ser una experiencia muy bonita, pero también puede ser un poco peligroso. Pregúntale a un compañero / una compañera qué haces en caso de que te pase uno de los siguientes problemas. Tu compañero/a debe escoger la solución más lógica de la lista.

> **MODELO:**   picar (*to sting*) los mosquitos / ¡Aplástalos (*squash them*) y ponte más repelente!
> E1: ¿Qué hago en caso de que me piquen los mosquitos?
> E2: ¡Aplástalos y ponte más repelente!

PROBLEMAS (EN CASO DE QUE...)

1. atacar un oso
2. picar una viuda (*widow*) negra
3. querer morder (*bite*) un jaguar
4. picar una medusa (*jellyfish*)
5. cagar (*poop*) un pájaro
6. ir a comer las pirañas

SOLUCIONES

a. ¡Grita, mueve los brazos y trata de asustarlo!
b. ¡Usa agua y una servilleta para limpiarte!
c. ¡Salte (*Get out*) del río inmediatamente!
d. ¡Vete al hospital, porque el veneno (*poison*) de este animal es muy peligroso!
e. ¡Salte del mar y lávate la zona afectada con vinagre o agua salada (*salt water*)!
f. ¡Ponte en posición fetal, cubre la cabeza con los brazos y no te muevas!

COMU   VOCABU   ESTRU   **CONÉCTATE**

¡Leamos!

La aventura y el ecoturismo en el Perú

Antes de leer

PASO 1. Decide si cada actividad es **sostenible** (S) o **no sostenible** (NS).

1. _____ acampar
2. _____ viajar en vehículo motorizado
3. _____ una caminata
4. _____ viajar en avión
5. _____ viajar en bote de remos (*row boat*)
6. _____ observar flora y fauna
7. _____ un proyecto ecológico
8. _____ un centro etnobotánico

PASO 2. Escoge dos actividades del **Paso 1** y escribe una oración completa para explicar tus respuestas.

MODELO: Acampar es sostenible porque no usa muchos recursos naturales y no destruye la naturaleza.

1. _____
2. _____

A leer

PASO 1. Lee el itinerario «Aventura y ecoturismo en el Perú» y trata de imaginar cómo sería (*would be*) este viaje.

La aventura y el ecoturismo en el Perú

PAÍS:	el Perú
LOCALIZACIÓN:	Recorrido por el Perú: Cusco, Camino Inca,[a] Parque de Tambopata
MODALIDAD DE VIAJE:	Viaje de ecoturismo y aventura, turismo de naturaleza

¿Qué viaje vas a vivir?

Un viaje sostenible especialmente diseñado[b] para los amantes[c] del ecoturismo y la aventura. Conoceremos[d] algunos de los principales atractivos del Perú, pero, sobre todo, disfrutaremos del Camino Inca, de una impresionante estancia[e] en la Posada[f] Amazonas y de un espectacular recorrido en rafting. Una oportunidad sin igual para avistar[g] nutrias[h] gigantes, guacamayos,[i] monos, etcétera. Un viaje para conocer un mundo muy distinto al nuestro.

[...]

DÍA 2: Lima / Paracas / Ica / islas Ballestas

Las islas Ballestas son formaciones rocosas[j] las cuales albergan[k] a leones marinos, pingüinos de Humboldt, gatos marinos,[l] delfines y una gran variedad de aves[m] residentes y migratorias... Navegando hacia[n] las islas Ballestas, en el camino se puede apreciar El Candelabro, que es un geoglifo[ñ] de grandes dimensiones que sirve de faro[o] a los navegantes.

El Candelabro de Paracas

[a]Camino... *Inca Trail* [b]*designed* [c]*lovers* [d]*We'll get to know* [e]*stay* [f]*Lodge* [g]*view* [h]*a large freshwater mammal* [i]*macaws* [j]*rocky* [k]*house* [l]*gatos... sea otters* [m]*pájaros* [n]*toward* [ñ]*large rock art; drawings on the ground designed to be seen from above* [o]*lighthouse*

(Continues)

DÍA 5: Camino Inca: Cusco / Huayllabamba

Nuestro vehículo nos llevará hasta el punto de inicio de nuestra caminata. El camino sigue [el banco oeste] del río Urubamba, donde apreciamos hermosas vistas de la montaña Verónica (5850m); después del almuerzo continuaremos nuestra caminata al valle de Huayllabamba para acampar cerca de la comunidad del mismo nombre.

[...]

El río Urubamba con vista de la montaña Verónica

DÍA 11: Cusco / Puerto Maldonado

A hora oportuna traslado[p] al aeropuerto para tomar el vuelo con destino a Puerto Maldonado. Recepción en el aeropuerto y traslado al puerto de donde seguimos en bote hacia la Posada Amazonas. Durante nuestro viaje podemos observar diferente flora y fauna en las orillas.[q] Si nos queda tiempo, visitamos una granja[r] de los nativos. Después de la cena se mostrará[s] un video sobre el parque nacional de Tambopata.

[...]

DÍA 13: Posada Amazonas

Después del desayuno visitamos una pequeña collpa.[t] Desde una plataforma escondida[u] cerca de la collpa podemos observar como decenas[v] de loros y guacamayos congregan aquí para alimentarse. En días soleados[w] se juntan[x] en este lugar decenas hasta a veces centenares[y] de loros para comer arcilla.[z] Después del almuerzo visitamos el Centro EtnoBotánico de una comunidad nativa, aprendiendo más sobre la cultura local y su interacción con la selva. Regresamos [a la posada] para la cena.

Una collpa con loros y guacamayos

[p]*transportation* [q]*shorelines* [r]*farm* [s]*se... will be shown* [t]*clay lick used by birds to neutralize toxins in their diet* [u]*hidden* [v]*scores* [w]*con mucho sol* [x]*se... gather* [y]*hundreds* [z]*clay*

PASO 2. Ahora contesta las preguntas.

1. ¿Qué tipo de viaje describe el artículo?
2. ¿Cuáles son cuatro atractivos del viaje?
3. ¿Qué atractivos ofrecen las islas Ballestas?
4. ¿Qué ven los turistas en la caminata del Camino Inca?
5. ¿Dónde pasan la noche los turistas en el Camino Inca?
6. ¿Cómo llegan los turistas a la Posada Amazonas el día once?
7. ¿Qué tipo de información reciben los turistas en la Posada Amazonas?
8. El último día, ¿qué hacen los turistas por la mañana? ¿Y por la tarde?
9. ¿Te gustaría participar en este viaje? Explica por qué sí o por qué no. ¿En cuáles actividades te gustaría participar y en cuáles no?

Después de leer

En grupos pequeños, diseñen un viaje ecológico en su comunidad. Para organizar el viaje, primero contesten las siguientes preguntas. Luego, organicen la presentación del viaje en la forma de un anuncio en la televisión y preséntenlo al resto de la clase.

1. ¿Adónde van a ir los turistas?
2. ¿Qué lugares de interés van a conocer? Describe cada uno.
3. ¿Cómo van a llegar los turistas a cada lugar?
4. ¿Qué van a hacer en cada lugar?
5. ¿Dónde se van a quedar?
6. ¿Qué van a aprender?

¡Escuchemos!

Algunas amenazas a nuestro planeta

Antes de escuchar

Vas a escuchar una serie de frases. Para cada una, indica a qué tema ecológico se refiere.

	EL CALENTAMIENTO GLOBAL	LA CONTAMINACIÓN DEL MAR	LA DEFORESTACIÓN	LA ESCASEZ (*shortage*) DE AGUA
1.	☐	☐	☐	☐
2.	☐	☐	☐	☐
3.	☐	☐	☐	☐
4.	☐	☐	☐	☐
5.	☐	☐	☐	☐
6.	☐	☐	☐	☐
7.	☐	☐	☐	☐

A escuchar

Mira y escucha mientras los participantes hablan sobre algunos problemas medioambientales. Mientras escuchas, indica cada expresión que oyes. **¡Atención!** En cada caso, hay tres respuestas.

1. Eduardo, de Panamá
   - ☐ cambios en el clima
   - ☐ la contaminación
   - ☐ desequilibrios en estaciones
   - ☐ medios de transporte
   - ☐ problemas ecológicos
   - ☐ las selvas tropicales

2. Anlluly, de Costa Rica
   - ☐ el cambio de clima
   - ☐ gente que corta muchos árboles
   - ☐ problemas ambientales
   - ☐ el pulmón (*lung*) del país
   - ☐ recursos naturales
   - ☐ tirar la basura en el bosque

3. Víctor, de México
   - ☐ el calentamiento global
   - ☐ el cambio climático
   - ☐ la contaminación
   - ☐ el deterioro de nuestro planeta
   - ☐ se inundan ciudades, se inundan pueblos
   - ☐ reciclar las bolsas plásticas

4. Guadalupe, de Costa Rica
   - ☐ el cambio climático
   - ☐ cortando árboles
   - ☐ el deterioro de nuestro planeta
   - ☐ se inundan ciudades, se inundan pueblos
   - ☐ mucha gente está conservando
   - ☐ protegiendo los bosques

5. Diego, de Argentina
   - ☐ el cambio climático
   - ☐ deforestación
   - ☐ problemas ambientales
   - ☐ el pulmón (*lung*) del país
   - ☐ recursos naturales
   - ☐ la selva

6. Andrea, de México
   - ☐ el cambio climático
   - ☐ cuánto daño le estamos haciendo
   - ☐ el deterioro de nuestro planeta
   - ☐ le echan todo al mar
   - ☐ el mar va a estar todo contaminado
   - ☐ el pulmón del país

7. Juan Andrés, de Costa Rica
   - ☐ la contaminación
   - ☐ desequilibrios en estaciones
   - ☐ medios de transporte
   - ☐ problemas ecológicos
   - ☐ reciclar las bolsas plásticas
   - ☐ las selvas tropicales

Después de escuchar

Lee las siguientes preguntas y luego mira el video de nuevo. En parejas, contesten las preguntas usando oraciones completas.

1. Según Eduardo, ¿qué pasa con los bosques?
2. Según Eduardo, ¿qué pasa con el clima?
3. Según Anlluly, ¿qué hace la gente que es malo para el medio ambiente?
4. Según Víctor, ¿cuáles son algunos problemas que trae el cambio climático?
5. Según Guadalupe, ¿para qué están cortando árboles muchas personas?
6. ¿De qué habla Diego?
7. Según Diego, ¿cuáles son dos ventajas de mantener los bosques?
8. Según Andrea, ¿a qué deberíamos prestar más atención?
9. Si no le prestamos más atención, ¿qué pasará?
10. ¿Qué sugerencias ofrece Juan Andrés para mejor cuidar el medio ambiente?

¡Escribamos!

El problema medioambiental más grave°   *serious*

En esta actividad, vas a describir un problema medioambiental, explicar tu opinión en cuanto al asunto (*concerning the matter*) y luego ofrecer sugerencias para una posible solución.

Antes de escribir

Escoge uno de los temas presentados en **¡Escuchemos!** y toma apuntes siguiendo el modelo.

> **MODELO:** I. El problema: *la contaminación del mar*
>
>   A. la tesis del video: *no prestamos atención al mar*
>   1. detalle: *echamos basura al mar*
>   2. detalle: *dañamos los animales marinos*
>   3. detalle: *enfocamos en otros problemas (el aire, los bosques)*
>
>   B. Mi opinión: _____
>   1. detalle: _____
>   2. detalle: _____
>   3. detalle: _____
>
>   C. Posible solución: _____
>   1. sugerencia: _____
>   2. sugerencia: _____
>   3. sugerencia: _____

A escribir

Usa tu bosquejo (*outline*) para ayudarte a escribir un ensayo de tres párrafos. Primero, describe el problema y resume lo que dice la persona en el video. Luego, añade tu propia opinión y más detalles. Escribe una conclusión en la cual ofreces algunas sugerencias para una solución.

ESTRATEGIA

Outlining

Preparing an outline can help you to include more details than you might otherwise, which is especially important in a situation in which you are trying to urge others to action. Outlines also ensure that you organize your writing in the most logical way possible without proceeding out of order. The visual nature of the outline allows you to see where your assignment may be lacking in details, helping you address each key point equally.

Después de escribir

Revisa tu ensayo. Luego, intercambia ensayos con un compañero / una compañera para evaluarlos. Lee el ensayo de tu compañero/a y decide si falta información necesaria. ¿Se ha desarrollado (*developed*) bien cada párrafo?

¿Hay sugerencias apropiadas para una solución en la conclusión? Lee de nuevo (*again*) el ensayo con cuidado para revisar los siguientes puntos de gramática.

☐ hay concordancia entre los sujetos y los verbos
☐ hay concordancia entre los sustantivos y los adjetivos
☐ hay uso apropiado del subjuntivo

Después de revisar el ensayo de tu compañero/a, devuélveselo. Mira tu propio ensayo para ver los cambios que tu compañero/a recomienda y haz las revisiones necesarias.

¡Hablemos!

¿A quién le gusta más la naturaleza?

Antes de hablar

Mira los dibujos y di a qué actividad se refiere. Si no sabes la palabra exacta para cada actividad, usa las palabras que sí sabes para explicársela.

MODELO:

hacer camping *or* dormir fuera de la casa, en el bosque o en las montañas

1.
2.
3.
4.
5.
6.

A hablar

En parejas, túrnense para decir qué tienen que llevar o cómo tienen que preparar para hacer las actividades que identificaron en **Antes de hablar.** Expliquen para qué lo tienen que hacer o en qué situación va a ser necesario.

MODELOS: Deberíamos comprar un colchón inflable (*air mattress*) *para que* no tengamos que dormir en el suelo.

Debería llevar un traje de baño *en caso de que* haya un buen lugar para tomar el sol.

Después de hablar

Ahora, júntense con otra pareja y decidan cuál de las actividades prefieren hacer para este fin de semana.

402   **Capítulo 13** La naturaleza y el medio ambiente

Conéctate a la música

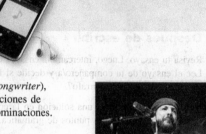

Canción: «Ojalá que llueva café» (1989)
Artista: Juan Luis Guerra (República Dominicana)

Juan Luis Guerra nació en Santo Domingo en 1957. Es cantautor (*singer-songwriter*), compositor y músico conocido en todo el mundo, en particular por sus canciones de merengue y salsa. Ha ganado dieciocho Grammys y ha recibido muchas nominaciones. Se han vendido más de 20 millones de copias de sus discos.

Antes de escuchar

En la canción «Ojalá que llueva café», el cantante quiere que varias cosas caigan (*fall*) del cielo. ¿Cuáles son otras cosas que probablemente muchas personas esperan que caigan del cielo? ¿Por qué?

A escuchar

Lee las **Expresiones útiles** y las siguientes frases. Luego escucha la canción «Ojalá que llueva café». Mientras escucha, escribe los números 1 a 7 al lado de las frases según el orden en que las escuches.

_____ en vez de hojas secas, [...] una cosecha de pitisalé.*

_____ la colina de arroz graneado

_____ un aguacero de yuca y té

_____ un alto cerro de trigo y mapuey

_____ una jarina de queso blanco

_____ una llanura de batata y fresas

_____ una montaña de berro y miel†

Después de escuchar

Lee de nuevo la lista de cosas que el cantante pide. ¿Qué tipo de cosas son? ¿Por qué crees tú que él quiere que caigan del cielo? ¿De qué se trata (*is* [*it*] *about*) esta canción? Busca pistas (*clues*) en la canción para apoyar (*support*) tus ideas.

Juan Luis Guerra inició su gira (*tour*) de 2008 con un concierto en Miami.

■ For copyright reasons, the songs referenced in **Conéctate a la música** have not been provided by the publisher. The video for this song can be found on YouTube, and it is available for purchase from the iTunes store.

Expresiones útiles

aguacero	downpour
batata	sweet potato
berro	watercress
cerro	hill
colina	hill
cosecha	harvest
en vez	instead
hojas secas	dry leaves
jarina	sprinkling
llanura	prairie
mapuey	yam
miel	honey
trigo	wheat

---

petit-salé, un tipo de tocino (*bacon*)
†El berro y la miel se combinan en muchos remedios caseros (*home*) para curar una tos o gripe.

VOCABULARIO

Comunicación

¿Cuánto tiempo lleva(s) + -ndo *form?*	How long have you (*inform./form.*) (*done / been doing something*)?
Llevo + *time expression* + **-ndo** *form.*	I've been (*doing something*) for + *time.*
¿Cuánto tiempo hace que + *present tense?*	How long have you (*done / been doing something*)?
Hace + *time expression* + *present tense.*	I've been (*doing something*) for + *time.*
(no) debería + *inf.*	should (*do something*)
mucho tiempo	a long time
toda la vida	all my (your/his/her) life, all our (your/their) lives

El medio ambiente · The environment

el agotamiento	depletion, exhaustion
el árbol	tree
el arrecife	reef
el bosque	forest
el calentamiento global	global warming
el clima	climate
la contaminación	pollution
el daño	damage
el desequilibrio	imbalance
el deterioro	deterioration
la disminución	decrease
la especie	species, kind
el huracán (*pl.* huracanes)	hurricane
la inundación (*pl.* inundaciones)	flood
el mar	sea
el medio ambiente	environment
el peligro	danger
el planeta (Tierra)	planet (Earth)
el reciclaje	recycling
los recursos naturales	natural resources

la selva	jungle
la sequía	drought
la tala de árboles	tree cutting
la tierra	earth, soil

Cognados: el/la activista, la deforestación, la ecología, el ecologismo, el ecoturismo, la extinción, la fauna, la flora, el humanitarismo

Los animales

el pájaro	bird
la ballena	whale
el delfín	dolphin
el león marino	sea lion
el loro	parrot
el mono	monkey
el oso	bear
el perezoso	sloth
el pingüino	penguin
el sapo	toad
la tortuga	turtle

Los verbos

ahorrar agua	to save water
ayudar	to help
conservar	to preserve; to conserve; to keep
cuidar	to take care of
explotar	to exploit; to develop
proteger (j)	to protect
reciclar	to recycle

Los adjetivos

consciente	conscious
ecológico/a	ecological
marino/a	marine, sea
medioambiental	environmental
sostenible	sustainable

La cultura y la diversión

El taller (*studio*) de un pintor en La Habana, Cuba

Objetivos

In this chapter you will learn how to:

- express uncertainty
- say what you and others would like or hope to do
- talk about what cultural activities you enjoy
- express desires in the past
- express future plans
- express speculation
- discuss cultural activities and entertainment in the Spanish-speaking world

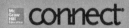

COMUNICACIÓN

Quizás. No sé. Tal vez...
Expressing uncertainty

▶ A. A ver: ¿Cuáles son sus preferencias?

PASO 1. Mira y escucha, luego indica los géneros (*genres*) de cine de que habla cada persona. **¡Atención!** Algunas personas hablan de más de un género de cine. Indícalos todos.

1. _____ Mariana, de Costa Rica
2. _____ Brenda, de México
3. _____ Víctor, de España
4. _____ Denise, de Argentina
5. _____ Cinthya, de Costa Rica

a. acción
b. comedia
c. comedia musical
d. drama
e. infantil
f. romance
g. suspenso/misterio
h. terror

PASO 2. Mira y escucha otra vez. ¿Qué expresión usa cada persona para expresar certeza (*certainty*) o duda?

	SÍ	CREO	TAL VEZ	QUIZÁ(S)	NO SÉ
1. MARIANA: «_____ que me gusta la comedia... »	☐	☐	☐	☐	☐
2. BRENDA: «...bueno de género así de terror, _____... »	☐	☐	☐	☐	☐
3. VÍCTOR: «...que tengan algún valor y sobre todo _____ también... »	☐	☐	☐	☐	☐
4. DENISE: «...con Julio Bocca que, _____ lo conocen... »	☐	☐	☐	☐	☐
5. CINTHYA: «Me gusta el suspenso, pero _____... »	☐	☐	☐	☐	☐

PASO 3. Contesta las preguntas sobre lo que dijo la gente del video.

1. ¿Qué género no le gusta a Mariana? ¿Por qué no?
2. ¿Cuáles películas le gustan a Brenda?
3. ¿Qué tipo de películas le gustan a Víctor más que las otras?
4. ¿Quién es Julio Bocca?
5. ¿Ha visto Cinthya la película de suspenso, *Infección*?
6. ¿Qué género de película del **Paso 1** no menciona nadie? ¿A ti te gusta este género?

To say *maybe* or *perhaps,* you can use **quizá/quizás** or **tal vez.**

—¿**Cuál es tu película favorita?**   "What's your favorite movie?"
—**No sé, tal vez** *Casablanca.*   "I don't know. Maybe *Casablanca.*
  O quizá(s) *El padrino.*   Or perhaps *The Godfather.*"

To say that you're sure of how you feel about something, you can say: **Sin duda (alguna).**

—¿**Cuál es tu película favorita?**   "What's your favorite movie?"
—**Sin duda alguna, mi película favorita**   "Without a doubt, my favorite movie is
  es *El ciudadano Kane.*   *Citizen Kane.*"

B. ¿Cuáles son tus preferencias?

PASO 1. Apunta por lo menos dos nombres para cada categoría. Puedes mencionar obras (*works*) y personas en cada categoría.

> **MODELO:** literatura: el autor Gabriel García Márquez; *Cien años de soledad*

arte
baile (*dance*)
cine
literatura
música
ópera
teatro

PASO 2. En parejas, túrnense para hacer preguntas sobre cada categoría para aprender sus preferencias.

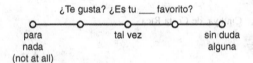

¿Te gusta? ¿Es tu ___ favorito?

para nada (not at all)   tal vez   sin duda alguna

> **MODELO:** E1: ¿*Cien años de soledad* es tu libro favorito?
> E2: Sin duda alguna es mi libro favorito. ¿Es el tuyo?
> E1: No sé. Tal vez. Pero también me gusta *El amor en los tiempos del cólera.*

CONÉCTATE AL MUNDO HISPANO

Durante décadas, las películas más famosas de Hollywood han entretenido a los públicos (*audiences*) en todo el mundo. En algunos países hispanohablantes, **el doblaje** (*dubbing*) es una parte importante de la industria de cine. Antes de que una película se estrene (*premieres*), doblan (*they dub*) los diálogos al español. En otras partes del mundo ponen **subtítulos.** El uso ubicuo de subtítulos hace que inglés goce de (*enjoys*) una presencia cultural incluso en los países donde no es un idioma oficial. Preocupadas por la preservación de la cultura hispana, algunas personas prefieren el doblaje, porque así los públicos escuchan la película en su propia lengua. Sin embargo, en países con su propia producción cinematográfica (*film*), muchas personas prefieren que las películas de los Estados Unidos tengan subtítulos porque las películas subtituladas presentan menos competencia (*competition*) para las películas locales.

Quisiera...

Talking about what you would like

A. ¿Qué quisieran hacer estas personas famosas?

Empareja cada persona famosa con la cita más apropiada.

El actor peruano Bernie Paz

1. _____ Bernie Paz es un actor peruano que trabaja en telenovelas (*soap operas*).
2. _____ Pilar Bustos es una pintora de Ecuador.
3. _____ Giovanna Rivero es una escritora boliviana de libros de ficción.
4. _____ José Carreras es un cantante de ópera español.
5. _____ Los Pájaros es un grupo de rock argentino.
6. _____ Zoe Saldana es una actriz dominicana.

a. «Quisiera cantar en el Teatro Colón en Buenos Aires.»
b. «Quisiera ganar otro premio para uno de mis libros.»
c. «Quisiera presentar una exposición en el Museo de Arte Moderno.»
d. «Quisiera ser directora de cine.»
e. «Quisiéramos hacer una gira mundial (*world tour*) de conciertos.»
f. «Quisiera trabajar en una película de arte.»

To talk about what you or someone else would like or hope to do, use a form of **quisiera** + *infinitive:* **(yo) quisiera, (tú) quisieras, (él/ella, Ud.) quisiera, (nosotros/as) quisiéramos, (vosotros/as) quisierais, (ellos/ellas, Uds.) quisieran.**

Quisiera ser una actriz famosa.	I would like to be a famous actress.
Quisieran asistir a clases de baile.	They would like to attend dance classes.

 B. ¿Qué quisieran estas personas?   En grupos, digan una cosa que las siguientes personas probablemente quisieran hacer. Usen la estructura **quisiera(n)** + *verb* o **quisiera(n)** + *noun*. ¡Sean lógicos y creativos!

MODELO: una persona a quien le gusta la ópera →
E1: Esta persona quisiera asistir a una ópera famosa.
E2: Tal vez quisiera ver *Carmen* o *La flauta mágica*.
E3: Sin duda alguna, quisiera ver algunas óperas en el Teatro alla Scala en Milán.

1. un aficionado al ballet
2. una estudiante de arte
3. alguien a quien le gusta escuchar música clásica
4. una profesora de la historia del arte
5. una persona a quien le gusta el cine
6. una joven a quien le encantan las obras (*works*) de Cervantes y Shakespeare
7. una persona que quiere ser actor
8. una chica que quiere aprender a tocar música rock

C. ¿Qué quisieras hacer tú?

PASO 1.   Escribe por lo menos tres frases con **quisiera** y expresiones de la lista para decir qué quisieras hacer en el mundo del arte.

actuar	dibujar	pintar
bailar	escribir un guion (*screenplay*) / una novela	ser fotógrafo/a
cantar	escribir un poema / poesía	tocar la guitarra / el piano

MODELO: Quisiera aprender a tocar el piano.

 PASO 2.   Ahora, hazles preguntas a otras personas en tu clase sobres sus aspiraciones. ¿Qué tienen en común las aspiraciones de Uds.? ¿Cómo son diferentes?

MODELO: E1: Quisiera tocar la guitarra acústica. ¿Y tú?
E2: Yo quisiera tocar la guitarra eléctrica en una banda de rock.
E1: Yo no, para nada; prefiero la música folclórica.

VOCABULARIO

El cine, el teatro, el museo
Movies, theater, and museums

A. El nuevo centro cultural El nuevo centro cultural en tu ciudad quiere saber cómo atraer al público. Responde al siguiente sondeo (*survey*).

ACTIVIDADES PARA ESPECTADORES (*spectators*) EN EL NUEVO CENTRO CULTURAL.

	1–2 VECES AL MES	1–2 VECES AL AÑO	NUNCA
En general, me gusta ver...			
bailes	☐	☐	☐
conciertos (música en vivo)	☐	☐	☐
obras de arte	☐	☐	☐
películas	☐	☐	☐
teatro	☐	☐	☐
Me gustaría ver conciertos de música...			
alternativa	☐	☐	☐
clásica	☐	☐	☐
electrónica	☐	☐	☐
folclórica	☐	☐	☐
de ópera	☐	☐	☐
pop	☐	☐	☐
rock	☐	☐	☐

En mi opinión, tres de los mejores **cantantes** son:

_____

En mi opinión, tres de los mejores grupos/**bandas** son:

_____

	1–2 VECES AL MES	1–2 VECES AL AÑO	NUNCA
Me gustaría ver espectáculos de baile...			
clásico/ballet	☐	☐	☐
cumbia	☐	☐	☐
flamenco	☐	☐	☐
folclórico	☐	☐	☐
merengue	☐	☐	☐
salsa	☐	☐	☐
tango	☐	☐	☐
Me gustaría ver exposiciones en la galería de...			
escultura	☐	☐	☐
pintura	☐	☐	☐
Me gustaría oír/ver presentaciones de...			
literatura	☐	☐	☐
obras de **artistas, pintores,** o cineastas (*filmmakers*) famosos	☐	☐	☐
poesía	☐	☐	☐

Me interesa participar en un taller (*workshop*) de...

☐ **arte** ☐ dirección (**dirigir**)
☐ **danza** ☐ escritura de novelas
☐ actuación (**actuar**) ☐ producción de cine **alternativo**

Vocabulario

Here are some common words used to talk about artists and the arts in Spanish.

el/la escritor(a)	writer
la estrella (de cine)	(movie) star
interpretar (un papel)	to play (a role or part)
el personaje	character; celebrity, well-known person
el/la pintor(a)	painter
el/la protagonista	main character, protagonist

La estrella de cine Salma Hayek fue nominada a Mejor Actriz en los Premios Óscar por su actuación en *Frida*. En esta película, Hayek **interpretó el papel** de **la protagonista**, la artista Frida Kahlo, uno de **los personajes** que Hayek más admira.

B. ¿Qué hace cada uno?

PASO 1. Empareja cada verbo con su mejor descripción.

1. _____ actuar o interpretar un papel
2. _____ dirigir
3. _____ producir
4. _____ pintar
5. _____ tocar música
6. _____ componer (*compose*) música
7. _____ esculpir (*sculpt*)
8. _____ dibujar (*draw*)

a. hacer los preparativos y arreglarlo todo
b. arreglar (*arrange*) y producir obras musicales originales
c. aplicar pintura a un lienzo (*canvas*)
d. interpretar una canción con un instrumento musical
e. trazar algo en una superficie con líneas y colores
f. es lo que hace la persona que da instrucciones a los actores
g. es lo que hacen los actores para hacer verosímil (*realistic*) el personaje
h. hacer una obra en piedra, madera o metal

 PASO 2. En parejas, describan las siguientes artes. Pueden usar el **Paso 1** como modelo. Para más ayuda, vean también la lista de **Expresiones útiles.**

1. cantar   2. bailar   3. escribir

> **Expresiones útiles**
>
> el cuerpo
> una historia (*story*)
> la voz (*voice*)
> contar (*to tell*)
> explicar
> interpretar

C. Las estrellas y sus papeles

PASO 1. Haz una lista de tres o cuatro estrellas de cine y un personaje que ha interpretado cada uno.

MODELO:

ESTRELLA	PERSONAJE
Adrian Brody	Salvador Dalí
Salma Hayek	Frida Kahlo
Joaquin Phoenix	Johnny Cash
Daniel Radcliffe	Harry Potter

 PASO 2. Ahora, en parejas, túrnense para compartir los pares de nombres de tu lista. Digan cuál es el **personaje** y cuál es la **estrella.** Digan también si la estrella es **actor** o **actriz** y cómo se llama la película.

MODELO: E1: Will Ferrell y Ron Burgundy
E2: El personaje es Ron Burgundy. La estrella es el actor Will Ferrell.
¡La película es *El reportero*!

D. A ver: ¿Qué actividades culturales prefieren?

PASO 1. Mira y escucha, luego indica todos los elementos culturales que menciona cada persona.

	ARTE	BAILE	LITERATURA	MUSEOS	MÚSICA	PINTURA	TEATRO
¿Qué tipo de actividades culturales hay aquí?							
1. Andrea, de México	☐	☐	☐	☐	☐	☐	☐
2. Carlos, de México	☐	☐	☐	☐	☐	☐	☐
3. Ángela, de España	☐	☐	☐	☐	☐	☐	☐
4. Alejandro, de Argentina	☐	☐	☐	☐	☐	☐	☐

PASO 2. Apunta el género (o los géneros) de música que menciona cada persona.

GÉNEROS DE MÚSICA

1. _____ Rodrigo, de Argentina

2. _____ Federico, de Nicaragua

3. _____ Agustina, de Argentina

4. _____ Carlos, del Perú

5. _____ Isabel, de España

a. flamenco
b. música alternativa
c. música clásica
d. música disco
e. música hip hop
f. música latina
g. música moderna
h. música pop
i. música rap
j. música reggae
k. música rock

PASO 3. En parejas, contesten las siguientes preguntas sobre sus preferencias en música.

1. ¿Qué género de música te gusta a ti? ¿Qué género de música no te gusta para nada?
2. ¿Qué instrumentos musicales son populares en la música que te gusta?
3. ¿Te gusta la música electrónica o prefieres la música acústica?
4. ¿Bailas o cantas cuando escuchas música? ¿A qué género de música prefieres bailar? ¿A qué género te gusta cantar?
5. ¿Qué género de música escuchan las personas mayores donde vives tú? ¿Te gusta esa música también? ¿Qué instrumentos musicales son populares en esa música?

En español…

Here are names of some additional musical instruments in Spanish. As you see, many of them are cognates.

el bajo (*bass*)	la harmónica	el sintetizador
la batería (*drum set*)	el órgano	la trompeta
el clarinete	el piano	el violín
la flauta		

E. Entrevistas: Preferencias culturales

 PASO 1. Primero, apunta tus respuestas a estas preguntas. Luego, en parejas, túrnense para entrevistarse con las mismas preguntas.

1. En tu universidad, ¿qué hacen los estudiantes para divertirse?
2. ¿Te gustaría hacer algo en tu carrera profesional relacionado con la cultura e identidad de una región o nación? ¿Por qué sí o no?
3. ¿Qué hay en la cultura norteamericana que les interesaría a los estudiantes de otros países? ¿Qué aspecto de la cultura de otro país te interesa a ti?
4. ¿De qué tipo de música u otra forma de arte de otro país (como, por ejemplo, la música salsa, la arquitectura de Gaudí, las novelas de Gabriel García Márquez, el baile folclórico o las películas de Guillermo del Toro) te gustaría aprender más?

 PASO 2. En grupos pequeños, hablen de sus preferencias en cuanto a la música. Pueden usar las siguientes preguntas como guía.

■ ¿Te gusta asistir a conciertos de música? ¿Cuál fue el primer concierto al que asististe? ¿Y cuál fue el último? ¿Qué género de música prefieres ver en vivo?
■ ¿Has bajado música del Internet? ¿Cuál fue la última canción que bajaste? ¿Qué sitio usas para bajar música? Si no bajas música del Internet, ¿dónde consigues la música que escuchas?
■ ¿Has asistido a una ópera o has visto una en la televisión? ¿Qué ópera viste? ¿Te gustó? Si no has visto una ópera, ¿te gustaría ver una? ¿Por qué sí o no?
■ ¿Has asistido a un ballet? ¿Qué ballet viste? ¿Dónde lo viste? Si no has visto un ballet, ¿te gustaría ver uno? ¿Por qué sí o no?

F. ¿Qué quisieras hacer?

PASO 1. Haz una lista de por lo menos tres actividades culturales en que no participas, pero en que quisieras participar algún día.

> **MODELO:** Quisiera ir a más museos de arte.

 PASO 2. En parejas, túrnense para expresar qué quisieran hacer. Luego, cada uno debe decirle a su compañero/a qué debería hacer él o ella para realizar sus deseos.

> **MODELO:** E1: Quisiera ir a más museos de arte.
> E2: Deberías viajar a Washington, DC, para ver el Museo Nacional.

COMUN VOCABU **ESTRUCTURA** ATE

Reciclaje

The subjunctive to express what may not be true

En cada ciudad, hay personas que están a favor de fomentar (*promote*) el arte y personas que están en contra de usar dinero de los contribuyentes (*taxpayers*) para esta razón. Primero, completa cada oración con la forma apropiada del verbo. Luego, indica qué oraciones diría (*would say*) una persona a favor del arte. **¡Atención!** Algunos verbos tienen que estar en el subjuntivo y otros en el indicativo.

¿A FAVOR DEL ARTE?

- □ 1. «Espero que los músicos no _____ (hacer) muchos conciertos este año.»
- □ 2. «Creo que la cultura _____ (ser) importante para nuestra ciudad.»
- □ 3. «Quiero que los dueños _____ (cerrar) las galerías de arte.»
- □ 4. «Tenemos que hacer algo para que la ciudad _____ (tener) una vida cultural más activa.»
- □ 5. «Es muy importante que todos los ciudadanos (*citizens*) _____ (participar) en la vida cultural del país.»
- □ 6. «Siempre digo que para mí, la cultura no _____ (tener) mucha importancia.»

■ Answers to this activity are in **Appendix 2** at the back of your book.

14.1 Querían que la música fuera para todos

The past subjunctive

Para empezar...

El Sistema Nacional de las Orquestas Juveniles (*Youth*) e Infantiles (*Children's*) de Venezuela, conocido simplemente como «El Sistema», es un programa de educación musical y desarrollo (*development*) social que lleva la música a todos los sectores de la sociedad en todo el país. Desde su creación en 1975, ha sido un modelo para programas de música en muchos otros países, incluyendo los Estados Unidos y Canadá. La orquesta más conocida de El Sistema, la Sinfónica de la Juventud Venezolana Simón Bolívar, ha realizado giras (*tours*) en Europa, Asia y los Estados Unidos.

¿Qué querían los organizadores de El Sistema cuando lo crearon? Indica si cada una de las siguientes oraciones es cierta o falsa. **¡Atención!** Solo hay dos oraciones falsas.

La Sinfónica de la Juventud Venezolana Simón Bolívar

	CIERTO	FALSO
1. Querían que los jóvenes músicos venezolanos **tuvieran** la oportunidad de tocar en grupo.	□	□
2. Querían que la música **estuviera** al alcance (*reach*) de todas las clases sociales.	□	□
3. Recomendaban que **pusieran** orquestas juveniles solo en Caracas.	□	□
4. Era muy importante que los jóvenes de todo el país **pudieran** estudiar música.	□	□
5. Pedían en que los profesores **pusieran** mucha pasión en sus clases.	□	□
6. Era necesario que el gobierno venezolano **diera** dinero para apoyar (*support*) El Sistema.	□	□
7. Pidieron que los profesores **hablaran** con los padres sobre la importancia de la educación musical.	□	□
8. Querían que los jóvenes **aprendieran** algo sobre la música clásica y la música tradicional venezolana.	□	□
9. Querían que los jóvenes **pudieran** estudiar música en un lugar seguro, alegre y divertido.	□	□
10. Esperaban que la música clásica **fuera** solo para los ricos.	□	□

Actividades analíticas

1 The verbs in bold in **Para empezar** are in the *past subjunctive* (**el imperfecto de subjuntivo**). Use what you saw there and what you know about Spanish verbs to complete the following conjugations.

	hablar	aprender	vivir
yo	hablara	aprendiera	
tú	hablaras		vivieras
él/ella, Ud.	hablara	aprendiera	viviera
nosotros/as	habláramos	aprendiéramos	
vosotros/as	hablarais	aprendierais	vivierais
ellos/ellas, Uds.			vivieran

2 The past subjunctive is formed with the stem of the verb (**habl-, aprend-, viv-**) plus one of the endings from the following chart. Use what you saw in **Actividades analíticas 1** to complete this chart.

TERMINACIONES DEL IMPERFECTO DE SUBJUNTIVO		
	-ar verbs	**-er / -ir verbs**
yo	-ara	-iera
tú		-ieras
él/ella, Ud.	-ara	
nosotros/as		-iéramos
vosotros/as	-arais	-ierais
ellos/ellas, Uds.		

■ Answers to these activities are in **Appendix 2** at the back of your book.

Autoprueba

Give the past subjunctive forms of the following verbs.

1. actuar (nosotros/as)
   _____
2. salir (yo)_____
3. comer (tú) _____

Respuestas: 1. actuáramos **2.** saliera **3.** comieras

3 Verbs that have an irregular stem in the preterite use this same stem in the past subjunctive, together with the endings for **-er / -ir** verbs.

verbo	raíz irregular	pretérito (yo)	imperfecto de subjuntivo (yo)
estar	estuv-	estuve	estuviera
poder	pud-	pude	pudiera
poner	pus-	puse	pusiera
tener	tuv-	tuve	tuviera

As in the preterite, **dar** is conjugated with the endings for **-er / -ir** verbs.

Yo quería que me **dieras** un libro. *I wanted you to give me a book.*

The verbs **ir** and **ser** share the same irregular form, **fuera.** As with the preterite, the context will help you know whether **ir** or **ser** is intended.

Te recomendé que **fueras** al cine. *I recommended that you go to the movies.*

No creían que **fuéramos** músicos. *They didn't believe that we were musicians.*

■ For more information and examples of irregular past subjunctive forms, as well as the past perfect subjunctive, see **Para saber más 14.1** at the back of your book.

4 The past subjunctive is used in the same environments as the present subjunctive when the main verb is in the past (whether preterite or imperfect), as seen in these examples.

PRESENTE DE SUBJUNTIVO	IMPERFECTO DE SUBJUNTIVO
To indicate a desire, something that you want to be true	
Piden que **hablemos** en la reunión. *They ask that we speak at the meeting.*	**Pidieron** que **habláramos** en la reunión. *They asked that we speak at the meeting.*
Quiero que **estudies** conmigo esta noche. *I want you to study with me tonight.*	**Quería** que **estudiaras** conmigo esta noche. *I wanted you to study with me tonight.*
To indicate something that may not be true	
No **creo** que **sea** muy buena idea. *I don't think it is a good idea.*	No **creía** que **fuera** muy buena idea. *I didn't think it was a good idea.*
Es imposible que **gane** el premio este año. *It's impossible for him/her to win the prize this year.*	**Era imposible** que **ganara** el premio este año. *It was impossible for him/her to win the prize this year.*

Actividades prácticas

A. Dos cineastas importantes Dos de las grandes figuras del cine mundial son Luis Buñuel (España/México, 1900–1983) y Pedro Almodóvar (España, 1949–). Completa la descripción de cada uno con las terminaciones más lógicas. Hay dos terminaciones que no son válidas para ninguno de los cineastas. **¡Atención!** Nota el tiempo del verbo (presente o imperfecto de subjuntivo) para ayudarte a contestar.

1. Luis Buñuel quería que sus películas ____, ____ y ____.
2. Pedro Almodóvar quiere que sus películas ____, ____ y ____.
3. No son válidas las terminaciones ____ y ____.

a. **mostraran** una visión surrealista del mundo
b. **sean** a veces humorísticas (*humorous*)
c. **fueran** fáciles de editar
d. **estén** en blanco y negro
e. **criticaran** la religión en algunos casos
f. **tengan** colores muy vivos y contrastantes (*contrasting*)
g. **tuvieran** muchos elementos de la cultura norteamericana
h. **muestren** la realidad de la sociedad contemporánea

Pedro Almodóvar

Luis Buñuel

B. Gustavo Dudamel

Gustavo Dudamel es un joven director de orquesta y un ex alumno de El Sistema en Venezuela. Empezó a dirigir orquestas en Venezuela en 1996, y en 2004 ganó el premio Gustav Mahler en Alemania. En 2009 lo designaron director de la Orquesta Filarmónica de Los Ángeles, cuando tenía solo 28 años. En octubre de ese año, hizo su primer concierto como director de la orquesta.

Escucha cada oración. Luego, escribe **D** si se trata de lo que **Dudamel** quería durante su primera noche como director de la Filarmónica y **O** si se trata de lo que la **orquesta** quería. Escribe **X** si es **falsa** para los dos. Hay dos oraciones falsas.

1. ____   3. ____   5. ____   7. ____
2. ____   4. ____   6. ____   8. ____

Gustavo Dudamel, el director de la Orquesta Filarmónica de Los Ángeles

■ The audio files for in-text listening activities are available in the eBook, within Connect Plus activities, and on the Online Learning Center.

C. Diego Rivera y los deseos de los demás

PASO 1.   Diego Rivera fue uno de los artistas más famosos en la historia de Latinoamérica. Nació en México en 1886 y vivió en Europa entre 1907 y 1921. Desde su regreso a México hasta su muerte en 1957, fue una figura muy importante en el movimiento muralista mexicano. También es muy conocido por su matrimonio (*marriage*) con la artista mexicana Frida Kahlo.

Completa cada oración con un verbo de la lista en su forma correcta. Luego, adivina si Diego Rivera hizo lo que las personas mencionadas querían. **¡Atención!** Rivera hizo lo que querían en solo cinco de los ocho casos.

cambiar	ir	recrear (*to recreate*)
divorciarse	pintar	regresar
estudiar	quedarse	

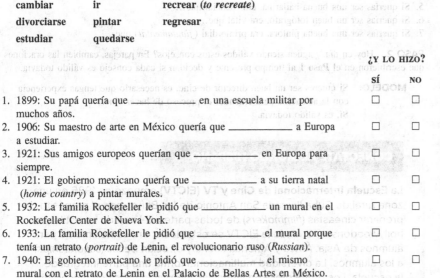

	¿Y LO HIZO?	
	SÍ	**NO**
1. 1899: Su papá quería que _____ en una escuela militar por muchos años.	☐	☐
2. 1906: Su maestro de arte en México quería que _____ a Europa a estudiar.	☐	☐
3. 1921: Sus amigos europeos querían que _____ en Europa para siempre.	☐	☐
4. 1921: El gobierno mexicano quería que _____ a su tierra natal (*home country*) a pintar murales.	☐	☐
5. 1932: La familia Rockefeller le pidió que _____ un mural en el Rockefeller Center de Nueva York.	☐	☐
6. 1933: La familia Rockefeller le pidió que _____ el mural porque tenía un retrato (*portrait*) de Lenin, el revolucionario ruso (*Russian*).	☐	☐
7. 1940: El gobierno mexicano le pidió que _____ el mismo mural con el retrato de Lenin en el Palacio de Bellas Artes en México.	☐	☐
8. 1940: Frida Kahlo le pidió que _____, pero volvieron a casarse unos meses después.	☐	☐

Diego Rivera, muralista mexicano

PASO 2.   Siguiendo el modelo del **Paso 1,** completa las siguientes frases con lo que querían los demás que tú hicieras. Luego, di si lo hiciste o no.

	¿Y LO HICISTE?	
	SÍ	**NO**
1. Cuando me gradué de la escuela secundaria, mis padres querían que yo….	☐	☐
2. Cuando me gradué de la escuela secundaria, mis amigos esperaban que yo….	☐	☐
3. Cuando empecé a estudiar en la universidad, mi familia quería que….	☐	☐
4. Cuando empecé a estudiar en la universidad, mis profesores me recomendaron que….	☐	☐

D. Antes y ahora

PASO 1.　En el pasado, ¿qué tenía uno que hacer para empezar una carrera artística? En parejas, completen las oraciones con uno de los consejos de la lista. **¡Atención!** Tienen que conjugar el verbo del consejo.

MODELO:　Si querías ser un buen director de cine, era necesario que tuvieras experiencia con la actuación para entender el proceso de hacer cine.

CONSEJOS:

tomar clases de guitarra clásica para entender mejor su instrumento
poder bailar y cantar al mismo tiempo
cantar otro tipo de música de vez en cuando para relajar la voz
tocar algún instrumento para entender la orquesta mejor
estudiar danza clásica para entender mejor la historia del baile
aprender a dibujar para poder pintar mejor
ir a una escuela de fotografía para entender mejor la técnica de la fotografía

1. Si querías ser una buena guitarrista de rock, era necesario que…
2. Si querías ser un buen cantante de ópera, era recomendable que…
3. Si querías ser una buena directora de orquesta, era importante que…
4. Si querías ser un actor famoso, era fundamental que…
5. Si querías ser una buena bailarina, era esencial que…
6. Si querías ser un buen fotógrafo, era vital que…
7. Si querías ser una buena pintora, era primordial (*fundamental*) que…

PASO 2.　Hoy en día, ¿siguen siendo válidos estos consejos? En parejas, cambien las oraciones que escribieron en el **Paso 1** al tiempo presente y decidan si cada consejo es válido todavía.

MODELO:　Si quieres ser un buen director de cine, es necesario que tengas experiencia con la actuación para entender el proceso de hacer cine.
Sí, es válido todavía.

CONÉCTATE AL MUNDO HISPANO

La Escuela Internacional de Cine y TV (EICTV) empezó en 1986 en una zona rural de Cuba llamada San Antonio de los Baños con el propósito de preparar cineastas (*filmmakers*) de todas partes del mundo en estilos *no* hollywoodenses. Cuando la EICTV se estableció, era estrictamente para alumnos de Asia, África y América Latina y ofrecían becas (*scholarships*) a los alumnos. La diversidad multinacional forma una parte integral de la escuela. Los profesores son cineastas internacionales con muchísima experiencia y éxito y a la vez los estudiantes tienen muchas oportunidades de participar en todos los papeles clave (*key*) del proceso creativo: actor, camarógrafo, director, editor, guionista o productor.

⟳ Reciclaje

The infinitive

Aquí hay una conversación entre dos amigos, pero las oraciones están desordenadas. Primero, escribe la terminación correcta para cada infinitivo (**-ar, -er, -ir**). Luego, pon las oraciones en un orden lógico. La primera y la última ya están hechas.

_____ a. ¡Me encantan Los Amigos Invisibles! ¿Por qué no vamos a compr___ ropa nueva para llevar al concierto?

_____ b. ¡Perfecto! A ver si podemos com___ algo rápido antes de lleg___ también. No me gusta asist___ a los conciertos con hambre.

__1__ c. ¿Va a hab___ un concierto en el Teatro Nacional esta noche?

__7__ d. Me parece muy bien. ¡Va a s___ una noche de maravilla!

_____ e. Sí, no te preocupes. El concierto va a empez___ a las nueve.

_____ f. ¡Qué buena idea! Pero si vamos primero a las tiendas, ¿vamos a lleg___ al teatro a tiempo?

_____ g. ¡Sí! Van a toc___ Los Amigos Invisibles y quiero ir, pero no sé qué ropa us___.

■ Answers to this activity are in **Appendix 2** at the back of your book.

14.2 ¿Qué será el «arte cinético»?

The future

Para empezar...

El arte cinético es un movimiento artístico que ha tenido una importancia especial en Sudamérica. El artista Carlos Cruz-Díez es uno de sus exponentes más distinguidos. Para aprender más sobre este arte y este artista, escoge la respuesta más apropiada para cada pregunta en la lista.

■ Answers to these activities are in **Appendix 2** at the back of your book.

PREGUNTAS	RESPUESTAS
1. _____ ¿Qué **será** el «arte cinético»?	a. Vive en París.
2. _____ ¿Quién **será** Carlos Cruz-Díez?	b. Está en Caracas.
3. _____ ¿De dónde **será**?	c. Porque hay varios artistas cinéticos importantes que son de Venezuela.
4. _____ ¿Dónde **vivirá**?	
5. _____ ¿Qué tipo de arte **hará**?	d. Hace pintura, escultura y arquitectura en que el color cambia según la posición del espectador.
6. _____ ¿Qué ciudades **tendrán** obras de él?	
7. _____ ¿Dónde **estará** el Museo Carlos Cruz-Díez?	e. Se refiere al arte que tiene movimiento o que parece tener movimiento.
8. _____ ¿Por qué **será** tan importante Venezuela en el mundo del arte cinético?	f. Algunas de las ciudades que tienen obras de él son Caracas, Houston, Londres, Madrid y París.
	g. Es de Venezuela.
	h. Es un artista venezolano que hace arte cinético

Actividades analíticas

1 The verbs in bold in **Para empezar** are in the *future* tense (**el futuro**). Despite its name, this tense is commonly used to express conjectures about what might be true in the present.

Jaime no ha llegado. **Estará** dormido.   *Jaime hasn't arrived. He might be asleep.*

The future is particularly common in questions, when one has little idea what the answer is.

¿Dónde **estarán**?   *Where could they be?*

¿Cómo **se llamará** ese hombre?   *What is that man's name? (I really have no idea.)*

¿De dónde **será** Pedro Almodóvar?   *Where on earth is Pedro Almodóvar from?*

The future is also used to express future actions, especially in the written language.

Mañana **tendrán** el nuevo libro de Isabel Allende.   *They will have the new book by Isabel Allende tomorrow.*

El director del museo **hablará** en la universidad el próximo año.

The director of the museum will speak at the university next year.

As you saw in **2.4,** the future is also expressed with **ir + a +** *infinitive.*

Vamos a visitar el museo.

We're going to visit the museum.

2 Use the forms you saw in **Para empezar** and the patterns you see here to complete the following conjugations.

	estar	ser	vivir
yo		seré	viviré
tú	estarás		vivirás
él/ella, Ud.		será	vivirá
nosotros/as	estaremos	seremos	
vosotros/as	estaréis	seréis	viviréis
ellos/ellas, Uds.	estarán		vivirán

3 The stem for the future consists of the entire infinitive form (in the above chart, **estar-, ser-** and **vivir-**), to which one of the following endings is added.

TERMINACIONES DEL FUTURO	
yo	-é
tú	-ás
él/ella, Ud.	-á
nosotros/as	-emos
vosotros/as	-éis
ellos/ellas, Uds.	-án

4 Several verbs have an irregular stem in the future, but they continue to use the above endings.

VERBO	RAÍZ	EJEMPLO	
decir	**dir-**	¿Qué **dirá** tu mamá?	*What will your mom say?*
haber	**habr-**	¿**Habrá** un museo en la universidad?	*Do you suppose there's a museum at the university?*
hacer	**har-**	**Haré** lo que te prometí.	*I will do what I promised you.*
poder	**podr-**	¿El guitarrista **podrá** cantar también?	*Do you think the guitarist might be able to sing too?*
poner	**pondr-**	Claro que puedes tomar prestado mi libro. Lo **pondré** en tu escritorio.	*Sure you can borrow my book. I'll put it on your desk.*
salir	**saldr-**	¿Cuándo **saldrá** el nuevo disco?	*When will the new record come out?*
tener	**tendr-**	¿**Tendrán** escultura en ese museo?	*Might they have sculpture art at that museum?*
venir	**vendr-**	¿**Vendrá** el pianista también?	*Will the pianist come too?*

■ For more examples of irregular future forms and a look at the future perfect tense, see **Para saber más 14.2** at the back of your book.

¿Por qué?

Why is the future tense used to express conjectures? Since future meaning may be expressed so easily in Spanish with **ir + a +** *infinitive*, the future tense itself is left with little purpose to fulfill and as a result, it has taken on the job of expressing conjecture and speculation. This is typical of what happens in languages: As two forms compete for the same meaning, each begins to take on a more specialized usage. **Ir + a +** *infinitive* has become the main way to express the future, and the future tense has come to mean conjecture.

Actividades prácticas

A. ¿Qué pasará? Empareja cada pregunta con la respuesta más lógica.

1. _____ ¿Llegaré al concierto?
2. _____ ¿Cuándo saldrá la nueva película de Almodóvar?
3. _____ ¿A tus papás les gustará la pintura que hice?
4. _____ ¿Cantarán los niños en el concierto?
5. _____ ¿Tendrán algo interesante en la galería del centro?
6. _____ ¿Visitaremos el museo de arte moderno mañana?
7. _____ ¿No habrá otra obra de teatro? Esa no me gusta.
8. _____ ¿Podremos pasar un día en Cuzco?

a. ¡Sí, lo vamos a visitar!
b. No, es la única que hay esta noche.
c. Me imagino que sí, porque siempre tienen cosas interesantes.
d. ¡Claro que sí! Vamos a estar un mes en el Perú. ¡Será fabuloso!
e. Me parece que sale en noviembre.
f. Lo siento, pero sinceramente no creo que les guste.
g. Van a estar allí pero no van a cantar.
h. Sí, no hay tráfico.

B. Los países y la cultura En grupos, emparejen cada pregunta con un país o países de la lista.

Argentina	Cuba	México	la República Dominicana
Bolivia/Chile	España	el Perú	

1. ¿En qué país estará el Museo Larco (un museo de arte prehispánico andino)? _____
2. ¿De qué país vendrá el «mambo» (una forma musical que se hizo popular en La Habana en los años treinta)? _____
3. ¿De qué país será la actriz Salma Hayek? _____
4. ¿De dónde vendrá la música merengue? _____
5. ¿En qué país estará el Teatro Colón (un teatro de ópera)? _____
6. ¿Qué país hispano tendrá más películas ganadoras (*winners*) en toda la historia de los premios Óscar? _____
7. ¿En qué países bailarán «la cueca»? _____

C. La cultura en el año 2025

PASO 1. ¿Cómo será el mundo en 2025? En grupos, lean la siguiente lista de oraciones e indiquen si piensan que es **cierta** o **falsa** cada una. **¡Atención!** No hay respuestas correctas o incorrectas. Todo depende de la opinión del grupo.

	CIERTO	FALSO
1. Podremos ir al cine para ver, sentir y oler (*smell*) una película.	☐	☐
2. Comeremos en restaurantes siempre. No comeremos en casa nunca.	☐	☐
3. Solo leeremos libros electrónicos.	☐	☐
4. Iremos a museos y galerías de arte con más frecuencia.	☐	☐
5. Los músicos ya no usarán instrumentos. La música será electrónica.	☐	☐
6. Toda la música estará en inglés.	☐	☐
7. Todas las películas serán de los Estados Unidos.	☐	☐
8. Todavía habrá clases de historia de arte en las universidades.	☐	☐
9. Ya no habrá pinturas tradicionales. Los artistas harán todo en la computadora.	☐	☐
10. Iremos al teatro con más frecuencia.	☐	☐

PASO 2. ¿Cómo será el mundo según tu grupo? Cambien las oraciones falsas para que sean ciertas.

PASO 3. ¿Qué otras predicciones tienen Uds. para las artes en el futuro? Consideren la música, las artes plásticas, el baile, el teatro, el cine, la literatura, la poesía, etcétera. En sus grupos, hagan por lo menos cuatro predicciones más.

D. El futuro de tu país En grupos, creen una predicción sobre la vida en este país en 2050 relacionada con cada categoría de la lista. Según tu grupo, ¿cómo será el futuro de este país?

la cultura   la educación   el medio ambiente   la política   la sociedad   la tecnología

Argentina

E. Cultura: El cine de Argentina

PASO 1. Lee el texto sobre Argentina.

Junto con México y Brasil, Argentina ha tenido una de las industrias cinematográficas[a] más fuertes de Latinoamérica desde finales del siglo XIX. De allí se lanzaron[b] las carreras de algunas de las estrellas más glamurosas del cine hispanohablante. Pero la turbulenta historia política de Argentina tuvo un impacto sobre el cine en varios momentos, no solo en la producción sino en las historias que las películas contaban.

A partir de la década de los 30, cuando empezó la producción de cine sonoro,[c] se produjeron en Argentina grandes películas musicales, comedias y dramas. Libertad Lamarque es, quizás, la actriz más conocida de esta época. En los años 40, bajo la presidencia de Juan Perón, se incrementó bastante la censura.[d] Esto, combinado con la importación de las películas de Hollywood, tuvo un impacto negativo sobre la industria de cine. A partir de los años 1960, se empezó un movimiento de cine de fuerte compromiso[e] político, el que luego se conoció como «el Tercer Cine». Los directores de este movimiento declaraban que en Latinoamérica se debía de reconocer sus condiciones de «tercer mundo» y hacer películas que reflejaban su propia realidad. La película emblemática del movimiento es *La hora de los hornos*[f] (1968), dirigida por Octavio Getino y Fernando Solanas, y funcionaba como un manifiesto audiovisual en contra del imperialismo cultural de los Estados Unidos y Europa.

Después de que terminó la dictadura militar y se disminuyó[g] la censura, se produjo un gran número de películas que contaba las historias traumáticas de aquellos años. Películas como *La historia oficial* (1985) y *La noche de los lápices* (1986) hicieron que los eventos políticos de los años 70 se conocieran en todo el mundo. A partir de los años 90, el cine argentino se transformó, en cierta manera rechazando[h] tantos años de cine político. Los jóvenes cineastas querían contar historias sobre la vida cotidiana,[i] con una cámara que observaba a sus personajes en vez de juzgarlos.[j] Esta nueva tradición, conocida como «el Nuevo Cine Argentino», ha atraído la atención de públicos[k] en todo el mundo, en particular en festivales internacionales. Directores como Lucrecia Martel (*La niña santa, La mujer sin cabeza*) y Pablo Trapero (*El bonaerense, Elefante blanco*) están entre los más representativos de esta generación. Sus películas se caracterizan por su realismo, con observaciones agudas[l] sobre el estado de la sociedad argentina en los tiempos actuales.[m]

[a]*film (adj.)* [b]*se... were launched* [c]*sound (adj.)* [d]*censorship* [e]*engagement, commitment* [f]*furnaces* [g]*decreased* [h]*rejecting* [i]*daily* [j]*en... instead of judging them* [k]*audiences* [l]*sharp, acute* [m]*current, present-day*

PASO 2. Completa las oraciones con la forma correcta del futuro simple usando los verbos de la lista. Luego, indica las oraciones lógicas según la lectura y lo que sabes.

> **haber ir obtener poder poner tener ver volver**

Durante los próximos diez años...

	¿ES LÓGICO?
1. los argentinos _____ más películas chinas que norteamericanas.	☐
2. los directores argentinos _____ muchos premios (*awards*) más en los festivales internacionales.	☐
3. la censura _____ a controlar los medios de comunicación del país.	☐
4. cualquier argentino _____ hacer una película, sin mucho dinero, con solo un teléfono celular y una computadora portátil.	☐
5. las películas _____ más énfasis en los efectos especiales que en sus historias.	☐
6. los actores argentinos _____ los salarios más altos de todo el mundo.	☐
7. mis amigos y yo _____ al cine para ver una película del Nuevo Cine Argentino.	☐
8. _____ un homenaje a Libertad Lamarque durante la presentación de los Premios Óscar en los Estados Unidos.	☐

PASO 3. En parejas, contesten las preguntas y explíquense las respuestas.

1. Entre los países hispanos, Argentina, España y México son de los más ricos. ¿Qué relación ves entre eso y el hecho de que también son los países hispanos que tienen la industria cinematográfica más fuerte?
2. Para los países hispanos que son chicos y no tienen muchos recursos, es difícil crear una industria cinematográfica y competir contra países como Argentina. ¿Qué países piensas que están en esa situación?
3. La industria cinematográfica en Estados Unidos es grandísima y es difícil que películas de otros países penetren el mercado norteamericano. Sin embargo, ¿hay películas de países hispanos que lo han podido hacer?

COMUN   VOCABU   ESTRUC   **CONÉCTATE**

¡Leamos!

«La princesa azul» por Juan Luis Sánchez

Antes de leer

PASO 1.   Zoe Saldana es una estrella de cine bilingüe que nació en Nueva Jersey de un padre dominicano y una madre puertorriqueña. Es conocida por su sus papeles en películas como *Star Trek, Avatar* y *Piratas del Caribe*. Vas a leer un artículo sobre Saldana, pero primero, trata de poner los datos de su vida en orden cronológico (del 1 a 5).

a. _____ A los nueve años, se mudó a la República Dominicana.

b. _____ La reclutó (*recruited*) una agencia de talentos.

c. _____ Nació en Nueva Jersey en 1978.

d. _____ Participó en un programa para jóvenes interesados por la interpretación.

e. _____ Se hizo estrella con el papel de Na'vi Neytiri en *Avatar*.

La actriz Zoe Saldana

PASO 2.   A veces las traducciones (*translations*) de los títulos de las películas parecen mucho a los títulos originales, pero otras veces usan juegos de palabras (*plays on words*) que no se traducen bien a otro idioma. Por eso, tienen que cambiarlos un poco (o por completo) para presentar la película en otro país. Empareja el título de cada película de Zoe Saldana en español con el título correspondiente en inglés.

1. _____ *Adivina quién*
2. _____ *Guardianes de la galaxia*
3. _____ *Un funeral de muerte*
4. _____ *Ladrones*
5. _____ *El ladrón de palabras*
6. _____ *Piratas del Caribe: La maldición de la Perla Negra*
7. _____ *El ritmo del éxito*
8. _____ *La terminal*

a. *Center Stage*
b. *Death at a Funeral*
c. *Guess Who*
d. *The Words*
e. *Pirates of the Caribbean: The Curse of the Black Pearl*
f. *Takers*
g. *The Terminal*
h. *Guardians of the Galaxy*

PASO 3.   En grupos, describan qué pasa en una o más de las películas de Zoe Saldana y expliquen el papel de la actriz. Luego, compartan la información con el resto de la clase.

Adivina quién	*En el punto de mira*	*Piratas del Caribe*
Avatar	*Un funeral de muerte*	*El ritmo del éxito*
Burning Palms	*Ladrones*	*Star Trek*
Crossroads	*Los perdedores*	*La terminal*

422   **Capítulo 14**   La cultura y la diversión

A leer

PASO 1.   Lee el artículo sobre la actriz Zoe Saldana.

La princesa azul

No deja de[a] resultar paradójico que la protagonista de la película más taquillera[b] de la historia no se haya convertido en la gran megaestrella del momento. Pero nadie pudo ver en *Avatar* su rostro[c] porque su interpretación de la princesa azul Na'vi Neytiri fue digitalizada y retocada[d] por ordenador.[e] Aun así, Zoe Saldana empieza a ser reconocida, y se perfila[f] como una de las grandes para los próximos años. Extremadamente atractiva, transmite sencillez y simpatía.

Zoe Yadira Saldaña Nazario nació el 19 de junio de 1978, en Nueva Jersey (Estados Unidos), pero su madre era puertorriqueña y su padre dominicano. Cuando tenía 9 años, su progenitor[g] falleció[h] en accidente de tráfico, y su madre decidió trasladarse a la República Dominicana con Zoe y sus hermanas. [...]

En la República Dominicana, Zoe Saldaña se apuntó[i] a clases de danza. Al regresar a los Estados Unidos a los 17 años, decidió participar en un programa llamado *Face Theater,* para jóvenes interesados por la interpretación, y descubrió que no se le daba nada mal.[j] Junto con sus compañeros, representaba obras para concienciar[k] a los adolescentes de los riesgos del uso de las drogas y otros temas de interés, pero ella demostraba un talento fuera de lo común. De hecho, antes de acabar fue reclutada por una agencia de talentos, que le consiguió un pequeño papel en un episodio de *Ley y orden.*

Poco después, aprovechó sus dotes[l] para la danza para hacerse con el papel de la talentosa bailarina Eva, una de las protagonistas de *El ritmo del éxito.* Desde entonces no le ha faltado trabajo en títulos como *Crossroads (hasta el final),* protagonizada por Britney Spears, aunque llamó especialmente la atención como la pirata Anamaría, en *Piratas del Caribe: La maldición de la Perla Negra,* donde le daba una bofetada[m] a Jack Sparrow, el personaje

interpretado por Johnny Depp. Su apellido artístico es Saldana, no Saldaña, para no confundir a los angloparlantes.[n]

«Mi madre y yo éramos muy aficionadas al cine cuando yo era pequeña. Siempre veíamos películas de grandes directores como Spielberg, que para mí era muy lejano. Nunca soñé que trabajaría con él», me confesaba en la entrevista Saldana. La actriz aún no acaba de creerse los elogios[ñ] que le dedicó Steven Spielberg, muy satisfecho con su trabajo, tras reclutarla para interpretar a la agente de aduanas Dolores Torres, que le niega continuamente el permiso para pasar al personaje de Tom Hanks, en *La terminal.*

Tras sus trabajos en la comedia *Adivina quién* y el thriller *En el punto de mira,* a Saldana le llegó una gran oportunidad de la mano de J.J. Abrams, que necesitaba a una joven actriz para interpretar a Uhura, una de las protagonistas de *Star Trek* [...].

El film fue un gran éxito, pero no tanto como *Avatar,* de James Cameron, un auténtico fenómeno de masas en el que Saldana interpretaba a la protagonista, la Na'vi que encandilaba[o] al personaje de Sam Worthington. Aunque preparó su papel durante seis meses, y la voz es la suya, sus movimientos fueron digitalizados, y su personaje recreado por ordenador.

Ahora que empieza a convertirse en una estrella, el futuro de Zoe Saldana no puede ser más prometedor.[p] Tras interpretar a la chica que le da una droga a su novio por error, en el remake americano de *Un funeral de muerte,* ha protagonizado la cinta de acción *Los perdedores,* la comedia dramática *Burning Palms,* y el thriller *Ladrones.* No tardarán en caer también las secuelas[q] de *Avatar* y *Star Trek.*

[a]deja... to stop [b]box office success [c]face [d]retouched [e]computer [f]se... is shaping up [g]father [h]died [i]se... enrolled [j]no... she didn't find it at all bad [k]to make aware [l]talents [m]a slap [n]English-speakers [ñ]praises [o]dazzled [p]promising [q]sequels

PASO 2.   Según lo que leíste sobre la vida de Zoe Saldana, contesta las siguientes preguntas.

1. ¿Por qué no vio nadie la cara de Zoe Saldana en la película *Avatar*?
2. ¿De dónde son los padres de Zoe Saldana?
3. ¿Por qué se mudó (*move*) a la República Dominicana?
4. ¿Cuál fue la primera pasión artística de Zoe Saldana?
5. ¿En qué año volvió a vivir en los Estados Unidos?
6. ¿Cuál fue su primer papel después de ser reclutada por una agencia de talentos?
7. ¿Por qué usa el apellido artístico «Saldana» en vez de su apellido verdadero, «Saldaña»?
8. Describe la relación entre Zoe Saldana y Stephen Spielberg.
9. Además de Stephen Spielberg, ¿con quiénes ha trabajado Zoe Saldana?

Después de leer

En parejas, hagan predicciones sobre el futuro de Zoe Saldana. ¿Cuál es la mejor predicción?

MODELO: Será la estrella de *Avatar 3, 4* y *5.* Tendrá mucho éxito y ganará un Premio Óscar.

¡Escuchemos!

La cultura que nos rodea°   nos... *surrounds us*

Antes de escuchar

Haz una lista de cuatro o cinco lugares culturales destacados (*renowned*) de tu ciudad o país. Luego, escoge uno de los lugares de la lista y prepara una descripción del lugar para un turista de habla hispana. Describe el lugar, lo que lo hace famoso y una recomendación para el turista.

MODELO: El museo Smithsonian es un museo de historia natural grande y famoso. Está en una zona de muchos museos en la ciudad capital de los Estados Unidos, Wáshington, D.C. Recomiendo que visites la colección de joyería (*jewelry*) y, en especial, el diamante Hope.

A escuchar

PASO 1. Mira y escucha mientras las personas describen algunos lugares famosos de sus países. Empareja cada persona con el lugar que describe.

1. ____

Benedicto, de Costa Rica

2. ____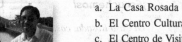

Paul, de Panamá

a. La Casa Rosada
b. El Centro Cultural de Morelos
c. El Centro de Visitantes del Canal de Panamá
d. El Museo del Prado
e. El Parque Zarcero

3. ____

Jorge, de Argentina

4. ____

Almudena, de España

5. ____

José Manuel, de México

PASO 2. Contesta las preguntas.

1. ¿Qué era el Parque Zarcero antes de ser parque?
2. ¿Cuándo fue inaugurado el Centro de Visitantes del Canal de Panamá?
3. ¿Cuál es la función de la Casa Rosada en Buenos Aires?
4. ¿Qué tipo de museo es el Museo del Prado?
5. ¿Cómo se llama el Centro Cultural de Morelos?

Después de escuchar

En grupos pequeños, escojan un lugar del video que quisieran visitar y expliquen por qué. Luego, describan el lugar que escogieron al resto de la clase.

424 **Capítulo 14** La cultura y la diversión

¡Escribamos!

Dos lugares famosos

Una manera excelente de entender un lugar que no conoces es por medio de una comparación con un lugar que ya conoces bien. Para describir un lugar que conoces bien en tu propio país vas a necesitar nuevo vocabulario en español.

Antes de escribir

Escoge un lugar mencionado en **¡Escuchemos!** (u otro lugar del cual has leído hasta ahora en *Conéctate*) y un lugar de tu país. Toma apuntes de los dos lugares en la tabla. Haz una lista del vocabulario que vas a buscar en un diccionario.

	Un lugar de *¡Escuchemos!*	**Un lugar de mi país**
¿Qué es?	*La Casa Rosada, casa de gobierno*	*la Casa Blanca, casa de* _____
¿Dónde está?		
¿Cómo es?		
¿Qué se puede hacer allí?		
Una recomendación/ sugerencia		
Vocabulario nuevo que necesito		*president, obelisk, diplomats*

A escribir

Usando la información de la tabla, escribe tres párrafos. En el primero, describe los dos lugares; luego, describe lo que tienen en común y las diferencias entre los dos lugares; termina con un párrafo que describe la visita que hará un turista que va a un lugar de tu país.

Después de escribir

Revisa tu ensayo. Luego, intercambia ensayos con un compañero / una compañera para evaluarlos.

☐ ¿Ha usado tu compañero/a el diccionario bien para buscar e incorporar palabras? (Busca en un diccionario español cualquier palabra que te sea nueva. ¿Se entiende la palabra que ha escrito tu compañero/a?)

☐ ¿Hay concordancia de género y de número entre sustantivos y adjetivos?

☐ ¿Están bien escritas las comparaciones?

☐ ¿Hay concordancia entre sujetos y verbos?

☐ ¿Están bien escritos los usos del futuro? ¿Usa bien los verbos regulares y también los irregulares?

Después de revisar el ensayo de tu compañero/a, devuélveselo. Mira tu propio ensayo para ver los cambios que tu compañero/a te recomienda y haz las revisiones necesarias.

ESTRATEGIA

Using a Spanish-English dictionary

When seeking a word in Spanish, pay attention to a lot more than the first word that appears in the dictionary entry. Is it a noun, adjective, or verb? If it's a verb, how will you conjugate it when you use it? Once you think you have the word you need, always cross-check it by looking it up in Spanish (either in a Spanish-definition or a Spanish-to-English dictionary) to make sure it is the right word and right part of speech. Is there a sample sentence so you can check the context? This will help you avoid the pitfall of poor dictionary use that causes people to mix up a baseball bat and the flying creature called bat, sports fans and electric devices that blow air, and the verb *to fly* and the insect.

¡Hablemos!

Nuestros gustos musicales

Antes de hablar

PASO 1. Nombra todos los géneros de música que puedas. Luego, toma unos minutos para pensar en un(a) artista o una banda que representa cada tipo de música que nombraste.

PASO 2. En grupos pequeños, compartan sus ejemplos de música y músicos conocidos. ¿Pensaron Uds. en los mismos géneros y artistas? **¡Atención!** Si resulta que el resto del grupo no reconoce uno de los artistas que nombraste, explícale quién es, dándole todos los detalles que puedas.

A hablar

En sus grupos, respondan a las siguientes preguntas.

1. De todos los géneros de música, ¿cuáles son los que más les gustan a Uds.? ¿Por qué? ¿Qué tipo de música no les gusta? ¿Por qué? ¿Cuáles son sus grupos preferidos? ¿Y sus cantantes o músicos preferidos?

2. ¿Han cambiado sus preferencias musicales desde cuando eran más jóvenes? ¿Cuáles eran los grupos de música que más escuchaban Uds. de niños? Cuando eran adolescentes, ¿permitían sus padres que Uds. compraran la música que les gustaba? ¿O insistían ellos en que Uds. la escucharan gratis (*free*) en la radio o en Internet?

3. ¿Cómo escuchan Uds. su música preferida hoy en día? ¿La compran? Si usan un sitio web para escuchar la música, ¿qué sitio es? ¿Por qué prefieren ese sitio?

4. ¿Tienen Uds. discos compactos? ¿Tienen discos (*records*)? ¿casetes? ¿canciones digitales que descargaron del Internet? ¿Qué formato prefieren y por qué?

Después de hablar

Ahora que han hablado de cómo la venta (*sales*) de música y las preferencias de Uds. han cambiado durante su vida, compartan sus predicciones para el futuro. ¿Todavía se venderán los discos compactos en el año 2025? ¿Cómo compraremos la música? ¿Qué tipos de música serán populares? ¿Cómo escucharemos la música?

CONÉCTATE AL MUNDO HISPANO

La música salsa tiene una larga tradición, pero el término «salsa» es de origen relativamente reciente. Se empezó a usar en Nueva York en los años setenta para referirse a la música afrocubana, un género que incorpora el mambo, el chachachá, la rumba y otros estilos. Se caracteriza por un ritmo muy bailable y el uso de instrumentos como el piano, el bajo (*bass*), la trompeta, la conga, las claves y las maracas. La música salsa se ha hecho famosa en el mundo entero, gracias a la cubana Celia Cruz, el panameño Rubén Blades y los norteamericanos Tito Puente y Marc Anthony (los dos de padres puertorriqueños), entre muchos otros. En general, se distingue entre la salsa, con sus raíces afrocubanas, y otros estilos bailables, como el merengue, de origen dominicano, y la cumbia, de origen colombiano. Aunque cada estilo es asociado a una región en particular, todos son populares en todo el mundo hispano.

426   Capítulo 14

Conéctate al cine

Película: *También la lluvia* (drama, Bolivia/España/México/Francia 2010)
Directora: Icíar Bollaín

Sinopsis:

Sebastián es un director de cine mexicano y Costa es su productor español. Los dos van a Cochabamba, Bolivia, acompañados por un equipo técnico (*production crew*), para filmar una película sobre la llegada (*arrival*) de Cristóbal Colón a América y el inicio (*beginning*) de la Conquista española de las civilizaciones prehispánicas. Sin embargo, su rodaje (*film shoot*) se complica cuando se encuentran en medio de unas violentas protestas políticas en contra de (*against*) la privatización del agua en Bolivia.

Escena (Netflix, 00:40:50 to 00:47:42):

Mientras que el equipo técnico va en camino (*is on its way*) al lugar del rodaje, Sebastián lee el guion e imagina la escena que van a rodar. Luego, Sebastián y el actor Daniel, cuyo (*whose*) personaje se llama Hatuey, tratan de (*try to*) explicar una escena difícil a las actrices.

Antes de ver

Sebastián está muy serio cuando va en camino al rodaje. Para ti, ¿qué sería (*would be*) lo más difícil de hacer una película? Indica las tres cosas más difíciles y explica por qué.

_____ construir la escenografía (*set*)   _____ encontrar el financiamiento

_____ dirigir a los actores   _____ encontrar un buen equipo técnico

_____ editar la película   _____ escribir la historia

_____

A ver

PASO 1.   Lee las **Expresiones útiles** y luego lee las oraciones del **Paso 2** para que sepas a qué información debes prestar más atención. Cuando estés listo/a, ve el video.

PASO 2.   Completa las oraciones con las palabras de la lista. Conjuga los verbos cuando sea necesario y usa el artículo definido cuando sea necesario.

equipo técnico	género	interpretar	protagonista
filmar	guion	papel	tener

1. Daniel _____ el papel de Hatuey, el líder de la rebeldía en contra de los conquistadores en la isla Española.
2. _____ que escribió Sebastián está basado en hechos reales.
3. Se puede describir _____ de la película de Sebastián como un drama de ficción histórica.
4. _____ espera mientras que Daniel y Sebastián les explican la escena a las actrices.
5. En esta escena se entiende que no es fácil dirigir una película; es necesario que _____ mucha paciencia y que puedas comunicarte bien con los actores.
6. Aunque Cristóbal Colón es _____ de la película, la gente indígena que resistió la Conquista tiene un _____ igual de importante en la historia.
7. Sebastián no puede _____ la toma que planeó porque las madres bolivianas no quieren simular el acto de ahogar a sus hijos.

Expresiones útiles

desgarradora	heartbreaking
soportar	to stand; to bear
todas juntas	all together
justamente	precisely
sumergen	(you, *pl.*) submerge
ahogan	(you, *pl.*) drown
la primera toma	the first shot
la cintura	waist
paramos	we stop
los muñecos	dolls
intercambiamos	we switch
seguro	safe
mojar	to get wet
lograr que lo hagan	get them to do it

■ For copyright reasons, the feature-film clips referenced in **Conéctate al cine** have not been provided by the publisher. Each of these films is readily available through retailers or online rental sites such as Amazon, iTunes, or Netflix.

Después de ver

En parejas, túrnense para hacerse y responder a las siguientes preguntas.

1. ¿Cómo es que sentimos emociones al ver una película aunque sabemos que no es real?
2. ¿Qué género de películas te provoca más emoción? ¿Qué tipo de emoción te provoca? ¿Por qué crees que te afecta tanto ese género de película?
3. ¿Crees que las emociones que un buen actor o una buena actriz siente durante su actuación son iguales o similares a lo que una persona de la vida real siente en las mismas circunstancias? ¿Por qué sí o no?

VOCABULARIO

Comunicación

para nada	not at all
Quisiera...	I would like . . .
Quisiera + *inf.*	I would like (*to do something*)
quizá(s)	maybe, perhaps
sin duda (alguna)	without (any) doubt
tal vez	maybe, perhaps

Los sustantivos

el actor / la actriz	actor/actress
el arte (*but* las artes)	art
el/la artista	artist
el bailarín / la bailarina	dancer
el baile	dance
el/la cantante	singer
la danza	dance
el/la escritor(a)	writer
la escultura	sculpture
la estrella	star
el género	genre, type
la obra	piece; work
la obra de arte	piece/work of art
la obra de teatro	play

el papel	role, part (*in a movie or play*)
el personaje	character (*in a movie, play or novel*); celebrity, well-known person
el/la pintor(a)	painter
la pintura	painting
la poesía	poetry
el/la protagonista	main character, protagonist
el teatro	theater

Cognados: la banda, el concierto, el/la fotógrafo/a, la literatura, la ópera, la orquesta

Los adjetivos

Cognados: alternativo/a, clásico/a, folclórico/a, histórico/a, pop, rock

Los verbos

actuar (actúo)	to act
componer (like poner)	to compose
dirigir (dirijo)	to direct
interpretar (un papel)	to play (a role/part)

Si la vida fuera diferente...

Los miembros del Tribunal (*Court*) Supremo Electoral en El Salvador empiezan a recontar los votos en una elección federal.

Objetivos

In this chapter you will learn how to:

- express your opinions and beliefs
- talk about what you and others know and don't know
- discuss important social issues
- describe hypothetical situations
- explore social issues from Latin American and Spanish perspectives

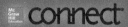

http://www.connectspanish.com

COMUNICACIÓN

En mi opinión...
Expressing opinions

A. A ver: Los problemas más graves

PASO 1. Pon los siguientes temas en orden de más importante (1) a menos importante (7), según tus opiniones.

_____ los conflictos y la seguridad internacionales

_____ la contaminación del medio ambiente

_____ la corrupción de los políticos

_____ la educación

_____ la falta (*lack*) de recursos naturales

_____ la pobreza (*poverty*) y el hambre (*hunger*)

_____ el terrorismo

PASO 2. Mira y escucha las respuestas a la pregunta «"¿Cuál sería el problema más fuerte que enfrenta su país?"» Luego, empareja cada frase con la persona que la diría (*would say*).

1. _____   Marlén, de México

2. _____   Felicitas, de Argentina

3. _____   Juan Andrés, de Costa Rica

4. _____   Pamela, de Argentina

5. _____   Bertha, de Miami

6. _____   Daniel, del Perú

7. _____   Mariana, de Costa Rica

a. «Para mí, sin educación universal, la sociedad no puede progresar.»

b. «En mi opinión, con los políticos corruptos, es difícil tener un gobierno funcional.»

c. «Para mí, el terrorismo es el problema más grave al que nos enfrentamos porque es un problema internacional.»

d. «Creo que la falta de recursos naturales es el problema más fuerte porque afecta a todos los humanos.»

e. «Estoy de acuerdo con los activistas ecológicos. Ellos dicen que si no tenemos conciencia del medio ambiente, vamos a destruir nuestro planeta.»

f. «Para mí, si no hay seguridad, siempre se tiene que andar con precaución y no se puede estar tranquilo en su propia casa.»

g. «Creo que lo peor (*the worst thing*) es ver a la gente que sufre del hambre a causa de la pobreza.»

PASO 3. Mira y escucha otra vez. Según las opiniones de las personas que hablan, ¿por qué es importante resolver los problemas que describen?

1. _____ Sin resolver el problema de la corrupción política,...

2. _____ Sin mejorar (*improving*) la educación,...

3. _____ Sin programas de ecoturismo y reciclaje,...

4. _____ Sin resolver el problema de la pobreza,...

5. _____ Sin resolver el problema del terrorismo,...

6. _____ Sin resolver el problema del uso excesivo del agua,...

7. _____ Sin resolver el problema de la seguridad,...

a. las futuras generaciones no podrán aprender a mejorar su situación.

b. la gente siempre estará muy preocupada.

c. habrá muchísima contaminación del medio ambiente.

d. habrá muchísima más hambre.

e. los niños no podrán salir a jugar tranquilos.

f. el país no va a poder salir adelante.

g. va a costar más el agua que la gasolina.

To express your beliefs and opinions, you can use the following phrases.

Para mí...	For me (personally) . . .
En mi opinión...	In my opinion . . .
Creo que...	I believe (that) . . .
Para mí, el medio ambiente es importante.	For me, the environment is important.
En mi opinión, el terrorismo es el problema más grave del mundo actual.	In my opinion, terrorism is the most serious problem in the world today.
Creo que muchos políticos son corruptos.	I think many politicians are corrupt.

B. Algunos problemas sociales y nuestras predicciones   Completa las siguientes oraciones con tus propias predicciones si las siguientes cosas (no) ocurren. Luego, comparte tus respuestas con un compañero / una compañera de clase y comparen sus predicciones.

MODELO: Creo que si no nos dedicamos a reciclar más,… → será terrible porque los basureros se llenarán de tanta basura

1. En mi opinión, si no reducimos nuestra dependencia de los combustibles (*fuels*) fósiles,…
2. Para mí, si no paramos (*stop*) la tala (*felling*) de árboles en las selvas y en el campo,…
3. Creo que si el seguro (*insurance*) médico no está disponible (*available*) para todos,…
4. En mi opinión, si no exploramos maneras diferentes de cultivar y producir la comida,…
5. Pienso que si todos continuamos a conducir nuestros coches en vez de usar el transporte público,…

Un basurero (*dump*) típico

C. Entrevistas: El problema más grave de este país

PASO 1.   En grupos de cuatro o cinco, entrevístense para saber cuál es el problema más grande de este país, según su opinión. Cada uno debe explicar su respuesta.

MODELO: E1: Para ti, ¿cuál es el problema más grave que nos enfrentamos?
E2: Creo que la pobreza es el problema más grave. Hay muchos problemas económicos.

PASO 2.   Responde a las siguientes preguntas basándote en las respuestas que dieron tus compañeros de clase en el **Paso 1.**

Según la mayoría, ¿cuál es el problema más grave hoy en día? ¿Estás de acuerdo con ellos? ¿Por qué sí o no? ¿Te sorprenden las ideas de tus compañeros de clase?

D. ¿Cuál es tu opinión en cuanto a las noticias?

PASO 1.   ¿Lees o ves las noticias en Internet, en el periódico de la universidad, en la radio, en la televisión o en otras fuentes (*sources*)? ¿Cuáles son los eventos más importantes y comentados últimamente? Lee la lista de noticias típicas y luego apunta un ejemplo específico que has escuchado o leído de dos a cinco de ellas.

- un escándalo entre políticos
- un debate sobre el presupuesto (*budget*) en el Congreso
- una celebridad o un(a) atleta con problemas personales
- una nueva ley de tu ciudad, estado o país
- protestas contra el gobierno en otro país
- un nuevo descubrimiento científico
- un desastre natural que ocurrió o va a ocurrir

PASO 2.   En grupos, túrnense para describir una noticia que apuntaron en el **Paso 1.** Soliciten las opiniones de los otros miembros del grupo.

MODELO: E1: ¿Sabes que hay un nuevo escándalo político en Washington? ¿Cuál es tu opinión del escándalo?
E2: ¡Qué difícil! Creo que ese político debe renunciar a (*resign from*) su puesto.
E3: No creo que sea nada grave. Para mí, es importante que tengamos confianza en nuestros representantes elegidos.

¿Qué sé yo?

Expressing what you know and don't know

To talk about what you and others know and what you don't know, you can use one of the following expressions.

Dejarle saber…	To let someone know . . .
¿Qué sé yo? / ¿Yo qué sé?	What do I know?, Beats me!
Que yo sepa…	That I know of . . . / As far as I know . . .
¿Quién sabe?	Who knows?
sin saber	without knowing/realizing (*that is, by coincidence or by accident*)
el/la sabelotodo	know-it-all
Ve tú / Vaya Ud. a saber.	Your guess is as good as mine.
¡Ay, lo siento! Lo hice **sin saber** lo que hacía.	*I'm so sorry! I did it without knowing/ realizing what I was doing.*
Que yo sepa Miguel no ha regresado de su viaje.	*As far as I know Miguel returned from his trip.*
Déjame saber si te puedo ayudar en algo.	*Let me know if I can help you with something.*

A. ¿Quién sabe?

PASO 1.   Para cada tema, indica si es algo que ocurre **sin saber** o **a propósito** (*on purpose*).

OCURRE(N)…	SIN SABER	A PROPÓSITO
1. los conflictos armados internacionales	☐	☐
2. la contaminación del medio ambiente	☐	☐
3. la educación universal	☐	☐
4. las elecciones democráticas	☐	☐
5. la falta de agua limpia	☐	☐
6. el hambre	☐	☐
7. el precio de la gasolina	☐	☐
8. el terrorismo	☐	☐

PASO 2.   Con una pareja, para cada tema del **Paso 1,** indica tu nivel de conocimiento (*level of knowledge*), de un conocimiento mínimo (**¿Qué sé yo? / ¿Yo qué sé?**) a uno amplio (**¡Soy un(a) sabelotodo!**).

3 — **¡Soy un(a) sabelotodo!**

2 — **Sé bastante.**

1 — **¿Qué sé yo? / ¿Yo qué sé? / No tengo el menor interés.**

PASO 3.   En parejas, entrevístense para saber cuánto saben Uds. de cinco temas globales. Pueden escoger entre los temas del **Paso 1** y los de la lista que sigue. ¿Quién es el sabelotodo del tema? ¿Quién(es) no tiene(n) el menor interés?

TEMAS ADICIONALES: el analfabetismo (*illiteracy*), la corrupción política, la crisis económica, la deuda (*debt*) externa, la pobreza, los problemas sociales relacionados con el racismo, el sistema penal (de prisiones), las violaciones de los derechos (*rights*) humanos

MODELO: E1: ¿Cuánto sabes de la participación de este país en los conflictos armados internacionales?

        E2: **Que yo sepa,** el país participa menos y menos en conflictos armados internacionales.

432 **Capítulo 15** Si la vida fuera diferente...

Los problemas sociales, económicos y políticos

Social, economic, and political issues

A. Qué quieren hacer las organizaciones sin fines de lucro (*nonprofit*)?

PASO 1. Empareja las citas (*quotes*) de los directores de varias organizaciones con las misiones correspondientes.

1. _____

> Queremos pasar de **la corrupción política** del pasado a **la democracia.** La gente tiene que participar en **el proceso político.** Es importante tener la oportunidad de **votar** en **las elecciones** democráticas y tener elecciones **justas** (*fair*).

2. _____

> Para ayudar a la gente más pobre y sin trabajo, podemos alcanzar (*reach*) mucho al **nivel** (*level*) «micro». Estamos hablando no solo de microfinanzas sino también de microempresas y microproductos. Así vamos a **cambiar** (*change*) la base del sistema económico para que no dependamos del dinero de otros países.

La misión es:

a. **Acabar con** (*Put an end to*) **la discriminación** contra **los indígenas** e **inmigrantes** que cruzan **las fronteras** (*borders*) internacionales para trabajar.

b. Acabar con **la tiranía** y **la dictadura** (*dictatorship*) a través de un proceso democrático.

c. Combatir **el analfabetismo, la esclavitud infantil** (*child slavery*) y **la violencia** a través de **la alfabetización** universal para que todos los niños del mundo sepan leer y escribir.

d. **Mejorar** (*Improve*) la situación internacional de **la pobreza, el desempleo** (*unemployment*) y **la desigualdad** (*inequality*) **económica** a través de programas de microfinanzas y al hacer esto evitar **la deuda externa** y **una crisis económica.**

e. Promover (*Promote*) **la paz** (*peace*) en todas sus formas.

f. Proveer (*Provide*) ayuda sostenible que desarrolle infraestructuras para que no haya tanta necesidad en el momento de **un desastre natural** como, por ejemplo, **una inundación** de agua como resultado de un huracán.

3. _____

> Las organizaciones tradicionales como la Cruz Roja le dan provisiones a la gente necesitada; nosotros queremos colaborar con la gente en las zonas afectadas para que use los materiales donados para **desarrollar** (*develop*) **la infraestructura** sostenible a largo plazo (*over the long-term*).

4. _____

> La falta de educación es el mayor factor en **la violencia** a nivel mundial. Tenemos que trabajar con las comunidades locales para construir escuelas y educar a los niños en vez de (*instead of*) dejar que participen en **el crimen** (como, por ejemplo, **el narcotráfico**). Queremos ver la educación universal —tanto para niñas como niños— en todos los países del mundo.

5. _____

> Debemos combatir **los problemas sociales** relacionados con **el racismo.** Lo vemos con las poblaciones indígenas en casi todos los países. También es común en cuanto a los obreros mal pagados que salen de su propio país para hacer los trabajos más **peligrosos** (*dangerous*) en otro país.

6. _____

> Queremos acabar con **la guerra** (conflicto armado) entre estados y entre grupos dentro del mismo país, pero también vemos la necesidad de proteger los **derechos humanos** más básicos.

PASO 2. Ahora, empareja cada término con su antónimo.

1. _____ la alfabetización
2. _____ el hambre
3. _____ la igualdad
4. _____ **la libertad**
5. _____ **la oferta**
6. _____ la paz
7. _____ la riqueza
8. _____ **la seguridad**
9. _____ la solución

a. la pobreza
b. comer en exceso
c. la demanda
d. la desigualdad
e. la esclavitud
f. la guerra
g. el peligro (*danger*)
h. el analfabetismo
i. el problema

B. A ver: Cada país tiene sus problemas

PASO 1. ¿De qué problemas hablan? Mira y escucha el video, luego indica todos los tipos de problemas que le preocupan a cada persona.

		PROBLEMAS POLÍTICOS	PROBLEMAS ECONÓMICOS	PROBLEMAS SOCIALES
1.	Jama, de Cuba	☐	☐	☐
2.	Perla, de Argentina	☐	☐	☐
3.	Juan, de Argentina	☐	☐	☐
4.	Mayra, de Costa Rica	☐	☐	☐
5.	Gabriel, de Argentina	☐	☐	☐
6.	Eduardo, de España	☐	☐	☐
7.	Benedicto, de Costa Rica	☐	☐	☐

PASO 2. Mira y escucha otra vez. Luego, basándote en lo que dice cada persona, escoge el término al que **no** se refiere ni se puede inferir.

1. Jama
   ☐ la pobreza   ☐ la esclavitud infantil   ☐ la crisis económica   ☐ los problemas sociales

2. Perla
   ☐ la crisis económica   ☐ la desigualdad económica   ☐ la deuda externa   ☐ la inundación

3. Juan
   ☐ el analfabetismo   ☐ la crisis económica   ☐ la desigualdad económica
   ☐ la situación política

4. Mayra
   ☐ la contaminación   ☐ la delincuencia   ☐ la paz   ☐ la seguridad

5. Gabriel
   ☐ la deuda externa   ☐ la pobreza infantil   ☐ el hambre   ☐ la pobreza

6. Eduardo
   ☐ el analfabetismo   ☐ los problemas económicos   ☐ los problemas políticos
   ☐ los problemas sociales

7. Benedicto
   ☐ la contaminación   ☐ el hambre   ☐ la inseguridad   ☐ todo el mundo

C. ¿Cuál sería (*would be*) el problema?

PASO 1.   En parejas, indiquen cuáles serían los problemas que llevan a las siguientes conclusiones. Luego, comparen sus respuestas con otra pareja. ¿Están de acuerdo?

> **MODELO:**   «En nuestra comunidad, necesitamos más escuelas y maestros cualificados.»
> El problema sería el analfabetismo. (Los problemas serían el analfabetismo y la falta de educación.)

1. «En nuestra comunidad necesitamos atraer o desarrollar una industria que nos provea de puestos de trabajo.»
2. «En mi opinión, es muy importante tener elecciones justas.»
3. «Para mí, hay que mejorar las relaciones entre los habitantes locales y los recién llegados (*newcomers*).»
4. «En este país necesitamos renovar el sistema bancario.»
5. «Nos gustaría ver menos armas y más paz.»

PASO 2.   Escoge uno de los problemas mencionados en el **Paso 1** y describe los detalles específicos en el contexto de tu universidad, tu ciudad o pueblo o el estado donde vives. Luego, en parejas, intercambien ideas y ofrezcan por lo menos una posible solución al problema.

D. Los problemas sociales

PASO 1.   En grupos de tres, hagan una lista de por lo menos tres problemas (en orden de importancia) a los que cada uno de los siguientes grupos sociales se enfrenta.

> **MODELO:**   Muchos ancianos (*elderly people*) no pueden conducir su propio coche.

1. los ancianos
2. los estudiantes
3. los inmigrantes
4. las mujeres
5. los padres
6. los recién titulados/graduados

PASO 2.   En sus grupos, escojan uno de los grupos sociales del **Paso 1** y elaboren un mínimo de tres soluciones para empezar a resolver uno de los problemas al que se enfrenta ese grupo.

> **MODELO:**   Muchos ancianos no pueden conducir su propio coche.
>
> 1. Debemos asegurar (*ensure*) que haya transporte público disponible.
> 2. Es importante tener transporte especial para llevar a los ancianos a sus citas médicas.
> 3. Hay que construir comunidades para ancianos cerca del centro de las ciudades.

¿Cuáles son los problemas a los que los ancianos se enfrentan? ¿Y las soluciones?

La alfabetización es la enseñanza (*teaching*) de la lectura y la escritura.

ESTRUCTURA

Reciclaje

The future

Aquí hay una lista de metas (*goals*) de diferentes organizaciones. Complétalas usando uno de los siguientes verbos en la forma **nosotros** del tiempo futuro, y luego empareja la meta con el campo de actividad que le corresponde.

acabar   conseguir   erradicar   hacer   mejorar   resolver

METAS

_____ 1. _____ el analfabetismo.

_____ 2. _____ un esfuerzo para parar la violencia en la frontera.

_____ 3. _____ los conflictos entre los dos países.

_____ 4. _____ con la pobreza.

_____ 5. _____ las condiciones de las mujeres indígenas.

_____ 6. _____ una solución al problema de la malaria.

CAMPOS

a. desarrollo económico
b. educación
c. medicina
d. derechos de los indígenas
e. derechos de los inmigrantes
f. diplomacia internacional

■ Answers to this activity are in **Appendix 2** at the back of your book.

15.1   Hablaría con los indígenas en Chihuahua

The conditional

Para empezar...

En muchas partes de Latinoamérica, la población indígena tiene una presencia muy notable. A veces hay relaciones muy buenas entre el grupo indígena y el resto de la población y a veces no. Si hicieras un viaje de norte a sur (¡sin retroceder [*doubling back*]!) para conocer mejor la situación de los indígenas en Latinoamérica, ¿en qué orden harías (*would you do*) las siguientes actividades? Escribe la letra de la actividad en el lugar correcto en el mapa. ¡**Atención!** Dos de las siguientes actividades serían (*would be*) físicamente imposibles. Indica cuáles son.

a. **Pasaría** unos días en la ciudad de Oaxaca, hacia el oeste del istmo (*isthmus*) de Tehuantepec, la parte estrecha (*narrow*) de México, para conocer mejor a los mixtecos y los zapotecos.

b. **Haría** la última parte del viaje en el sur de Chile, donde viven los mapuches.

c. De allí **tendría** que ir a las islas donde viven los kunas en Panamá.

d. De Ecuador **saldría** para el Perú y Bolivia, donde muchas personas hablan quechua.

e. Después me **encantaría** ir a Guatemala para saber más del pueblo quiché, otro grupo maya.

f. De allí **caminaría** a la Isla de Pascua, donde muchos habitantes son de origen polinesio y hablan rapanui.

g. Primero, me **iría** a Chihuahua en el norte de México para hablar con los rarámuri, también conocidos como tarahumaras.

h. De allí **nadaría** al estado de Chiapas en el sur de México porque allí viven los tzotziles, uno de los grupos mayas más grandes del país.

i. **Podría** conocer después a los quichuas en los Andes ecuatorianos.

Un consejo…

Relating a tense (**un tiempo verbal**) in Spanish to how you would say it in English can be helpful, but be cautious. The conditional, for instance, is almost always translated into English with *would*, as in the examples in **Actividades analíticas 1**. The reverse, however, is not always true: When *would* is used to describe a repeated past state or event (meaning *used to*), the imperfect is used in Spanish.

De niño, Mario **caminaba** a la escuela.
As a child, Mario would (used to) walk to school.

Mario **caminaría** a la escuela contigo pero no tiene suficiente tiempo.
Mario would walk to school with you but he doesn't have enough time.

■ Answers to these activities are in **Appendix 2** at the back of your book.

Actividades analíticas

1 The verbs in bold in **Para empezar** are in the *conditional tense* (**el condicional**). The conditional is used to express what one *would* do under certain circumstances.

Para ayudar a esos niños, yo **donaría** dinero.   *To help those children, I would donate money.*
En un mundo ideal, todos **trabajaríamos** juntos.   *In an ideal world, we all would work together.*

2 Use the forms you saw in **Para empezar** and the patterns you see here to complete the chart.

	pasar	ser	ir
yo		sería	
tú	pasarías		irías
él/ella, Ud.	pasaría	sería	
nosotros/as	pasaríamos		iríamos
vosotros/as	pasaríais	seríais	
ellos/ellas, Uds.	pasarían		irían

3 Just as you saw for the future tense in **Estructura 14.2**, the stem for the conditional consists of the entire infinitive form, to which one of the following endings is added.

TERMINACIONES DEL CONDICIONAL	
yo	-ía
tú	-ías
él/ella, Ud.	-ía
nosotros/as	-íamos
vosotros/as	-íais
ellos/ellas, Uds.	-ían

4 Those verbs that have irregular stems in the future tense use this same stem in the conditional. As with the future, there are no irregular endings in the conditional tense.

VERBO	RAÍZ	EJEMPLO	
decir	**dir-**	Yo **diría** que la situación está mejor ahora.	*I would say that the situation is now better.*
haber	**habr-**	Con el plan que tienen, **habría** menos pobreza.	*With the plan that they have, there would be less poverty.*
hacer	**har-**	**Haría** un gran esfuerzo para ayudarte.	*I would make a great effort to help you.*
poder	**podr-**	¿**Podría** hablar con Ud.?	*Could I speak with you?*
poner	**pondr-**	**Pondríamos** fin al problema, pero no tenemos suficientes recursos.	*We would put an end to the problem, but we don't have enough resources.*
salir	**saldr-**	**Saldrían** del país, pero no está permitido.	*They would leave the country, but it's not permitted.*
tener	**tendr-**	Para entendernos mejor, **tendríamos** que hablar más.	*To understand each other better, we would have to talk more.*
venir	**vendr-**	Mi hermano **vendría** también, pero no puede.	*My brother would come too, but he can't.*

■ For more conditional forms, see **Para saber más 15.1** at the back of your book.

Note that **habría** here is the conditional of **hay** (**haber**). As with **hay**, **habría** is always used in the singular to express existence.

Habría un problema   *There would be a problem.*
Habría muchos problemas.   *There would be many problems.*

Actividades prácticas

A. ¿Qué harías?

PASO 1. ¿Qué harías tú para solucionar los siguientes problemas? Empareja cada problema con una solución razonable. **¡Atención!** Los problemas indicados con (*****) tienen más de una solución.

PROBLEMAS	¿QUÉ HARÍAS?
1. ____ Hay mucha pobreza.*	a. Haría un esfuerzo para tener más policías.
2. ____ Hay mucho analfabetismo.	b. Viajaría a España o a Latinoamérica.
3. ____ Hay mucha corrupción.	c. Leería más artículos sobre la situación en los países hispanos.
4. ____ Hay mucha violencia en las calles.	d. Les daría salarios decentes a los empleados del gobierno.
5. ____ No hay suficiente comunicación entre mi país y Latinoamérica.	e. Ayudaría a crear microempresas en las comunidades pobres.
6. ____ No conozco bien la realidad del mundo hispano.*	f. Crearía más trabajos.
	g. Tendría más escuelas para toda la población.
	h. Crearía clases de español para todos en mi país.

PASO 2. En parejas, escojan las tres soluciones de máxima prioridad para Uds. del **Paso 1** y supongan que tienen dinero ilimitado para implementarlas. ¿Qué harían Uds. bajo estas condiciones? ¿Por qué?

MODELO: Haríamos un esfuerzo para tener más policías porque si la gente no se siente segura, no puede vivir feliz.

 B. ¿Cómo somos y qué haríamos? En muchos países, existe la percepción de los norteamericanos de que no son bien informados sobre los asuntos internacionales y que tampoco son conscientes (*aware*) del impacto de sus acciones sobre el resto del mundo. ¿Estás de acuerdo? Escucha las oraciones y decide si es algo que haría una persona consciente y bien informado/a (**C**) o si es algo que haría una persona poco consciente (**PC**), irrespetuosa (*disrespectful*) y/o de mente cerrada (*closed-minded*).

1. ____	3. ____	5. ____	7. ____
2. ____	4. ____	6. ____	

C. Prioridades para la comunidad global y local

PASO 1. En grupos pequeños, usen el vocabulario que ya aprendieron para crear una lista de tres cosas que harían Uds. para mejorar su propia comunidad o su universidad. Pueden usar la lista de abajo o hacer sus propias sugerencias.

bajar las cuotas de la matrícula (*registration fees*) para los estudiantes
comprar más libros para la biblioteca
crear más lugares de estacionamiento (*parking spaces*)
construir edificios nuevos
mejorar los salarios de los maestros/profesores
tener más actividades divertidas para los estudiantes
tener más computadoras accesibles a los estudiantes
tener mejores opciones de transporte público para llegar a la universidad

PASO 2. Ahora creen una lista de tres cosas que harían Uds. para mejorar la comunidad global.

MODELO: Ayudaríamos a otras personas a conservar el agua.

D. Tu vida ideal

PASO 1. En tu vida ideal, ¿qué harías? ¿Y qué *no* harías? Crea una lista de lo que harías y una lista de lo que no harías. **¡Atención!** Debes tener diez oraciones en total entre las dos listas.

MODELO: En mi vida ideal, estaría casado, tendría muchos hijos, nadaría en el mar todos los días y vería muchas películas. No trabajaría, no haría ejercicio en el gimnasio, no estudiaría, no me bañaría, no cocinaría y no tendría un coche.

 PASO 2. Compara tus listas con las de un compañero / una compañera. ¿Tienen algo en común?

◯ Reciclaje

The past subjunctive

Siempre ha habido gente que quiere mejorar la sociedad en la que vive. Mira la siguiente lista de afirmaciones sobre nuestra sociedad. ¿Qué crees que la gente de antes quería y qué no quería? Escribe cada afirmación bajo la categoría **Querían que…** o **No querían que…** ¡**Atención!** Hay que cambiar el verbo al imperfecto (pasado) de subjuntivo.

Querían que…	No querían que…
_____	_____
_____	_____
_____	_____

Crece la desigualdad económica.
Los niños pueden asistir a la escuela sin pagar.
Hay guerras.
La esclavitud ya no existe.
Las mujeres tienen el derecho de votar.

La corrupción está presente en el sistema jurídico (*judicial*).
Los trabajadores descansan dos días a la semana.
Toda la gente tiene la libertad de practicar su religión.

15.2   **Si nadie usara drogas, la vida sería más tranquila**

Si clauses

Para empezar…

PASO 1.   Dicen que cada acción tiene sus consecuencias, que esas consecuencias tienen otras consecuencias, etcétera. Usa números para poner las siguientes oraciones en orden según una «cadena (*chain*) de consecuencias». La primera ya está hecha.

a. ____ Si los narcotraficantes (*drug traffickers*) no **ganaran** tanto dinero, no **podrían** «comprar» a los políticos y a los jueces latinoamericanos.

b. ____ Si no **fuera** un buen negocio vender drogas en los Estados Unidos, los narcotraficantes no las **importarían** al país.

c. ____ Si el sistema político y judicial **funcionara** mejor, los latinoamericanos **tendrían** una vida mejor.

d. ____ Si los narcotraficantes no **pudieran** «comprar» a los políticos y a los jueces, el sistema político y judicial **funcionaría** mejor en los países latinoamericanos.

e. __1__ Si nadie **usara** drogas en los Estados Unidos, no **sería** un buen negocio venderlas.

f. ____ Si no **importara** drogas a los Estados Unidos, el crimen organizado en los países latinoamericanos no **ganaría** tanto dinero.

PASO 2.   Según esta cadena de consecuencias, ¿es cierta o falsa la siguiente oración?

____ Si nadie **usara** drogas en los Estados Unidos, muchos latinoamericanos **tendrían** una vida mejor.

Answers to this activity are in Appendix 2 at the back of your book.

Answers to these activities are in Appendix 2 at the back of your book.

Actividades analíticas

1 Each of the sentences in **Para empezar** consists of an *if* (**si**) clause and a consequence (**consecuencia**). Write the verb form that appears in each part of these sentences here:

	SI...	CONSECUENCIA
a.	ganaran	podrían
b.	_____	_____
c.	_____	_____
d.	_____	_____
e.	_____	_____
f.	_____	_____

2 What is the name of the verb tense that appears in each of these two parts?

Si... : _____

Consecuencia: _____

The past subjunctive forms were presented in **Estructura 14.1.**

As in English, the **si** clause and the consequence may come in either order.

Si tuviera un millón de dólares, lo **donaría** a una organización sin fines de lucro.
If I had a million dollars, I would donate it to a non-profit organization.

Donaría un millón de dólares a una organización sin fines de lucro **si** lo **tuviera.**

I would donate a million dollars to a non-profit organization if I had it.

3 The pattern seen here with **si** + *past subjunctive,* + *conditional* is used only when the *if* (**si**) clause describes a situation that is contrary to fact.

Si Guatemala **estuviera** en Europa, no **tendría** selvas tan bonitas.

If Guatemala were in Europe (which it is not), it would not have such beautiful jungles.

Compraría una casa si yo **tuviera** mucho dinero.

I would buy a house if I had a lot of money (which I do not).

In these cases, the speaker knows that Guatemala is actually not in Europe and that he or she does not have a lot of money. The past subjunctive signals this contrary-to-fact status of the **si** clause.

If the **si** clause describes a situation that is not contrary to fact (that is, it could be true or could happen), use an indicative tense such as present, preterite, or imperfect.

Si mañana **tengo** tiempo, **voy a pasar** por tu casa.

If I have time tomorrow, I'll stop by your house.

Si no **estudiaste**, no te **va a ir** bien en el examen.

If you didn't study, it's not going to go well for you on the test.

En esos tiempos, si **había** un conflicto entre dos países, **se convertía** en guerra.

In those days, if there was a conflict between two countries, it would turn into a war.

To summarize, the **si** clause can be in the past subjunctive or an indicative tense. It is never in the present subjunctive.

PAST SUBJUNCTIVE

The *past subjunctive* in the **si** clause signals a situation that is contrary to fact (that is, a situation that the speaker knows is not true). The consequence is expressed with the *conditional*.

INDICATIVE

If the **si** clause is not describing a contrary-to-fact situation, then use an *indicative* tense. The consequence may also be in any indicative tense.

4 The word **hay** is **hubiera** in the past subjunctive, and it is very common in **si** clauses that express contrary-to-fact situations.

Yo estaría contento si **hubiera** menos pobreza en el mundo.

I would be happy if there were less poverty in the world.

Si **hubiera** un centro de la comunidad en este barrio, podríamos organizarnos allí.

If there were a community center in this neighborhood, we could organize there.

■ To find out how to use **si** clauses to express contrary-to-fact situations on the past, see **Para saber más 15.2** at the back of your book.

Autoprueba

Complete the hypothetical statements with the appropriate form of the conditional (to indicate the consequence) or the past subjunctive (to indicate the contrary-to-fact situation).

1. Si alguien _____ (querer) ayudar a eliminar el analfabetismo, _____ (poder) hacerse voluntario en la biblioteca.

2. Nosotros _____ (construir) un nuevo refugio (*shelter*) para las mujeres en nuestra comunidad si _____ (ganar) la lotería.

3. Si a ella le _____ (interesar) la política, _____ (buscar) oportunidades para trabajar en las elecciones.

4. Yo _____ (trabajar) en el comedor de beneficencia (*soup kitchen*) todos los días si _____ (tener) más tiempo libre.

Respuestas: 1. quisiera, podría **2.** construiríamos, ganáramos **3.** interesara, buscaría **4.** trabajaría, tuviera

En español…

The standard way of expressing contrary-to-fact situations in the written language is the pattern you've just seen: **si** + *past subjunctive*. It is common in the spoken language too, but you may also hear variants in some regions. For example, it is common to hear **yo que tú** with the meaning **si yo fuera tú**.

Si yo fuera tú, no lo haría.
Yo que tú, no lo haría.   *If I were you, I wouldn't do it.*

Actividades prácticas

A. El desarrollo (*development*) **y la felicidad**   El Índice (*Index*) de Desarrollo Humano clasifica a los países según el nivel económico, el nivel de educación y la esperanza de vida (*life expectancy*). El Índice de Satisfacción con la Vida muestra la felicidad (*happiness*), que se calcula según las respuestas a una encuesta. Basándote en la información en la tabla, indica si cada oración que sigue es cierta (**C**) o falsa (**F**).

	DESARROLLO HUMANO (%)	SATISFACCIÓN CON LA VIDA
Argentina	muy alto (*high*) (81)	alto (66)
Canadá	muy alto (91)	muy alto (75)
Chile	muy alto (82)	alto (66)
Costa Rica	alto (77)	muy alto (73)
España	muy alto (89)	alto (63)
los Estados Unidos	muy alto (94)	muy alto (71)
México	alto (78)	muy alto (71)
Nicaragua	medio (60)	medio (55)
la República Dominicana	medio (70)	medio (50)
Venezuela	alto (75)	muy alto (70)

1. _____ Si hubiera menos analfabetismo y más progreso económico en México, podrían tener un nivel de desarrollo más alto.

2. _____ Si fuéramos de Argentina, podríamos decir que nuestro país tiene un nivel de satisfacción con la vida «muy alto».

3. _____ Si los países tuvieran un nivel de educación más alto, tendrían un nivel de desarrollo más alto también.

4. _____ Si la República Dominicana tuviera más desarrollo económico, podría estar en la lista de países con un nivel de desarrollo «alto».

5. _____ Si yo fuera de Nicaragua, podría decir que mi país tiene el mismo nivel de desarrollo que Venezuela.

6. _____ Si la República Dominicana tuviera el mismo nivel de desarrollo que Argentina, sería uno de los países con un nivel de desarrollo «medio».

7. _____ Si hubiera más satisfacción con la vida en los Estados Unidos, los estadounidenses podrían tener un nivel de satisfacción más alto que en México.

8. _____ Si todos los países pudieran tener como mínimo el mismo nivel de desarrollo que Venezuela, el mundo sería mejor.

B. Nuestras preferencias

PASO 1. Completa cada una de las siguientes oraciones, basándote en tus preferencias personales.

1. Si tuviera el dinero, viajaría a _____ por el fin de semana.
2. Si pudiera resolver solo un problema en mi país, sería el problema de _____.
3. Si pudiera resolver solo un problema en el mundo, sería el problema de _____.
4. Me iría a _____ si me dieran la oportunidad de vivir en otro país durante un año.
5. Cenaría con _____ si pudiera salir a cenar con cualquier persona del mundo hispano.
6. Me gustaría ser de _____ si yo pudiera ser de un país hispano.

PASO 2. Escoge una de las oraciones del **Paso 1,** cámbiala a una pregunta y pregúntasela a tres de tus compañeros. Apunta los resultados.

MODELO: Si tuvieras el dinero, ¿adónde viajarías?

C. Si el mundo fuera diferente   Escoge la forma apropiada de los verbos en cada oración y decide si la situación es cierta o no.

1. Si Ecuador [está / estuviera] en Centroamérica, [es / sería] un país centroamericano.
2. Si la pobreza extrema [existe / existiera] en el mundo, [tenemos / tendríamos] que erradicarla.
3. Si [hay / hubiera] grandes diferencias económicas entre unos países y otros, [va a haber / habría] mucha inmigración de los países más pobres a los países más ricos.
4. Si Cristóbal Colón (*Christopher Columbus*) [está / estuviera] vivo, ¿qué [piensa / pensaría] de las Américas de hoy?
5. Si [hablan / hablaran] español en muchos países de Latinoamérica, eso no [significa / significaría] que las lenguas indígenas ya no existan.
6. Si no [hay / hubiera] ningún problema de desigualdad económica en el mundo, [podemos / podríamos] estar tranquilos.

D. Unas situaciones difíciles   En grupos de tres, creen una respuesta (una oración completa) a cada una de las siguientes preguntas.

1. Si vivieran en este país y no hablaran inglés, ¿qué trabajo podrían hacer?
2. Si fueran del norte de África y no pudieran encontrar trabajo allí, ¿a qué país se irían? ¿Por qué?
3. Si fueran líderes de un país y hubiera mucha desigualdad económica, ¿qué harían?
4. Si vivieran en un país no muy democrático, ¿qué podrían hacer para cambiar esta situación?

CONÉCTATE AL MUNDO HISPANO

En el mundo entero, la gente busca lugares donde haya mucha oferta de trabajo y los salarios sean altos. Por eso, es común ver **flujos** (*flows*) **de migración laboral,** dentro de un solo país (de las áreas rurales hacia las grandes ciudades, por ejemplo) o de un país más pobre a otro país más rico. En el mundo hispano, por ejemplo, muchos africanos buscan trabajo en España, y por la misma razón, muchos guatemaltecos y hondureños se van a México y muchos bolivianos y paraguayos se van a Argentina o Chile. Todo este movimiento ocurre porque España, México, Argentina y Chile tienen economías relativamente grandes y fuertes.

De la misma manera (*way*), muchos salen del Caribe, de México o de Centroamérica a buscar trabajo en los Estados Unidos, un país con una de las economías más fuertes del mundo. Sin embargo (*however*), aún (*even*) este fenómeno tan conocido cambia según el estado de la economía. De 2005 a 2010, por ejemplo, el flujo migratorio entre los Estados Unidos y México se equilibró: la cantidad (*quantity*) de migrantes de México a los Estados Unidos era más o menos igual a la cantidad de los que iban de los Estados Unidos a México. Esto pasó por muchas razones, pero la recesión en los Estados Unidos y el crecimiento (*growth*) económico en México eran factores importantes. La mejoría (*improvement*) en la economía mexicana tuvo otro resultado interesante: la llegada de un gran número de inmigrantes de países lejanos (*distant*), como Argentina, Corea, España, Francia y Japón, todos buscando su futuro en México.

442   **Capítulo 15**   Si la vida fuera diferente...

Honduras

E. Cultura: La crisis constitucional en Honduras

PASO 1.   Lee el texto sobre Honduras.

Honduras es una república constitucional y, según el censo de 2010, tiene una población de 8,2 millones de personas. Es uno de los países latinoamericanos con más desigualdad socioeconómica: el 10 por ciento más rico de la población controla un 42 por ciento de la riqueza del país.

A finales de 2008, el entonces presidente de Honduras, Manuel Zelaya, anunció su plan de hacer un referéndum en las próximas elecciones para determinar si había apoyo[a] popular para reescribir partes de la constitución federal. Dentro de los posibles cambios[b] se incluía la posibilidad de reelegir[c] un presidente, lo cual estaba prohibido en la constitución. En marzo de 2009, la Corte Suprema hondureña determinó que el referéndum no era legal, pero Zelaya siguió con su plan. El 28 de junio de 2009, el día del referéndum, un grupo de aproximadamente cien soldados[d] entraron a la fuerza en la casa del presidente y lo llevaron en avión a Costa Rica.

Este acto de quitar de su cargo[e] a un presidente democráticamente elegido usando fuerzas militares es considerado por muchos un golpe de estado[f]; el acto de llevarlo fuera del país es considerado un exilio forzado. Y el evento está rodeado de[g] mucha controversia. Por un lado, muchos piensan que Zelaya había violado la ley[h] cuando no reconoció la decisión de la Corte Suprema. Por otro lado, otros piensan que la decisión de la corte y el exilio de Zelaya eran estrategias de los grupos políticos conservadores de Honduras. Ellos temían[i] que la política de Zelaya fuera cada vez más para la izquierda, basándose en el apoyo que Zelaya tenía de los presidentes de Venezuela (Hugo Chávez), Cuba (Fidel Castro) y Nicaragua (Daniel Ortega). Además, Zelaya había hecho actos como subir el salario mínimo para tratar de mejorar[j] la situación de la pobreza extrema en Honduras y proteger a los trabajadores.

En los días después del exilio de Zelaya, el gobierno suspendió varias garantías constitucionales de los hondureños. En los primeros días, pusieron un toque de queda.[k] Cuando Zelaya regresó a Honduras el 22 de septiembre, el gobierno suspendió durante casi un mes la libertad personal, la libertad de expresión, la de tránsito,* de habeas corpus y de asamblea y asociación. El gobierno no dejó que Zelaya volviera a la presidencia y en las elecciones de enero de 2010, los hondureños eligieron a Porfirio Lobo como el nuevo presidente.

[a]*support* [b]*changes* [c]*re-elect* [d]*soldiers* [e]*position* [f]*golpe... coup de etat* [g]*rodeado... surrounded by* [h]*law* [i]*feared* [j]*tratar... try to improve* [k]*toque... curfew*

PASO 2.   Completa las oraciones con tus propias opiniones.

1. Si yo fuera presidente/a de Honduras, _____.
2. Si la Corte Suprema no hubiera tomado su decisión en contra del referéndum, _____.
3. Sería justo hacer cambios a la constitución federal para permitir la reelección si _____.
4. Si Zelaya no tuviera el apoyo de otros presidentes latinoamericanos, _____.
5. Honduras sería un país más estable y próspero si _____.
6. Si el gobierno de este país suspendiera las libertades constitucionales de mis amigos y yo, _____.

PASO 3.   En parejas, contesten las preguntas y explíquense las respuestas.

1. En Honduras, como en muchos países tropicales, ha sido difícil establecer una economía fuerte, por el bajo (*low*) nivel de recursos naturales y terrenos cultivables, entre otros factores. Como resultado, hay mucho desempleo y mucha desigualdad económica. ¿Piensas que este tipo de dificultad económica puede causar la inestabilidad política?
2. ¿Piensas que la inestabilidad política puede causar problemas económicos?
3. Si vives en un país como Canadá o los Estados Unidos, ¿piensas que la economía fuerte ha contribuido a la estabilidad política? ¿Piensas que el sistema político podría entrar en peligro si hubiera problemas económicos muy fuertes?

*la libertad de viajar dentro y fuera del país

COMUN VOCABU ESTRUC

CONÉCTATE

¡Leamos!

«Malas y buenas noticias» por José Antonio Millán

Antes de leer

PASO 1. Vas a leer un texto sobre los libros digitales. Anticipando este tema, ¿a qué probablemente se refieren los siguientes términos?

_____ 1. sagas vampíricas

_____ 2. los aparatos/dispositivos (*devices*) lectores

_____ 3. un buscador

_____ 4. P2P

_____ 5. la fórmula de negocio

a. Google o Bing

b. Kindle o iPad

c. la serie *Twilight*

d. el modelo que usa una empresa para ganar dinero

e. la conexión entre varias computadoras que se usa para compartir archivos

PASO 2. Indica si cada frase a continuación se consideraría **buena noticia** o **mala noticia** para las empresas que producen libros digitales.

	BUENA NOTICIA	MALA NOTICIA
1. Hay mucha demanda de libros digitales.	☐	☐
2. Hay pocos libros digitales disponibles (*available*).	☐	☐
3. Hay muchos dispositivos lectores como iPad y Kindle.	☐	☐
4. El contenido digital más popular está en sitios ilegales.	☐	☐
5. Es difícil comprar los libros digitales legalmente.	☐	☐
6. Es fácil conseguir libros digitales sin autorización.	☐	☐
7. Los jóvenes leen más que nunca.	☐	☐
8. Los jóvenes leen libros digitales descargados (*downloaded*) ilegalmente.	☐	☐

¿Cómo lees? ¿Dónde lees? ¿Leer es diferente con un libro digital?

A leer

PASO 1.   Lee el artículo sobre los libros digitales.

Malas y buenas noticias

Hagan una prueba: dejen a un puñado[a] de buenos lectores adolescentes un e-book y denles la oportunidad de bajarse[b] obras legalmente de los sitios web donde se comercializan. Al cabo[c] de unos meses comprobarán[d] que han leído vorazmente,[e] pero que las obras no provenían de descargas[f] autorizadas. Sencillamente, han buscado en las fuentes legales los libros que querían leer y no los han encontrado. Y los han localizado «en Internet». Hay muchos libros en la red. Quien quiera[g] probarlo solo tiene que escribir en un buscador el título de una obra. Y no se piense que para descargarla hay que entrar en las procelosas[h] aguas de los P2P. Basta llegar a una página web, y hacer clic en un enlace.

Pues bien: en muchos casos estos archivos para e-book no están disponibles[i] si uno trata de comprarlos legalmente. Y en Internet los encontramos: libros torpemente[j] escaneados, o archivos creados ad hoc, ¡a veces con la traducción de obras aún no aparecidas en el mercado hispanohablante! Sí: los fans seguidores[k] de sagas vampíricas no se caracterizan por su paciencia.

La oferta de libros digitales es muy inferior a la demanda que existe. Y esta seguirá creciendo, porque los dispositivos lectores han ido bajando de precio y han aparecido alternativas como el iPad. Estos son los hechos[l]: acceso a Internet muy extendido; buscadores que encuentran cualquier cosa y un montón de aparatos lectores para los que falta[m] contenido.

¿Y esta situación puede cambiar? Por ejemplo: Supongamos que los editores se apresuran[n] a sacar en versión electrónica los libros más codiciados,[ñ] ¿dejarían de descargarse ilegalmente? Pero un momento, un momento: ¿a qué precio me han dicho que pondrían la descarga?

Precios bajos, o nuevas fórmulas de negocio: no parece haber otra solución. El año que viene, la empresa madrileña 24 symbols intentará suministrar[o] libros electrónicos en dos modalidades[p]: gratis con anuncios o pagando una suscripción que permitirá leer los que se quiera. Es la fórmula que en música ha seguido Spotify, pero ¿querrán unirse a ella los editores de las obras que la gente realmente quiere leer? Se pueden pensar otras modalidades: hay empresas que patrocinan[q] ligas de fútbol o ciclos de conciertos: ¿no se animarían a patrocinar líneas editoriales[r] digitales?

¿No será que fallan[s] las alternativas de negocio? Cada vez que hay nuevos cálculos del acceso a obras sin autorización se habla de la «merma de negocio»,[t] y no es así (como se ha visto en el caso de la música): no toda obra descargada ilegalmente habría sido comprada, y menos a esos precios…

[a]*handful* [b]*to download* [c]*Al… At the end* [d]*they will confirm* [e]*voraciously* [f]*downloads* [g]*Quien… Whoever wants* [h]*stormy* [i]*available* [j]*clumsily* [k]*followers* [l]*facts* [m]*lack* [n]*se… hurry* [ñ]*coveted* [o]*deliver* [p]*ways* [q]*sponsor* [r]*publishing* [s]*are failing* [t]*merma… lost business*

PASO 2.   Según el artículo escrito por José Antonio Millán, «Malas y buenas noticias», que apareció en el periódico español *El País,* indica si cada frase es cierta (C) o falsa (F).

1. _____ Los jóvenes parecen preferir los libros digitales disponibles legalmente en los sitios web que venden e-books.

2. _____ Los libros que les interesan a los jóvenes están en Internet, pero muchos de ellos no están en sitios autorizados.

3. _____ Las descargas ilegales de libros en Internet son fáciles de encontrar.

4. _____ Las descargas ilegales de libros en Internet siempre son de muy buena calidad.

5. _____ En cuanto a los libros digitales, la demanda es más alta que la oferta (*supply*).

6. _____ Con más variedad de dispositivos lectores, los precios han bajado.

7. _____ Según el autor, el precio de las descargas autorizadas de libros digitales no será muy importante.

8. _____ Según el autor, hay dos soluciones posibles: precios bajos o nuevas fórmulas de negocio.

9. _____ A los editores de los libros más populares no les van a gustar las nuevas fórmulas de negocio.

10. _____ Todas las personas que descargan libros digitales ilegalmente pagarían si estuvieran disponibles legalmente las mismas obras.

 PASO 3.   En grupos, hagan una lista de ejemplos de cada una de las tres fórmulas de negocio que menciona el texto.

gratis con anuncios:

pagando una suscripción:

empresas patrocinadoras:

Después de leer

PASO 1. Contesta las preguntas sobre tus hábitos como lector(a).

1. ¿Qué tipo de textos lees?

☐ biografías ☐ literatura

☐ cómics ☐ noticias (*news*)

☐ libros de texto ☐ reseñas (*reviews*) de películas y música

☐ libros de autoayuda (*self-help*) ☐ revistas de moda

2. ¿Cuándo lees? ¿Dónde? En las situaciones en que tú lees, ¿cuál es el mejor formato para leer tus textos?

3. ¿Han cambiado en los últimos cinco o seis años tus prácticas como lector(a)? ¿Han cambiado los aparatos que usas para leer? ¿Cómo cambiaron y por qué?

4. ¿Tienes un aparato lector? ¿A ti te gusta leer con el aparato? (¿Por qué sí o no?) ¿Conoces a alguien que use uno? ¿A esa persona le gusta leer con el aparato? (¿Por qué sí o no?)

PASO 2. Ahora entrevista a un compañero / una compañera para saber sus criterios para comprar libros digitales. Luego, escoge la conclusión que mejor describa la fórmula de negocio ideal para tu compañero/a y explícala.

MODELO: E1: ¿Comprarías libros digitales si tuvieras que pagar más de diez dólares cada uno?
E2: No. Sería demasiado caro para mí. Solo compraría libros digitales si costaran menos de $3.

¿Comprarías libros digitales si...

1. ...primero tuvieras que mirar veinticinco segundos de anuncios de una empresa que patrocina a la editorial?

2. ...tuvieras que mirar anuncios en el margen de la pantalla?

3. ...tuvieras que pagar una suscripción de $15 al mes?

4. ...fuera necesario pagar una suscripción de $10 al mes?

5. ...fuera necesario pagar una suscripción de $5 al mes?

En conclusión:

Para mi compañero/a, la fórmula de negocio ideal es...

☐ gratis con anuncios porque _____.

☐ pagando una suscripción porque _____.

☐ empresas patrocinadoras porque _____.

¡Escuchemos!

¿Cómo cambiarían el mundo?

Antes de escuchar

PASO 1. Marlén, Javier, Enrique y Mariana van a hablar sobre cómo cambiarían el mundo si pudieran. Antes de escuchar la conversación, conversen en grupos pequeños sobre la siguiente pregunta: si Uds. pudieran cambiar algo en el mundo, ¿qué harían?

PASO 2. Ahora, empareja cada cita que vas a escuchar en el video con dos explicaciones lógicas.

1. ____ ____ «Me gustaría darles a los niños pobres las herramientas (*tools*) necesarias con las cuales ellos, en algún momento de su vida, se puedan independizar por completo.»

2. ____ ____ «Creo que debemos establecer un organismo global para defender los derechos humanos.»

3. ____ ____ «En mi opinión, hay que participar si luego quieres tener voz (*a voice*).»

4. ____ ____ «Hay falta de vivienda barata y asequible (*cheap and affordable housing*).»

a. La ayuda para los niños pobres no solo mejora la calidad de vida en el momento actual, sino también lleva a la independencia en el futuro.

b. Es un comentario sobre las atrocidades cometidas en muchos países del mundo.

c. Es un comentario sobre la gente que no participa y luego protesta.

d. Gente de todos los estatus sociales con diversos niveles de educación no tiene dónde vivir.

e. Hay gente tirada (*thrown*) en las calles de muchas ciudades grandes.

f. Si quieres tener voz, tienes que ir a votar.

g. Si un grupo sufre en un país, no se puede recurrir a (*turn to*) ninguna entidad internacional para ayuda.

h. Tenemos que mejorar la vida de los ciudadanos más jóvenes para hacer los cambios sociales necesarios.

A escuchar

Mira y escucha las respuestas que dieron Marlén, Javier, Enrique y Mariana a la pregunta, «Si pudiera cambiar algo en el mundo, ¿qué haría Ud.?» Luego, escoge la mejor conclusión para cada frase a continuación.

1. ____ Cuando Marlén dice, «niños pobres», está hablando específicamente de…
   a. niños que no tienen acceso a las escuelas públicas.
   b. niños que viven por debajo del nivel de pobreza federal.
   c. niños de la calle.
   d. todos los niños.

2. ____ Para Marlén, el cambio clave para realizar (*achieve*) un mundo mejor es…
   a. acabar con todos los conflictos armados internacionales.
   b. sacar a los niños de la pobreza de manera que se puedan independizar como adultos.
   c. proveer la educación universal a todos los niños entre los cinco y dieciséis años de edad.
   d. darles de comer a todos los niños que viven en la calle.

3. ____ Para Javier si quieres tener voz,…
   a. debes protestar.
   b. no tienes el derecho de participar.
   c. tienes que hablar en voz alta.
   d. tienes la obligación de votar.

4. ____ Según Javier, si no vas a votar,…
   a. no puedes matricularte en los cursos universitarios.
   b. no tienes el derecho de protestar.
   c. no vas a tener éxito (*success*) profesional.
   d. no vas a ganar la elección.

5. ____ Para Enrique, el sueño (*dream, ideal*) es…
   a. un organismo internacional que defiende los derechos humanos.
   b. la vivienda asequible a todo el mundo.
   c. menos basura en las calles de las ciudades europeas.
   d. más gente tirada (*strewn about*) en las calles de las ciudades europeas.

6. _____ En Madrid, ¿cuántas personas están viviendo en la calle?
   a. 1.400
   b. 4.000
   c. 14.000
   d. 40.000

7. _____ Según Enrique, ¿qué tipo de persona está viviendo en la calle?
   a. gente de todos los estatus sociales
   b. gente con vivienda asequible
   c. gente con bajo nivel de educación
   d. gente pobre

8. _____ ¿Qué país **no** menciona Enrique?
   a. Francia
   b. Italia
   c. Portugal
   d. Bélgica

9. _____ Según Mariana, ¿qué es lo que genera la inseguridad?
   a. las elecciones
   b. el analfabetismo
   c. las leyes
   d. la pobreza

10. _____ Cuando Mariana dice «mejor educación», se refiere a programas que…
    a. animan a los niños a que sigan con sus estudios para tener mejores oportunidades.
    b. acaban con el narcotráfico.
    c. acaban con todos los conflictos armados internacionales.
    d. sacar los niños de la pobreza de manera que se puedan independizar como adultos.

Después de escuchar

PASO 1. Lee otra vez las declaraciones de **Antes de escuchar, Paso 2.** Luego, di si estás de acuerdo o no y por qué.

1. _____
2. _____
3. _____
4. _____

PASO 2. Busca a alguien que haya hecho cada una de las siguientes actividades. **¡Atención!** Para hacer las preguntas, tienes que cambiar los infinitivos al presente perfecto.

> **MODELO:** E1: ¿Le has dado dinero, comida o ropa a una persona viviendo en la calle?
> E2: Sí, una vez en Denver le di mi bufanda a una señora sin hogar. Hacía mucho frío y ella no tenía ni una chaqueta.

1. …llamar a un(a) representante del gobierno para hablar de un tema social que te importa mucho.
2. …organizar un grupo estudiantil o comunitario para mejorar la comunidad.
3. …participar en una manifestación para protestar por una injusticia.
4. …ganarte la vida (*to earn a living*) sin el apoyo (*support*) de tus padres.
5. …votar.
6. …formular un plan para lo que vas a hacer después de graduarte.
7. …votar en una elección de mitad de período (*midterm* [*not presidential*] *elections*).
8. …escribir una carta a un político / una política de Washington para protestar por algo.
9. …empezar a ahorrar dinero para tu jubilación (*retirement*).
10. …trabajar en un banco de alimentos (*food bank*) o participar un programa parecido (como, por ejemplo, Meals on Wheels).

PASO 3. Según los resultados del **Paso 2,** ¿quiénes son las personas más activistas de la clase? ¿Quiénes son las más independientes? Explica tus respuestas.

¡Escribamos!

Si tuviera un millón de dólares…

Al ganar la lotería se dice que es una bendición (*blessing*) y una maldición (*curse*). En esta actividad, vas a escribir sobre lo bueno y lo malo de tener mucho dinero, qué harías para ti y tu familia, tus amigos y tu comunidad, y qué responsabilidades o problemas tendrías a causa de haber ganado la lotería.

Antes de escribir

PASO 1.   ¿Qué harías si tuvieras un millón de dólares? ¿Qué problemas tendrías? Considerando las siguientes preguntas, crea una lluvia de ideas y luego pon las ideas en orden lógico.

Si tuvieras un millón de dólares, ¿qué harías para ti, tu familia y tus amigos? (viajaría a… , me compraría… , viviría en… , tendría… , no tendría…) ¿Qué harías para la comunidad? ¿Qué responsabilidades o problemas tendrías?

> **MODELO:**   viajaría mucho ___2___
>
> necesitaría ayuda para manejar (*manage*) todo mi dinero ___4___
>
> me compraría una casa en la playa de Costa Rica y otra casa para mi familia ___1___
>
> viviría en la playa durante tres meses del año y en mi yate (*yacht*) el resto del año ___3___
>
> ayudaría a los demás también ___6___
>
> empezaría una fundación para ayudar a los niños enfermos ___7___
>
> contrataría a un contador / una contadora (*accountant*) ___5___

A escribir

En un ensayo de cuatro párrafos, explica lo que harías con un millón de dólares. En el primer párrafo, di si crees que ganar la lotería sería una bendición o una maldición para ti y explica por qué. En el segundo párrafo, describe lo que harías para ti, tu familia y tus amigos si ganaras la lotería y explica por qué. En el tercer párrafo, habla de lo que harías para tu comunidad y explica por qué. Concluye con un párrafo sobre «las maldiciones» de tener tanto dinero, es decir, los nuevos problemas y responsabilidades que tendrías, y explica por qué. El primer párrafo debe incluir un breve resumen de lo que vas a decir en el resto de tu ensayo.

Después de escribir

Revisa tu ensayo. Luego, intercambia ensayos con un compañero / una compañera para evaluarlos. Lee el ensayo de tu compañero/a y determina si el ensayo tiene sentido. ¿Se ha desarrollado (*developed*) bien cada párrafo? Lee de nuevo el ensayo con cuidado para revisar los siguientes puntos.

☐ ¿Ha escrito tu compañero/a cuatro párrafos? (uno de introducción, uno sobre sobre sí mismo y sus seres queridos, uno sobre su comunidad y el último sobre las dificultades y obligaciones asociadas con ganar la lotería)

☐ ¿Siguen los párrafos el orden que nombró tu compañero/a en su introducción?

☐ Además de escribir una lista de lo que haría, ¿hay una explicación clara en cada párrafo?

☐ ¿Concuerdan los sujetos y los verbos?

☐ ¿Concuerdan los sustantivos y los adjetivos?

☐ ¿Ha usado bien el condicional?

☐ ¿Ha usado bien las cláusulas **si**?

Después de revisar el ensayo de tu compañero/a, devuélveselo. Mira tu propio ensayo para ver los cambios que tu compañero/a recomienda y haz las revisiones necesarias.

ESTRATEGIA

Flow

In a first draft, you will almost always write the ideas as they come to you, but that doesn't necessarily result in the most logical order. And sometimes you find that some back story is required to make sense of a particular action. It's important to edit your work so that if you say in your introduction you are going to talk about A, B, and C, you truly do write about those three things in that same order in the body of your writing. To help you do this, list all of your initial ideas first, then order them, and find the strongest, most logical flow. Eliminate anything that does not flow well.

¡Hablemos!

¿Crees que es buena idea o mala idea?

Antes de hablar

¿Crees que serían buena idea o mala idea los siguientes cambios en la política de tu universidad?

	BUENA IDEA	MALA IDEA
1. abolir (*abolish*) las notas (*grades*)	☐	☐
2. solo tener clases virtuales	☐	☐
3. requerir que los estudiantes que se especializan en idiomas estudien en el extranjero (*abroad*)	☐	☐
4. usar solo libros de texto electrónicos (en vez de impresos [*printed*])	☐	☐
5. tener el voluntariado (*volunteerism*) como requisito para la graduación	☐	☐
6. subir la matrícula para tener mejores profesores y programas	☐	☐
7. Otro: _____	☐	☐

 ## A hablar

En grupos de cuatro, escojan uno de los temas de **Antes de hablar** y hagan un debate. Dos estudiantes tienen que estar a favor del asunto y dos en contra de ello. Presenten el debate al resto de la clase.

MODELO: ¿Es buena idea abolir las notas?
E1: Creo que no, porque sin notas, los estudiantes no participarían en las clases.
E2: Yo creo que sí, porque así (*that way*) los estudiantes más interesados asistirían a las clases y la participación sería mayor.

Después de hablar

¿Quién crees que gana cada debate? Voten para saber quiénes son los ganadores de cada debate.

Conéctate a la música

Canción: «Volver a comenzar» (2007)
Artistas: Café Tacuba

Café Tacuba (o Café Tacvba) es una banda mexicana conocida por sus combinaciones muy creativas del rock con elementos de la música folclórica. Fue uno de los grupos más importantes del boom de rock alternativo en el mundo hispano en los años 90 y siguen teniendo un gran renombre internacional.

Los miembros de Café Tacuba

Antes de escuchar

En esta canción, hablan de los errores que cometemos (*we commit*) en la vida. En tu opinión, ¿cuál es el error más grande que muchos cometemos en la vida *como individuos*? ¿Cuál es el error más grande que hemos cometido *como sociedad*?

A escuchar

En la canción hay oraciones hipotéticas que usan cláusulas con **si**. Mientras escuchas, completa las oraciones a partir de lo que dice la canción. Puedes usar la lista de verbos si la necesitas. Luego, empareja cada cláusula con **si** con su consecuencia. **¡Atención!** Una de las cláusulas no tiene consecuencia.

hacer   pedir   sobrevivir (*to survive, outlive*)   tener   volver

SI…	CONSECUENCIA
1. Si _____ una lista de mis errores, ____	a. no _____ tiempo de reparar (*to make amends*).
2. Si _____ a comenzar (*to begin*), ____	b. _____ fuerzas (*ability*) para decir cuánto lo siento.
3. Si _____ un viaje a mis adentros (*insides*) y _____ a los lamentos (*laments*), ____	

Después de escuchar

¿Qué significan estas oraciones de la última parte de la canción? Empareja cada una con el significado más lógico. **¡Atención!** Hay cuatro opciones, pero solo se necesitan dos.

1. ____ «El agua derramada (*spilled*) está.»
2. ____ «La sed que siento me sanará.»

a. Ya no puedo tomar agua.
b. He cometido muchos errores.
c. Cuando tengo sed, no me siento enfermo.
d. Lamento esos errores y eso es bueno.

VOCABULARIO

Comunicación

Creo que...	I think . . .
dejarle saber	to let someone know
En mi opinión...	In my opinion . . .
Para mí...	For me (personally) . . .
¿Qué sé yo? / ¿Yo qué sé?	What do I know?, Beats me!
Que yo sepa...	That I know of . . . / As far as I know . . .
¿Quién sabe?	Who knows?
sin saber	without knowing/ realizing (by coincidence or by accident)
el/la sabelotodo	know-it-all
Ve tú / Vaya Ud. a saber.	Your guess is as good as mine

Los sustantivos

la alfabetización	literacy; teaching of literacy
el analfabetismo	illiteracy
la corrupción	corruption
el crimen	serious crime
la crisis económica	economic crisis
la demanda	demand
la democracia	democracy
el derecho humano	human right
el desarrollo	development
el desastre natural	natural disaster
el desempleo	unemployment
la (des)igualdad	(in)equality
la deuda externa	foreign debt
la dictadura	dictatorship
la discriminación	discrimination
la elección	election
la esclavitud infantil	child slavery
la frontera	border
la guerra	war
el hambre (f.)	hunger

el/la indígena	native (indigenous) person
la infraestructura	infrastructure
el inmigrante	immigrant
la inundación	flood
la libertad	freedom
el narcotráfico	drug trafficking
el nivel	level
la oferta	supply; offer
la organización sin fines de lucro	nonprofit organization
la paz	peace
el peligro	danger
la pobreza	poverty
el/la político/a	politician
el problema social	social problem
el proceso político	political process
el racismo	racismo
la seguridad	safety; security
la tiranía	tyranny
la violencia	violence

Los verbos

acabar con	to put an end to (a problem)
cambiar	to change
conseguir (i, i) (g)	to achieve, obtain
desarrollar	to develop
erradicar (qu)	to eradicate
mejorar	to improve
poner (irreg.) fin a	to put an end to
resolver (ue)	to resolve
votar	to vote

Los adjetivos

justo/a	fair
peligroso/a	dangerous

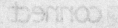

La amistad y el amor

VOCABULARIO

En La Paz, Bolivia, la familia de los novios los felicita después de la boda.

Objetivos

In this chapter you will learn how to:

- discuss your marital status
- express sympathy and regret
- talk about personal relationships
- discuss personal relationships in the Spanish-speaking world

In this chapter you will review how to:

- talk about activities you do
- talk about activities you used to do
- use pronouns to avoid repetition
- express things that you want to happen

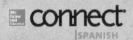

COMUNICACIÓN

¿Eres soltero/a? ¿Casado/a... ?

Describing your relationship status

▶ A. A ver: Los estados civiles

PASO 1. Mira y escucha, luego indica el estado civil de cada persona que habla.

1.   Gerardo, de España

☐ casado/a
☐ comprometido/a
☐ divorciado/a
☐ soltero/a
☐ viudo/a

3.   Jordi, de España

☐ casado/a
☐ comprometido/a
☐ divorciado/a
☐ soltero/a
☐ viudo/a

2.   Óscar, de Costa Rica

☐ casado/a
☐ comprometido/a
☐ divorciado/a
☐ soltero/a
☐ viudo/a

4.   Juan Andrés, de Costa Rica

☐ casado/a
☐ comprometido/a
☐ divorciado/a
☐ soltero/a
☐ viudo/a

PASO 2. Ahora con una pareja, contesten las preguntas.

1. ¿Qué significa **estado civil**? ¿A qué se refiere?
2. ¿Cuál es la diferencia entre **ser casado/a** y **estar en una relación**?
3. ¿Cuál es la diferencia entre **ser soltero/a** y **ser divorciado/a**?

To describe your relationship status, you can use the following expressions.

casado/a	married	**en una relación**	in a relationship
comprometido/a	engaged; committed	**soltero/a**	single
divorciado/a	divorced	**viudo/a**	widowed

B. El estado civil de las personas famosas

PASO 1. Apunta una lista de personas famosas y el estado civil de cada una.

PERSONA FAMOSA	ESTADO CIVIL
_____	_____
_____	_____
_____	_____
_____	_____

PASO 2. Formen grupos y hablen de los cambios en el estado civil de las personas famosas que apuntaron en el **Paso 1.**

MODELO: Arnold Schwarzenegger cambió su estado civil de casado a divorciado en 2011.
Dicen que había tenido relaciones extramaritales con otras mujeres.

Cuánto lo siento
Expressing sympathy and regret

To express sympathy for a loss, especially the death of a loved one, you can use these expressions.

Lo siento mucho. / Cuánto lo siento.	I'm very sorry.
Mi/Nuestro más sentido pésame.	My/Our deepest condolences.
Te/Le/Les doy/damos el pésame.	My/Our condolences.
Te/Lo/La/Los/Las acompaño en el sentimiento/dolor.	You're in my thoughts. / I'm with you in your time of pain.
Te/Lo/La/Los/Las acompañamos en el sentimiento/dolor.	You're in our thoughts. / We're with you in your time of pain.

A. ¿Celebración o sufrimiento?

PASO 1. ¿Con qué expresión asocias cada uno de los siguientes términos?

	¡FELICITACIONES!	LO SIENTO MUCHO.
1. la alegría	☐	☐
2. la angustia	☐	☐
3. la desesperación	☐	☐
4. la diversión	☐	☐
5. el dolor	☐	☐
6. la felicidad	☐	☐
7. la pena	☐	☐
8. la risa (*laughter*)	☐	☐
9. el sufrimiento	☐	☐
10. la tristeza	☐	☐

PASO 2. Primero, pon las siguientes circunstancias en orden de lo que sería la mejor (1) a la peor (5) para ti. Luego, indica una expresión apropiada para usar con una persona que se encuentra en esa circunstancia.

PON EN ORDEN	EXPRESIÓN APROPIADA
____ romper (*breaking up*) con el novio / la novia	_____
____ el nacimiento de un bebé	_____
____ la adquisición de un nuevo coche	_____
____ la muerte (*death*) de un pariente	_____
____ casarse con (*getting married to*) la pareja de tus sueños	_____

B. ¿Qué te pasa?   En parejas, imagínense que son dos viejos amigos (viejas amigas) que no se han visto desde hace mucho tiempo. Tienen que decirse qué les ha pasado en los últimos años —los mejores y peores momentos (pueden inventar momentos falsos también)— y reaccionar.

> **MODELO:**   E1: Mi abuela se murió en junio. Estaba muy enferma, así que no nos sorprendió su muerte, pero estamos muy tristes.
>
> E2: Te acompaño en el sentimiento.

CONÉCTATE AL MUNDO HISPANO

En los países donde se habla español, es casi un requisito (*requirement*) expresar **el pésame** a todos los miembros (incluso la pareja, los padres, los hijos y los hermanos) de una familia en la cual alguien se ha muerto. Si es posible, se debe ofrecer el pésame en persona, en un servicio religioso por la persona muerta o en una visita a la casa de la familia. Si no es posible ver a los familiares, una llamada telefónica o una tarjeta escrita a mano son aceptables. Incluso los jóvenes tienen la obligación de buscar la oportunidad de ofrecer el pésame.

Esa actitud representa un contraste con las costumbres estadounidenses. En los Estados Unidos, es más común evitar el tema de la muerte porque puede sentirse incómodo mencionar un tema que parece delicado. El escritor mexicano y ganador del Premio Nobel de Literatura, Octavio Paz, escribió sobre el contraste entre la perspectiva mexicana y la perspectiva estadounidense hacia la muerte en su obra *El laberinto de la soledad*. Paz asegura que las dos culturas se obsesionan con la muerte, pero se manifiesta de dos maneras muy distintas: en una cultura la muerte es una presencia constante y en otra se evita constantemente la realidad de la muerte.

VOCABULARIO

La amistad y el amor

Personal relationships

A. El amor en línea

PASO 1. Imagínate que has visitado un portal de citas por Internet en español. Contesta las siguientes preguntas que encuentras en el sitio.

1. **Estado civil**
    - ☐ **casado/a**
    - ☐ **comprometido/a**
    - ☐ **divorciado/a**
    - ☐ en una **relación**
    - ☐ **soltero/a**
    - ☐ **viudo/a**

2. La **pareja** ideal debe ser...
    - ☐ **abierta**
    - ☐ **cariñosa** (muestra afecto)
    - ☐ **celosa** (tiene envidia)
    - ☐ **comprensiva** (se comprenden / se entienden)
    - ☐ **tolerante**

3. La edad ideal para...
    - • un **noviazgo** (relación romántica) serio entre dos personas que pasan de ser amigos a ser **novios** es a los _____ años.
    - • **emanciparse** (**independizarse**) del **nido familiar** (es decir, de sus padres) y **responsabilizarse** es a los _____ años.
    - • el **matrimonio** (*marriage*) es a los _____ años.

4. En cuanto al acto de **enamorarse de** (*falling in love with*) otra persona, creo...
    - ☐ en el amor a primera vista.
    - ☐ que, después de muy poco tiempo, uno sabe si está **enamorado** de otra persona.
    - ☐ que el amor crece de una **amistad** (un período de ser amigos) larga.
    - ☐ que **casarse con** el el amor de su vida es la expresión mayor del **amor** (*love*).

5. La primera **cita** (*date*) debe ser...
    - ☐ una **cita a ciegas** (*blind date*).
    - ☐ después de salir varias veces con un grupo de amigos.
    - ☐ después de pasar tiempo como amigos.
    - ☐ en el momento en que se conocen.

6. ¿Cuánto tiempo debe pasar entre...
    - • **conocerse** por primera vez y decir esas palabras mágicas: «**te quiero**» o «**te amo**»? _____
    - • ser novios y **comprometerse** (hacer planes para hacerse esposos)? _____
    - • comprometerse y **casarse** (hacerse esposos)? _____

7. La **boda** ideal es...
    - ☐ grande, cara, en una iglesia y con más de cien personas invitadas.
    - ☐ pequeña, en una iglesia y con solo la familia y los amigos más íntimos.
    - ☐ los dos novios en un lugar exótico.
    - ☐ una boda civil (es decir, no religiosa y con poca ceremonia).

8. Si una persona **rompe con** su esposo/a y el matrimonio termine en **divorcio**...
    - ☐ uno de los esposos debe **mudarse** (irse) de la casa.
    - ☐ las dos personas deben seguir viviendo en el **hogar** familiar (la casa de la familia).
    - ☐ la persona que cuida más a los hijos debe **quedarse** en la casa.

(Continues)

En español…

La pareja is grammatically feminine, but it may refer to either a man or woman when used to mean *partner* and to two men, women, or a mixed couple when used to mean *couple*. The terms **novio** and **novia** can refer to a serious *boyfriend/girlfriend,* an engaged *fiancé/fiancée,* or even an about-to-be-married or recently married *groom/ bride*. In general it is easy to recognize the meaning of *groom/bride* because the context of a wedding is usually very clear.

PASO 2.   En grupos pequeños, túrnense para hacerse y contestar las preguntas del **Paso 1.** Expliquen sus respuestas.

> **MODELO:**   E1: Para ti, ¿cómo es una boda ideal?
> E2: Personalmente quiero una boda muy grande, con muchos familiares y todos mis amigos.
> E1: Yo prefiero algo más íntimo, con mi familia y mis amigos más íntimos.
> E3: No soy religioso/a, así que (*so*) no quiero casarme en la iglesia. Una ceremonia civil sería ideal para mí.

B. A ver: La pareja ideal   Mira y escucha las respuestas de otros miembros del sitio. Mientras miras, completa la información que falta.

PASO 1.   Para cada persona que habla, ¿cuál es la edad ideal para casarse?

1. Sabrina, de México

   Más de ____ años

2. Héctor, de México

   De ____ a ____ años

3. Noelia, de España

   De ____ a ____ años

4. Nadia Angélica, de México

   Más o menos a los ____ años

5. Olman, de Costa Rica

   Más de ____ años

6. María Luz, del Perú

   De ____ a ____ años

PASO 2.   Para cada persona que habla, ¿cómo es la pareja ideal? Marca todas las respuestas correctas.

1. Mirelle, de México

   ☐ Es cariñosa.
   ☐ Es comprensiva.
   ☐ No es celosa.
   ☐ Quiere a la otra persona.

4. Noelia, de España

   ☐ Es cariñosa.
   ☐ Es comprensiva.
   ☐ Quiere a otra persona.
   ☐ Se comunica bien.

2. Suny, de Panamá

   ☐ Es comprensiva.
   ☐ Es una persona abierta.
   ☐ No es celosa.
   ☐ Tiene buena comunicación.

5. Sabrina, de México

   ☐ Acepta a la otra persona.
   ☐ Es cariñosa.
   ☐ Es tolerante.
   ☐ Te deja ser independiente.

3. Víctor, de México

   ☐ Es una persona abierta.
   ☐ Hay respeto mutuo.
   ☐ Te deja ser independiente.
   ☐ Tiene buena relación.

6. Anlluly, de Costa Rica

   ☐ Es cariñosa.
   ☐ Es comprensiva.
   ☐ Es honrada.
   ☐ Es sincera.

C. El momento pefecto y la persona ideal

 PASO 1. En grupos de cuatro personas, entrevístense para saber sus ideas sobre casarse y la pareja ideal. Completa la tabla.

Nombre de mi compañero/a	¿Cuál es la edad ideal para casarse?	¿Cuál es su estado civil?	¿Cómo es la pareja ideal?

MODELO: E1: En tu opinión, ¿cuál es la edad ideal para casarse?
         E2: Yo creo que entre los 28 y 30 años sería ideal.

 PASO 2. Ahora, dividan su grupo en dos. Cada persona debe hablar con su compañero/a sobre sus opiniones de la pareja perfecta. (**¿Cuáles son sus pasatiempos? ¿Cómo es la personalidad? ¿Cómo es físicamente? ¿Cómo le trata a la pareja?**) ¿A quién conocen Uds. que sería una pareja buena (¡o perfecta!) para uno de los compañeros solteros que entrevistaron? (Si no conocen a nadie, piensen en una persona famosa o de ficción que sería ideal.)

En español...

There are many terms of endearment used throughout the Spanish-speaking world. Here are a few you might come across.

mi amor	my love
mi cariño / mi cari	my dear
cielo	(my) angel (*lit.,* heaven)
corazón	(my) love (*lit.,* heart)
gordito/a	honey (*lit.,* fatty)
mi media naranja	my better half (*lit.,* my half orange)
mi vida	my life
viejo/a	old man/woman

Some of these terms of endearment may seem negative, but they truly are used affectionately among couples in the Spanish-speaking world. While there can be some negative connotation to calling your spouse *old man* or *old lady* in English, this is not necessarily true for the Spanish **viejo/a.** Note also that these words are not necessarily descriptive: someone very thin might be called **gordito** by his partner, and a young woman might be called **vieja.**

458   **Capítulo 16**   La amistad y el amor

 ESTRUCTURA

Reciclaje

Review: The present indicative and the infinitive

Completa las conjugaciones del presente de indicativo de los siguientes verbos.

caminar	camino	caminas	camin___	caminamos	camin___	camin___
correr	corr___	corr___	corr___	corr___	corréis	corren
sal___	sal___	sales	sal___	salimos	sal___	sal___
volver	vuelvo	___es	___e	___emos	___éis	___en
ped___	___o	pides	___e	___imos	___ís	___en
pens___	___o	piensas	___a	___amos	___áis	___an
casarse	me caso	___ cas___	cas___	nos casamos	os casáis	___ cas___

■ Answers to this activity are in **Appendix 2** at the back of your book.

16.1   Los novios no quieren casarse en junio.

Review: The present indicative and the infinitive

Actividades prácticas

A. ¿Eres romántico/a o práctico/a?

PASO 1. Primero, completa las siguientes oraciones con la forma apropiada de los verbos entre paréntesis. Usa el presente de indicativo (la forma **tú** para la pregunta y la forma **yo** para las respuestas) o el infinitivo, como sea apropiado.

PREGUNTA

Cuando _____ (despertarse) en la mañana, ¿qué es lo primero que _____ (pensar)?

RESPUESTAS ROMÁNTICAS

a. _____ (Querer) mucho a mi novio/a.
b. _____ (Amar) mucho a mi esposo/a.
c. _____ (Necesitar) un novio / una novia.

RESPUESTAS PRÁCTICAS

d. _____ (Querer) _____ (ir) al baño.
e. _____ (Tener) hambre.
f. Esta noche _____ (ir) a _____ (acostarse) más temprano.

Ahora, contesta las preguntas.
¿Cuál es la mejor respuesta para ti? _____
¿Es una respuesta romántica o una práctica? _____

 PASO 2. En grupos, conversen sobre los primeros pensamientos de Uds. al despertarse. Comparen sus respuestas y escriban un resumen (*summary*) de lo que dicen. En general, ¿Uds. son románticos o son prácticos en sus pensamientos al comienzo del día? **¡Atención!** Acuérdate que si eres parte del grupo, usa la forma **nosotros/as**, pero si no eres parte del grupo, usa la forma **ellos/as.**

> **MODELO:** En general, somos prácticos. Tres de nosotros pensamos que tenemos hambre y solo uno piensa en cuánto ama a su novia.

B. ¿Un rechazo (*rejection*) **o no?** Cuando uno emprende (*initiates*) una amistad (¡o algo más!) con alguien, siempre existe la posibilidad de rechazo. En esta actividad, vas a ver algunas formas de empezar a hablar con alguien y algunas respuestas posibles.

PASO 1. Para cada pregunta o exclamación en la primera columna, escoge la mejor respuesta en la segunda columna y complétala con la forma más apropiada del verbo.

PREGUNTAS/EXCLAMACIONES

1. _____ ¿Quieres ir al cine?
2. _____ ¿Me das tu número de teléfono?
3. _____ ¿Dónde vives?
4. _____ ¿Qué vas a hacer este fin de semana?
5. _____ ¿Estás en mi clase de español?
6. _____ ¡Qué guapo eres!

RESPUESTAS

a. No sé. ¿_____ (Tener) planes tú?
b. No, no _____ (ser) estudiante. ¿Tú sí?
c. ¡Gracias! Mira, te _____ (presentar) a mi novia.
d. ¡Muy lejos de ti, _____ (esperar)!
e. Sí. Me _____ (encantar) ir al cine.
f. No. Lo _____ (sentir), pero no _____ (querer) que me llames.

PASO 2. ¿Cuáles son las respuestas en la segunda columna que se pueden considerar como rechazos?

C. A encontrar la pareja perfecta Lee los siguientes perfiles (*profiles*) de jóvenes españoles y latinoamericanos. ¿Quién sería buena pareja para quién? ¿Por qué?

MUJERES

**Andrea
España**
Estudia marketing.
«Me gusta estar con amigos, leer y practicar deporte. Practico gimnasia y pádel, que es un deporte muy parecido al tenis.»

**Ximena
Argentina**
Trabaja en una agencia de prensa y estudia.
«Me gusta mucho leer y en Buenos Aires hay mucha oferta cultural. Hay mucho cine, exposiciones, recitales... Me gusta mucho reunirme (*get together*) con amigos.»

**Laura
Colombia**
Estudia artes visuales.
«Pinto. Soy artista y me gusta pintar.»

**Nadia Angélica
México**
Estudia relaciones internacionales.
«Practico natación, salgo con mis amigos, voy al cine, leo, escucho música y voy a bailar.»

HOMBRES

**Adrián
España**
Estudia ciencias del deporte.
«Me gusta practicar deporte. Practico fútbol y tenis, pero no me gusta la natación. Me gusta ir al cine. Me gustan las comedias, el drama y las películas de terror.»

**Cristián
Argentina**
Trabaja como abogado.
«Me gusta jugar al tenis y me gusta salir y divertirme. Salgo con amigos a la noche y voy a cenar. Es buena vida.»

**Eduardo
México**
Estudia telecomunicaciones.
«Estudio japonés como hobby porque me gusta la cultura japonesa. Soy patinador (*skater*) sobre hielo. Me gustan los tangos y la música electrónica.»

**Jahyr
Panamá**
Estudia.
«Juego fútbol y me gusta ver fútbol y béisbol en la televisión. También voy al gimnasio. De música me gusta la salsa y también el merengue y el reggae.»

D. Lo mejor y lo peor Basándote en los ejemplos en la **Actividad C,** crea los siguientes perfiles.

■ un perfil del hombre perfecto / la mujer perfecta
■ un perfil de un hombre / una mujer horrible

⟳ Reciclaje

Review: The preterite and imperfect together

PASO 1. Completa las conjugaciones del pretérito de los siguientes verbos.

hablar	hablé	hablaste	habl___	hablamos	hablasteis	habl___
aprender	aprend___	aprendiste	aprendió	aprend___	aprendisteis	aprend___
hacer	hic___	hiciste	___o	hic___	hic___	hic___
ir:	___	fuiste			fuisteis	
llegar:	lleg___	lleg___	llegó	lleg___	lleg___	llegaron
decir:	dije	dij___	dijo	dij___	dijisteis	dij___
tener:	___e	___iste	___o	tuv___	tuv___	tuv___
dormir:	___í	___iste	___ó	dorm___	dorm___	durm___

PASO 2. Ahora completa las conjugaciones del imperfecto de los siguientes verbos.

amar	am___	amabas	am___	amábamos	amabais	am___
comer	comía	com___	com___	com___	com___	com___
ir:	iba	ib___	ib___	íb___	ib___	ib___
ser:	er___	eras	er___	ér___	erais	er___
salir:	sal___	salías	sal___	sal___	sal___	sali___

■ Answers to this activity are in **Appendix 2** at the back of your book.

16.2 Cuando llegaron a la iglesia, los invitados ya los esperaban.

Review: The preterite and imperfect together

Actividades prácticas

A. ¿Te acuerdas?

Se conocieron en la secundaria.

PASO 1. Dos amigas están hablando de cómo se conocieron por primera vez. Primero empareja lo que dice **Amiga 1** con la respuesta de **Amiga 2**. Luego completa las oraciones con el verbo entre paréntesis en *el pretérito.*

AMIGA 1

1. _____ ¿En qué clase te _____ (conocer)?
2. _____ Sí, claro. Y te _____ (preguntar) sobre la tarea, ¿no?
3. _____ ¡Y me _____ (decir) que no! ¿Te acuerdas tú?
4. _____ Sí, la recuerdo bien. Pero luego, Uds. _____ (hablar).
5. _____ ¡Ja, ja, ja, qué chistoso (*funny*)! ¿Por qué _____ (pensar) que yo era buena persona?
6. _____ ¿Con solo una sonrisa (*smile*)? Y entonces, ¿_____ (seguir) con nuestra conversación?
7. _____ ¿Y luego? Te _____ (invitar) a comer con mis amigos, ¿no?
8. _____ ¿Y qué _____ (comer) tú? Seguramente no te acuerdas.

AMIGA 2

a. Sí, y _____ que parecías una buena persona.
b. Claro. Es que _____ (hacer) la tarea con otra amiga y ella me estaba mirando.
c. Lo recuerdas bien. _____ (Ir) con Uds. a un restaurante.
d. Nosotras _____ (conocerse) en la clase de biología. ¿Te acuerdas?
e. No es cierto. Me acuerdo perfectamente: _____ (Pedir) las enchiladas verdes.
f. Pues, te _____ (dar) la tarea y me lo _____ (agradecer).
g. No sé. Creo que porque nos _____ (sonreír).
h. Sí, me _____ (pedir) permitirte ver mi tarea de la noche anterior.

PASO 2. Explícale a un compañero o una compañera cómo conociste por primera vez a una persona importante en tu vida. Tu compañero/a debe hacerte preguntas para sacarte más detalles.

MODELO: E1: Cuando conocí por primera vez a mi entrenador (*coach*) de fútbol, me cayó mal. Ahora es una de las personas más importantes de mi vida.

E2: ¿Por qué te cayó mal? ¿Te acuerdas? ¿Te dijo algo?

E1: Al contrario. No me dijo nada por dos meses. Pero luego me dijo que quería observarme primero.

B. El matrimonio en la civilización inca

PASO 1.   Los incas eran una de las grandes civilizaciones en América en la época prehispánica. Sus tradiciones del matrimonio eran parecidas a las europeas, pero no en todos los aspectos. Completa cada oración con el verbo entre paréntesis, conjugándolo en el imperfecto. Luego, decide si cada oración es cierta o falsa para los incas en los tiempos prehispánicos.

¿Cierto o falso?

_____ 1. En general, los jóvenes _____ (casarse) cuando _____ (tener) dieciséis años.

_____ 2. Antes de casarse formalmente, _____ (vivir) juntos para ver si _____ (ser) compatibles.

_____ 3. Los padres del novio _____ (arreglar) el matrimonio con los padres de la novia.

_____ 4. Una vez al año, el gobierno _____ (hacer) una boda en cada pueblo para todos los que _____ (querer) casarse.

_____ 5. Todos _____ (ir) a la iglesia católica del pueblo para asistir a la boda.

_____ 6. La novia _____ (vestirse) de blanco.

_____ 7. Después de la boda oficial, cada familia _____ (hacer) su propia ceremonia en casa.

_____ 8. Durante la boda, el novio _____ (tener) que bailar un vals con la novia.

PASO 2.   Ahora, en grupos de tres, creen tres oraciones, dos ciertas y una falsa, sobre el matrimonio en tiempos de sus abuelos. Luego, lean sus oraciones a otro grupo para ver si ellos pueden decir cuál es la oración falsa.

C. Oraciones sobre el amor

PASO 1.   Completa cada oración con el verbo en el pretérito (1–4) o en el imperfecto (5–8).

Pretérito	Imperfecto
1. «Gerardo y Luz _____ ese día.» (conocerse)	5. «Gerardo y Luz ya _____ (conocerse).»
2. «Gerardo _____ (estar) en Las Vegas el 21 de abril.»	6. «Luz ya _____ (estar) en Las Vegas el 21 de abril.»
3. Gerardo dice: «Cuando éramos estudiantes, yo _____ (enamorarse) de ti, y tú _____ (enamorarse) de mí después.»	7. Luz dice: «Cuando éramos estudiantes, yo _____ (enamorarse) de ti y tú _____ (enamorarse) de mí.»
4. «Ayer _____ (casarse) Luz y Gerardo.»	8. «Ayer _____ (casarse) Luz y Gerardo.»

Se conocen.

Se enamoran.

Se casan.

PASO 2.   Ahora empareja cada oración de arriba (1–8) con la situación más lógica.

SITUACIÓN

_____ a. octubre 2013

_____ b. el 14 de septiembre, 2013: se hablan por primera vez en la clase de biología

_____ c. en Las Vegas: 20, 21, 22, 23 de abril

_____ d. en Las Vegas: 21 de abril

_____ e. el amor: primero Gerardo y luego Luz

_____ f. el amor: Gerardo y Luz, poco a poco y al mismo tiempo

_____ g. Hoy están casados.

_____ h. Hoy no sabemos si están casados o no.

462   **Capítulo 16**   La amistad y el amor

D. La pareja Perón

PASO 1.   Eva y Juan Perón son, sin duda, la pareja política más conocida en toda la historia de Latinoamérica. Se hicieron aún más famosos por la obra de teatro y la película *Evita*. Completa las siguientes oraciones sobre ellos. **¡Atención!** Todas las oraciones están en el pasado, pero tienes que escoger entre el imperfecto y el pretérito.

Juan y Eva Perón

1. Juan _____ (entrar) al Colegio Militar en 1910, cuando Eva no _____ (vivir) todavía.
2. Eva _____ (nacer) en 1919 en una zona rural, cuando Juan ya _____ (ser) militar (*soldier*).
3. Eva _____ (irse) a Buenos Aires en 1935 para trabajar como actriz, pero ella y Juan no _____ (conocerse) todavía. _____ (Conocerse) por primera vez en un concierto organizado por Juan en 1944.
4. Un poco después, Juan _____ (hacerse) vicepresidente, cuando _____ (tener) 48 años.
5. Eva y Juan _____ (casarse) en 1945 y al año siguiente, Juan _____ (hacerse) presidente de Argentina.
6. Eva _____ (empezar) a hacerse muy famosa a nivel mundial por sus discursos (*speeches*) de un gran impacto emocional.
7. Eva _____ (morirse) en 1952 cuando apenas (*barely*) _____ (tener) 32 años.
8. Juan _____ (seguir) como presidente hasta 1955 y después _____ (vivir) muchos años en el exilio.
9. Juan _____ (regresar) a Argentina en 1973 para asumir la presidencia de nuevo. _____ (morirse) en 1974.

PASO 2.   En parejas, hagan una cronología (o «línea de tiempo») de las vidas de Eva y Juan Perón basada en la información en el **Paso 1.** Empiecen en 1910 y terminen en 1974. En un lado de la línea, apunten cada evento o período de la vida de Eva, y en el otro lado, cada evento o período de la vida de Juan.

PASO 3.   Crea una cronología sobre tu propia vida con un mínimo de seis eventos o períodos, y explícasela a tu compañero / compañera. ¡Empieza con el evento más importante: «Nací»!

E. ¡Un desastre!   Cuando uno trata de empezar una relación amorosa con otra persona, las cosas no siempre van muy bien. Usa tu imaginación para terminar la siguiente historia, creando cuatro incidentes desastrosos (*disastrous*) en una noche que iba a ser muy romántica. Para cada incidente, escribe lo que **pasaba** en ese momento y lo que **pasó.**

Salimos a cenar y luego...

¿QUÉ PASABA?	¿QUÉ PASÓ?
1. _____	_____
2. _____	_____
3. _____	_____
4. _____	_____

F. ¿Cómo se conocieron tus padres?   ¿Sabes cómo se conocieron tus padres? Cuéntale la historia a un compañero / una compañera e indiquen juntos si eso sería común hoy en día o no y por qué.

MODELO: Mi papá vivía en Fullerton, California. Mi mamá fue a un baile allí con su prima, y allí se conocieron. Eso ya no es muy común ahora, porque ahora nadie va a bailes.

Estructura   463

G. Cultura: El matrimonio entre personas del mismo sexo en España

PASO 1.   Lee el texto sobre España.

España

El 3 de julio de 2005, España legalizó el matrimonio entre personas del mismo sexo (es decir, entre dos hombres o dos mujeres). Fue el tercer país del mundo en aprobar una ley[a] similar —después de los Países Bajos (Holanda) y Bélgica[b]— y el primer país en el mundo hispano. El proyecto de ley[c] fue apoyado[d] por el entonces presidente del gobierno, José Luis Rodríguez Zapatero, cumpliendo con[e] una promesa que había hecho durante su campaña electoral. El resultado final fue una reforma al Código Civil: la nueva versión declara que «El matrimonio tendrá los mismos requisitos y efectos cuando ambos contrayentes[f] sean del mismo o de diferente sexo».

Según las encuestas de 2004, un 66 por ciento de los españoles estaban a favor del matrimonio entre homosexuales. Sin embargo, la nueva ley no tenía el apoyo de los grupos más conservadores. El Partido Popular, que tenía la mayoría de los votos en el Senado, argumentó que la homosexualidad era una patología y que tendría un efecto negativo sobre los hijos de una pareja. Sin embargo, esos argumentos se rechazaron[g] y a pesar del veto del Senado, la ley sí fue aprobada por el Congreso, el presidente del gobierno y el rey Juan Carlos I.

Después de que la ley se ratificó, quedaban dos temas importantes por resolver. Uno era si en los matrimonios entre personas del mismo sexo la ley le daría residencia legal en España a un extranjero o una extranjera que se casara con un ciudadano español, incluso si viniera de un país donde el matrimonio homosexual todavía no era legal. Se determinó que sí, que los derechos de esa pareja, incluso la residencia de la persona extranjera, serían reconocidos dentro de España aunque el matrimonio no fuera legal en otros contextos. El otro asunto era «la adopción homoparental». Según la ley, si una pareja lesbiana tuviera un hijo o una hija, la madre no biológica tendría que hacer todos los trámites[h] formales de adopción para ser reconocida legalmente como la madre. Eso no era el caso entre las parejas heterosexuales: si una mujer con hijos se casara con un hombre, el padrastro se reconocería automáticamente como el padre legal de los hijos. Esta desigualdad se resolvió modificando la ley sobre la reproducción asistida, aplicando los mismos derechos legales a las familias homoparentales que tenían ya las familias heteroparentales.

[a]*law* [b]*Belgium* [c]*proyecto... bill* [d]*supported* [e]*cumpliendo... keeping* [f]*parties* [g]*se... were rejected* [h]*paperwork, legal processes*

PASO 2.   Completa las oraciones con la forma apropiada del pretérito o imperfecto del verbo más lógico de la lista. **¡Atención!** No repitas ninguna palabra.

apoyar	dar	existir	legalizar	querer	ser
causar	declarar	hacer	presentar	reformar	

1. Cuando España _____ el matrimonio entre personas del mismo sexo, ya _____ legal en los Países Bajos (Holanda) y Bélgica.
2. José Luis Rodríguez Zapatero _____ cumplir con una promesa que _____ durante su campaña electoral.
3. El Congreso _____ una ley que ya _____ en el Código Civil.
4. Muchos españoles ya _____ el matrimonio entre homosexuales cuando el presidente del gobierno _____ el proyecto de ley al Senado y el Congreso.
5. El Partido Popular _____ que las relaciones homoparentales _____ daño (*harm*) a los hijos.
6. La ley les _____ residencia legal y otros derechos a parejas de países que no habían legalizado el matrimonio homosexual.

PASO 3.   En parejas, contesten las preguntas y explíquense las respuestas.

1. España y el resto del mundo hispano tienen una larga tradición católica, pero en general, hay una separación muy clara entre la religión y la política. ¿Piensas que eso tiene algo que ver (*something to do*) con el hecho de que algunos de estos países (Argentina, España, México, Uruguay) fueron de los primeros en el mundo en legalizar el matrimonio entre personas del mismo sexo?
2. Los cuatro países mencionados, en comparación al resto del mundo hispano, tienen un nivel de desarrollo y un nivel de educación relativamente altos. ¿Piensas que eso también tiene algo que ver?
3. En tu país, ¿la religión tiene mucha o poca influencia en la política? ¿Esto ha tenido un efecto en el debate sobre el matrimonio entre personas del mismo sexo?

Reciclaje
Review: Object pronouns

Empareja el término con la descripción. Luego, completa cada oración con el pronombre de objeto directo (**lo, la** o **los**) o de objeto indirecto (**te, le**). La primera ya se ha hecho.

1. __b__ la pareja perfecta
2. ____ tu amigo / amiga
3. ____ el amor
4. ____ el estado civil
5. ____ tu esposo / esposa
6. ____ el novio y la novia

a. ____ regalas algo cuando tienen un aniversario de boda.
b. Muchos *la* buscan, pero no todos *la* encuentran.
c. ____ habla con frecuencia para ver cómo estás.
d. ____ puedes ver en una boda. Son el centro de la atención.
e. Los casados a veces tienen que trabajar para mantener____ en su matrimonio.
f. ____ tienes que indicar en muchos formularios oficiales.

■ Answers to this activity are in **Appendix 2** at the back of your book.

16.3   Le pidió un divorcio porque ya no lo amaba.
Review: Object pronouns
Actividades prácticas

A. Preguntas y respuestas   Vas a escuchar seis preguntas. Escoge la mejor respuesta para cada una.

1. ____   2. ____   3. ____   4. ____   5. ____   6. ____

a. Los conocí en una fiesta en tu casa el año pasado.
b. Lo vi en el parque con su hermana.
c. Les hablo por teléfono de vez en cuando y nos mandamos mensajes por Facebook.
d. La queremos tener en Acapulco, pero no sé si podemos ahorrar el dinero.
e. Le dieron un trabajo muy bueno en el banco.
f. Nunca la he visto. ¿Existe o es una fantasía tuya (*of yours*)?

■ The audio files for in-text listening activities are available in the eBook, within Connect Plus activities, and on the Online Learning Center.

B. Un gran problema

PASO 1.   Lee esta carta que explica un problema. Luego, completa las posibles soluciones al problema con un pronombre de la lista. **¡Atención!** Algunos pronombres se usan más de una vez.

Para: doctor@amor.com
De: Anónima
Asunto: Dudas

Doctor Amor:

Tengo un gran problema. Ya no quiero seguir con mi novio, pero no sé cómo romper la relación. Lo quería mucho y me parecía muy guapo, pero no sé qué pasó. Últimamente no lo aguanto (*I can't stand him*) y además, ahora me parece muy feo. Me sigue mandando mensajes constantemente, siempre quiere estar conmigo y les cuenta a sus amigos que está locamente enamorado de mí, pero la verdad es que ya no lo quiero en mi vida. ¿Qué hago? No es malo y no quiero lastimarlo (*hurt him*). En el archivo adjunto (*attached*), puse una lista de ideas.

—Anónima

Pronombres preposicionales: él   ella
Pronombres de objeto directo e indirecto: le   lo   me

POSIBLES SOLUCIONES:

1. Decir___ que sólo quiero ser su amiga.
2. Decir___ que ___ odio y que ya no ___ quiero ver.
3. Decir___ que ___ siento mucho, que es muy buena persona, pero ___ parece mejor si terminamos nuestra relación.
4. Ya no hablar___.
5. Invitar___ a un restaurante muy caro, cenar allí con ___, decir___ que voy al baño y luego desaparecer.
6. Presentar___ a una amiga y esperar que él se enamore de ___.
7. Decir___ que siempre ___ voy a querer mucho, pero que quiero estar sola por un tiempo.
8. Empezar a vestir___ muy mal, para que piense que soy muy fea y que ___ deje.
9. Presentar___ a una amiga y decir___ que ___ es mi novia y que ya no ___ interesan los hombres.
10. Dar___ buenísimas recomendaciones como novio en el Internet para que ___ busquen otras mujeres para salir con ___.

PASO 2. En grupos, decidan cuál es la mejor solución de todas y cuál es la peor.

La mejor solución es el número: _____

La peor solución es el número: _____

PASO 3. Basándose en la mejor solución que escogieron en el **Paso 2**, escriban lo que «Anónima» debería decir **literalmente** cuando hable con el novio.

C. Los muxes de Oaxaca

PASO 1. En el estado de Oaxaca en México, la cultura indígena de los zapotecos es muy fuerte. En esa cultura, existe la tradición del muxe (se pronuncia *MU she*), un hombre que en muchos aspectos lleva la vida de una mujer. Completa las siguientes oraciones sobre los muxes, utilizando un pronombre de objeto (**lo, los, le** o **les**) o un pronombre reflexivo (**se**). Luego, indica cuál de las siguientes oraciones es falsa.

1. En general, a los muxes _____ tratan con respeto en las comunidades zapotecas.
2. A muchos padres _____ gusta tener un hijo muxe porque los hijos muxes no _____ abandonan en tiempos difíciles.
3. Tienen una competencia de muxes cada año y al más bonito _____ dan un premio.
4. Muchos muxes _____ visten de mujeres, pero algunos _____ visten de hombres.
5. A un muxe _____ escogieron como presidente del país en 2008.
6. A muchos niños _____ dan la opción de ser muxe cuando entran a la adolescencia.
7. Mucha gente _____ considera dotados (*gifted*) de un talento artístico especial.
8. En las comunidades zapotecas, _____ puedes ver de vez en cuando vendiendo en el mercado, haciendo artesanía o en otros trabajos tradicionales de mujeres.

PASO 2. Si pudieras hablar con un muxe, ¿qué le preguntarías? En parejas, creen tres preguntas para ellos.

MODELO: ¿Uds. se casan?
¿Cómo los tratan los demás?

D. Cómo pueden cuidarse bien el uno al otro   Si uno ama a su pareja y quiere cuidarla bien (mental, física y emocionalmente), ¿qué debe hacer? En grupos pequeños, creen una lista de por lo menos cinco ideas de cómo podrían cuidar a sus parejas y cómo ellos/ellas pueden cuidarlos a Uds. **¡Atención!** Escriban sus ideas en forma del infinitivo.

MODELO: Ayudarlo con la tarea.
Prepararle comida.

E. La amistad

PASO 1. ¿Qué hace un buen amigo / una buena amiga? En grupos, creen una lista, basada en su experiencia, de las cosas que hacen los amigos / las amigas de verdad (*true*).

MODELO: Los amigos te piden ayuda cuando tienen problemas.

PASO 2. ¿Son iguales las amistades entre los hombres y las amistades entre las mujeres? Creen una lista de algunas diferencias que Uds. han visto entre los hombres y las mujeres en cuanto a (*concerning*) la amistad.

MODELO: Una mujer les pide ayuda mucho a sus amigas. Un hombre no les pide ayuda tanto a sus amigos.

PASO 3. Si encontraron diferencias entre los hombres y las mujeres en el **Paso 2**, ¿piensan que esas diferencias son comunes en todas las culturas?

⟳ Reciclaje

Review: The present subjunctive

Completa las conjugaciones del presente de subjuntivo de los siguientes verbos.

amar:	ame	am___	am___	amemos	am___	am___
hac___:	hag___	hagas	hag___	hagamos	hag___	hag___
casarse:	me case	___ cas___	___ cas___	nos casemos	os caséis	___ cas___
ser:	___a	se___		se___	___áis	se___
volver:	vuelva	_____as	_____a	_____amos	_____áis	_____an
tener:	tenga	teng___	_____a	teng___	_____áis	teng___

■ Answers to this activity are in **Appendix 2** at the back of your book.

16.4   Espero que rompa con su novio antes de que se enamore de él.

Review: The present subjunctive

Actividades prácticas

A. Una telenovela   Las telenovelas son programas de televisión muy populares en Latino-américa y otras partes del mundo. Se trata de una historia de amor, presentada de una forma sentimental y melodramática.

PASO 1.   Lee la siguiente versión muy exagerada de cómo hablan en las telenovelas. Usa los verbos de la lista para completar las oraciones. El primero ya está hecho. **¡Atención!** Algunos verbos están en el indicativo y otros en el subjuntivo.

eres (2x)	se casa (2x)	sea (3x)	te cases
haya	se case	seas	te vayas

MUJER: ¡Quiero que <u>te cases</u> conmigo! ¡Quiero que _____¹ mi esposo!

HOMBRE: ¿Estás loca? No quiero casarme contigo, porque _____² muy fea.

MUJER: Es posible que yo _____³ un poco fea, pero ¡tú eres peor! No creo que _____⁴ otro hombre más feo en todo el mundo.

HOMBRE: ¿Pero no entiendes? Me voy a casar con Angélica Antonieta. ¡Necesito que tú _____⁵ de mi vida!

MUJER: No pienso que Angélica Antonieta _____⁶ tan tonta. Ella dice que _____⁷ contigo solo para que la dejes en paz.

HOMBRE: ¡No es cierto! Ella me quiere mucho y hace todo para que yo _____⁸ feliz. Si yo le digo a ella que _____⁹ conmigo, entonces _____¹⁰ conmigo.

MUJER: ¡Qué idiota _____¹¹!

PASO 2.   En parejas, escriban un diálogo de telenovela usando el **Paso 1** como modelo.

CONÉCTATE AL MUNDO HISPANO

En muchos países latinoamericanos, la industria televisora es un sector importante de la economía, gracias en parte al enorme éxito internacional de **las telenovelas.** En su temática (*topics*), las telenovelas son parecidas a los «soap operas» de los Estados Unidos, pero en otros aspectos, son parecidas a programas dramáticos, como *Game of Thrones* o *Downton Abbey*. En general, los programas se transmiten (*are broadcast*) por la noche y muchas veces tienen actores muy reconocidos. Atraen (*They attract*) a un público de hombres y mujeres de todas las edades y de todas las clases sociales. A veces parece que el país entero se detiene (*stops*) a la hora indicada para ver su «novela» favorita.

Los países que producen más telenovelas son Argentina, Brasil (en portugués, pero dobladas al español para exportar), Chile, Colombia, México y Venezuela. Pasan los programas no solo en Latinoamérica y España, sino también en otros países de Europa, en Asia y en el Medio Oriente (*Middle East*), con subtítulos, doblados, o hasta con otro equipo de actores. Dos de las telenovelas más famosas internacionalmente son *Los ricos también lloran,* una telenovela mexicana de 1979, y *Yo soy Betty, la fea,* una telenovela colombiana de 1999 a 2001. Esta última fue presentada en su versión original en más de treinta países e hicieron más de veinte versiones con nuevos actores para otros países. La versión norteamericana se llama *Ugly Betty* y estuvo en el aire de 2006 a 2010.

B. William Levy

PASO 1. William Levy es un actor y modelo cubano que inmigró a los Estados Unidos a los 15 años. Durante muchos años, fue uno de los galanes (*leading men*) más conocidos de las telenovelas, sobre todo de las telenovelas mexicanas. Aquí hay unas afirmaciones (*statements*) sobre él que pueden ser ciertas o falsas. Escribe cada afirmación en la categoría correcta para completar la oración. **¡Atención!** En dos de las categorías, tienes que cambiar al subjuntivo el verbo de la afirmación.

William Levy, actor cubano.

AFIRMACIONES

Es originario de Cuba.

Tiene problemas para conseguir una novia.

Vive en los Estados Unidos.

Habla bien el inglés y el español.

La mayoría de la gente lo considera muy feo.

Pasa mucho tiempo en diferentes países de Latinoamérica.

Hace mucho ejercicio todos los días.

Es un gran ídolo de las telenovelas.

Se ve (*He looks*) mal sin camisa.

ES VERDAD QUE...	ES POSIBLE QUE...	NO CREO QUE...
_____	_____	_____
_____	_____	_____
_____	_____	_____

PASO 2. Crea una o dos oraciones más sobre Levy para cada una de las categorías. Luego, en grupos pequeños, compartan sus oraciones para ver quién está de acuerdo.

C. La Malinche y Hernán Cortés

La mujer indígena conocida como «Malintzín» o «La Malinche» fue intérprete (*interpreter*) y consejera (*advisor*) diplomática entre los españoles y los aztecas en los tiempos de la conquista de México. Su relación de amor con el conquistador español Hernán Cortés es muy conocida. Completa las siguientes oraciones con la forma apropiada del presente de indicativo o subjuntivo del verbo entre paréntesis. Luego, escribe **M** si la persona que está hablando es La Malinche y **C** si es Cortés. Escribe **M/C** si los dos podrían haber dicho (*could have said*) la oración.

¿M, C o M/C?

1. _____ «Yo nací en España. Hablo español, pero no hablo ninguna lengua indígena de México. Quiero que La Malinche _____ (trabajar) como mi intérprete.»

2. _____ «Yo nací en la frontera (*border*) entre el Imperio azteca y los estados mayas, y por eso hablo náhuatl (la lengua de los aztecas) y maya. Estoy aprendiendo rápidamente el español, porque es necesario que lo _____ (hablar) bien.»

3. _____ «La Malinche y yo vamos a tener un hijo. Quiero que _____ (llamarse) Martín.»

4. _____ «El hijo que tuve con Cortés ya nació. Dicen que _____ (ser) el primer mestizo (*person of mixed race*) de México.»

5. _____ «Ahora me quiero casar con una española. Le voy a decir a La Malinche que _____ (irse).»

6. _____ «Ahora estoy casada con un noble español. No creo que Cortés y yo _____ (volver) a vernos nunca.»

7. _____ «Ahora estoy casado con una española y tengo seis hijos con ella. Creo que ellos _____ (ir) a estar bien, porque les _____ (ir) a dejar mucho dinero en mi testamento para que _____ (tener) todo lo que necesitan.»

8. _____ «Espero que la historia me _____ (tratar [*to treat*]) bien.»

D. ¿Cómo consigues novio/a?

PASO 1. ¿Qué le recomiendas a un amigo / una amiga que quiere conseguir novio/a? Responde con por lo menos tres ideas.

> **MODELO:** Yo te recomiendo que seas simpático/a, que te vistas siempre bien y que te bañes cada día.

PASO 2. Pregúntales a tres compañeros qué recomiendan ellos que uno haga para conseguir novio/a. Apunta las respuestas.

> **MODELO:** ¿Qué recomiendas que uno haga para conseguir novio o novia?

¡Leamos!

Los jóvenes retrasan° su emancipación   *delay*

Antes de leer

El siguiente artículo informa sobre un estudio europeo sobre una tendencia de los jóvenes, pero se concentra en Vitoria, una ciudad en el norte de España, como su punto de referencia.

PASO 1. Lee el titular (*headline*) del artículo y escoge la mejor respuesta para cada una de las siguientes preguntas.

1. Los jóvenes no se mudan de (*move out of*) la casa de los padres hasta…
   a. casarse.   b. empezar sus estudios universitarios.   c. tener 25 años.

2. La edad promedio (*average*) para casarse es:
   a. 25 años.   b. 30 años.   c. 32 años.

PASO 2. Ahora, lee el primer subtítulo y escoge los tres factores de la lista que, según el subtítulo, influyen en la decisión de los jóvenes de emanciparse más tarde.

☐ Es más cómodo vivir con los padres que independizarse.
☐ La familia se siente responsable de sus hijos.
☐ Los estudiantes universitarios europeos prefieren vivir con sus padres.
☐ Los precios de los pisos son muy altos.
☐ No hay muchas casas en Vitoria.

A leer

PASO 1. Lee el artículo del *Diario de Noticias de Álava*.

Los jóvenes retrasan su emancipación hasta la fecha de la boda, en el umbral[a] de los treinta

LA FAMILIA, LA ESCASEZ[b] DE PISOS DE RENTA BAJA Y LA **COMODIDAD** INFLUYEN EN ESTA DECISIÓN

Anglosajones y escandinavos se mudan antes para vivir solos, pero no ocurre lo mismo en los países de tradición católica

R. Ruiz De Gauna
Diario de Noticias de Álava

1 VITORIA. De casa de los padres al hogar conyugal. A diferencia de lo que pudiera parecer,[c] la frase sigue siendo válida. Y es que, a la hora de independizarse, Europa también camina a dos velocidades. Mientras los jóvenes británicos, daneses, suecos o alemanes se mudan de casa a los 25 años, como solteros, para vivir solos, los vascos,

españoles, irlandeses e italianos se resisten a abandonar el nido familiar hasta fijar[d] la fecha de la boda. El matrimonio y la emancipación suelen[e] coincidir en el umbral de los 30.

2 ¿Por qué esas diferencias entre el norte y el sur de Europa? Básicamente son factores culturales, económicos e incluso institucionales los que condicionan la emancipación al matrimonio y hacen que esta se retrase, sin olvidar que por detrás de todos ellos subyacen[f] las raíces[g] del catolicismo.

3 En los países anglosajones y escandinavos, el Estado ejerce un papel activo y directo para garantizar el bienestar de sus ciudadanos. Rol que en los territorios de tradición católica asume la familia, entendiendo que son los padres los responsables del bienestar de sus hijos.

4 La otra cuerda que ata[h] a padres e hijos es la que se deriva del desempleo, la precariedad laboral y los bajos salarios —variables que se han acentuado con la crisis.

[a]*threshold* [b]*lack* [c]*pudiera… might seem* [d]*set* [e]*tend to* [f]*underlie* [g]*roots* [h]*ata… ties*

5 Tras varios años en el mercado de trabajo, alaveses[i] y vascos,[j] en general, logran un empleo estable y mejor remunerado. Ha llegado la hora de mudarse a una vivienda propia y entonces se topan con[k] la cruda realidad: apenas[l] hay alquileres de renta baja y el precio de los pisos en propiedad es prohibitivo para afrontarlo con un único salario. Vitoria se mantiene entre las cinco ciudades con pisos libres más caros y casas de segunda mano que intentan venderse por encima de su valor real. ¿Solución? Casarse, y así poder sumar dos sueldos para afrontar la hipoteca.[m]

[i]*people from the city of Álava (located in the Basque Country)* [j]*Basques (people from the Basque Country)* [k]*topan... to bump into* [l]*barely* [m]*mortgage*

PASO 2.   Indica si cada elemento se refiere principalmente a países del *norte* o del *sur* de Europa.

	EL NORTE	EL SUR
1. Después de independizarse, viven con su esposo o esposa.	☐	☐
2. Después de independizarse, viven solos.	☐	☐
3. El Estado garantiza el bienestar.	☐	☐
4. La familia garantiza el bienestar.	☐	☐
5. Se emancipan a los 25 años.	☐	☐
6. Se emancipan a los 30 años.	☐	☐

PASO 3.   Indica si cada factor influye en el retraso (*delay*) de la emancipación es cultural o económico.

	FACTOR CULTURAL	FACTOR ECONÓMICO
1. bajos salarios	☐	☐
2. cierta independencia personal	☐	☐
3. el desempleo	☐	☐
4. la religión	☐	☐
5. la vivienda cara	☐	☐

Después de leer

PASO 1.   Empareja el párrafo del informe con la idea principal que corresponda.

a. _____ A pesar de tener un puesto de trabajo estable con un buen salario, es difícil poder pagar una vivienda tan cara. Al casarse, los jóvenes pueden unir dos salarios para pagar una vivienda.

b. _____ Con la crisis económica es más difícil que los jóvenes encuentren trabajo estable y que ganen suficiente dinero para independizarse.

c. _____ En el norte se supone que independizarse antes de casarse ayuda a uno a responsabilizarse (con la ayuda del gobierno), mientras que en el sur se supone que son los padres los responsables de sus hijos adultos solteros.

d. _____ Los jóvenes del norte de Europa son más jóvenes cuando se mudan de la casa que los jóvenes del sur.

e. _____ Varios factores influyen en el retraso de la emancipación de los jóvenes en el sur de Europa.

PASO 2.   En grupos, respondan a la pregunta «Donde viven Uds., ¿cuáles son las razones para independizarse de los padres antes de casarse?» Escriban por lo menos cinco razones e intenten ponerlas en orden de prioridad.

470 **Capítulo 16** La amistad y el amor

¡Escuchemos!

¿Cómo se conocieron?

Antes de escuchar

Indica si conoces a muchas (**M**) o pocas personas (**P**), o si no conoces a nadie (**N**) que haya conocido a su pareja de las siguientes maneras.

_____ a través de (*through*) otra persona que conocía a los dos

_____ a través de un grupo religioso

_____ desde la niñez

_____ en colegio (*high school*)

_____ por Internet

_____ en la calle

_____ en otro país

_____ en un autobús (u otro transporte)

_____ en un bar o restaurante

_____ en un lugar de trabajo

¿Cuál es la manera más común de conocer a la pareja? Cuál es la menos común?

 ### A escuchar

Mira y escucha el video en el que los participantes responden a la pregunta, «¿Cómo conoció Ud. a su pareja?». Luego, indica quién dice cada una de las siguientes frases.

Magnolia, de Cuba

Clody, de Argentina

Víctor, de España

María Esther, de México

María Luz, del Perú

Óscar, de Costa Rica

1. _____ «Ahora mi hija tiene dos niños —dos nietos para nosotros.»

2. _____ «Aquí estoy, todavía (me) considero, después de 22 años, enamorada de él.»

3. _____ «Conocí a una sudafricana en la calle y me quedé.»

4. _____ «Él me conoció primero y se flechó (se enamoró) de mí.»

5. _____ «Estaba solo en ese momento. Y entonces ella también estaba sola y acabamos juntos.»

6. _____ «Hace treinta y ocho años que estamos casados.»

7. _____ «Lo conocí en Cuba.»

8. _____ «Me fui de turista a Israel.»

9. _____ «Nos conocimos en... aquí en Barcelona.»

10. _____ «Nos conocimos cuando estábamos los dos estudiando en la universidad.»

11. _____ «Nos conocimos trabajando en una fábrica de ropa.»

12. _____ «Ya nos vamos a tener que morir juntos.»

13. _____ «Yo tenía 19 años, ella tenía 24.»

14. _____ «La vida es lo que te sucede mientras estás ocupado haciendo otros planes.»

Después de escuchar

En una oración completa, describe el comienzo de una relación importante (puede ser relación tuya o la de otras personas).

> **MODELO:**   Mi hermana conoció a su esposo cuando él compartía un apartamento con el novio (ahora ex novio) de ella.

¡Escribamos!

La emancipación de los jóvenes estadounidenses

En diferentes culturas, las costumbres asociadas con la emancipación varían mucho según la época histórica, la situación socioeconómica, las tradiciones familiares, la religión y la cultura popular. En esta actividad vas a comparar tu experiencia como joven con las experiencias descritas en la lectura de **¡Leamos!**

Antes de escribir

Escoge dos temas de la lista y apunta algunos elementos relacionados con cada tema que tienes en común con los jóvenes españoles de la lectura, «Los jóvenes retrasan su emancipación», y algunos elementos que no tienes en común con ellos.

TEMAS

la edad de la emancipación   la religión

el matrimonio   la situación económica

la posición política/social

MODELO:	Semejanzas...	Diferencias...
el matrimonio	*como los vascos, españoles, irlandeses e italianos, mis amigos y yo solemos casarnos a los 30 años*	*no vivimos con los padres hasta casarnos —vivimos con grupos de amigos o con con novios*

	Semejanzas...	Diferencias...
TEMA 1		
TEMA 2		

(*Continues*)

ESTRATEGIA

Comparing and contrasting

When comparing your situation to that of others, it is important to consider similarities as well as differences. Understanding what you have in common can help you better understand what you don't have in common, and any discussion can be made richer by looking at more than one side. If you contemplate different perspectives by comparing and contrasting them with your own, you can let go of the thought that your worldview is shared by everyone and you will no doubt gain a better understanding of the situations of others as well as a new appreciation of your own.

472   **Capítulo 16**   La amistad y el amor

A escribir

Usando la información de **Antes de escribir,** escribe un ensayo de cuatro párrafos.

☐ En el primer párrafo, explica los dos temas.

☐ En el segundo párrafo, compara y contrasta tu experiencia de uno de los temas con la experiencia de los jóvenes españoles de la lectura.

☐ En el tercer párrafo, compara y contrasta otro tema.

☐ En el último párrafo, concluye el ensayo con una afirmación sobre la comparación entre tú y los jóvenes españoles.

Después de escribir

Revisa tu ensayo. Luego, intercambia ensayos con un compañero / una compañera para evaluarlos. Lee el ensayo de tu compañero/a y decide si ha incluido tanto semejanzas como diferencias con respeto a los dos temas. Lee de nuevo el ensayo con cuidado para revisar los siguientes puntos.

☐ ¿Concuerdan los sujetos y los verbos?

☐ ¿Concuerdan los sustantivos y los adjetivos?

☐ Cuando es apropiado, ¿ha usado las excepciones **mayor, menor, mejor** y **peor**?

☐ ¿Ha usado **que** con **más** y **menos**?

☐ ¿Ha usado **como** con las formas apropiadas de **tan** y **tanto**?

☐ ¿Tiene sentido la conclusión?

Después de revisar el ensayo de tu compañero/a, devuélveselo. Mira tu propio ensayo para ver los cambios que tu compañero/a te recomienda y haz las revisiones necesarias.

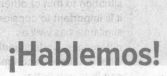
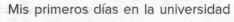

¡Hablemos!

Mis primeros días en la universidad

Antes de hablar

Usando el pasado (pretérito e imperfecto), escribe una descripción del comienzo de una relación en la universidad. Luego, usa el presente para describir la relación en este momento.

MODELO: Estaba nerviosa el primer día. Luego, conocí a mi compañera de cuarto y su familia me invitó a cenar con ellos. Fuimos a… . Luego,… . Ahora somos muy buenas amigas.

A hablar

En grupos de tres, comparen sus historias. Luego, formen nuevos grupos de tres y cuenten todas las historias del primer grupo; tienen que contar sus propias historias en primera persona (**yo**) y las historias de los otros estudiantes en tercera persona (**él, ella**). Al final, deben saber nueve historias de los primeros días en la universidad.

Después de hablar

Cuéntale a tu profesor(a) la mejor historia y explícale por qué es la mejor.

Conéctate al cine

Película: *Machuca* (drama, Chile, 2002)
Director: Andrés Wood

Sinopsis:

Es 1973, Gonzalo tiene 11 años, es de una familia de clase media alta y asiste a una escuela privada. Cuando unos niños de los barrios pobres entran a la escuela, Gonzalo se hace amigo de Pedro («Peter») Machuca en su clase de inglés. Visita la casa de Pedro y conoce a su vecina, Silvana, una chica mayor y bastante coqueta (*flirtatious*). Los tres pasan tiempo juntos hasta que estalla el golpe de estado (*coup d'état*), lo que cambia sus vidas para siempre.

Escena (DVD, 01:06:30 to 01:10:02):

Gonzalo, Pedro y Silvana van al cine y luego van a la casa de Pedro. Pedro lee un libro de «el Llanero Solitario» (*The Lone Ranger*). Llega el padre de Pedro, borracho (*drunk*), y empieza a insultar a todos.

Antes de ver

Gonzalo y Pedro son amigos de clases sociales diferentes y de barrios diferentes. ¿Cuáles son algunas diferencias que se encuentran entre barrios y familias de diferentes niveles económicos? Indica tus respuestas y luego explícalas.

☐ las calles
☐ las casas
☐ la comida
☐ los espacios exteriores (*outdoor*)
☐ los estilos de vestirse
☐ las mascotas
☐ los padres
☐ la seguridad
☐ las tiendas

A ver

PASO 1. Lee las **Expresiones útiles** y ve el video. No trates de entender cada palabra, pero escucha con atención. Presta atención a las actitudes y perspectivas de los personajes.

Expresiones útiles	
fome (*Chile*)	boring
tontería	nonsense, something stupid
po (*Chile*)	**pues**
suelta	let go
empresa	business, company
papito	daddy
dueño	owner
adivina	take a guess
ni se va acordar de	won't even remember
curado	drunk (*adj., n.*)
mienten	lie

PASO 2. Ahora indica quién diría cada declaración: Gonzalo, Pedro, Silvana o el padre de Pedro.

1. _____ Me gustaría esta película si hubiera más acción.

2. _____ Si Silvana fuera mi novia, aprendería a bailar con ella.

3. _____ Si los niños no estuvieran leyendo ese libro tonto, me estarían mirando.

4. _____ Viviría en un barrio como este si fuera pobre como ellos.

5. _____ Si no hubiera racismo y represión social en mi país, mi hijo tendría las mismas oportunidades que su amigo.

6. _____ Si mis padres pudieran ver de cerca (*up close*) nuestra amistad, entenderían que las diferencias de clase social no importan (*don't matter*) entre amigos.

7. _____ Si Pedro supiera lo que yo sé, no tendría tantas ilusiones sobre su amistad.

8. _____ Si este señor no estuviera borracho, no estaría diciéndonos la verdad.

Después de ver

En parejas, contesten las siguientes preguntas.

Silvana dice que nunca ha visto una amistad entre un indio y un blanco. Luego, dice que «los niños y los curados no mienten». ¿Por qué dice esto? ¿Estás de acuerdo con sus ideas? Explica.

■ For copyright reasons, the feature-film clips referenced in **Conéctate al cine** have not been provided by the publisher. Each of these films is readily available through retailers or online rental sites such as Amazon, iTunes, or Netflix.

VOCABULARIO

Comunicación

Lo siento mucho. / Cuánto lo siento.	I'm very sorry.
Mi/Nuestro más sentido pésame.	My/Our deepest sympathies.
Te/Le/Les doy/damos el pésame.	My/Our condolences.
Te/Lo/La/Los/Las acompaño en el sentimiento/dolor.	You're in my thoughts. / I'm with you in your time of pain.
Te/Lo/La/Los/Las acompañamos en el sentimiento/dolor.	You're in our thoughts. / We're with you in your time of pain.

Los sustantivos

la amistad	friendship
el amor	love
la boda	wedding
la cita	date; appointment
la cita a ciegas	blind date
el divorcio	divorce
el estado civil	marital status
el hogar	home
el matrimonio	marriage
el nido familiar	parents' home (*lit.*, nest)
el novio / la novia	boyfriend/girlfriend; fiancé/fiancée; groom/bride
el noviazgo	relationship; engagement
la pareja	partner; couple
la relación	relationship

Los adjetivos

abierto/a	open
cariñoso/a	affectionate
casado/a	married
celoso/a	jealous
comprensivo/a	understanding
comprometido/a	engaged; in a serious relationship
divorciado/a	divorced
enamorado/a	in love
en una relación	together; in a relationship
soltero/a	single
tolerante	tolerant
viudo/a	widowed

Los verbos

amar	to love
casarse (con)	to get married (to)
comprometerse	to get engaged; to commit (oneself)
conocerse (zc)	to meet (each other)
emanciparse	to become free/ independent
enamorarse (de)	to fall in love (with)
independizarse (c)	to become independent
mudarse	to move
responsabilizarse (c)	to take responsibility
romper con	to break up with

PARA SABER MÁS

Capítulo 1

1.1 Singular nouns and articles

More about gender of nouns

1. Nouns with the endings **-ción / -sión** (like English *-tion / -sion*) and **-tad / -dad** (like English *-ty*) are generally feminine.

-ción / -sión	la nación (*nation*)
	la solución (*solution*)
	la comprensión (*comprehension*)
	la televisión (*television*)
-tad / -dad	la libertad (*liberty*)
	la ciudad (*city*)
	la universidad (*university*)

2. Feminine nouns that begin with the stressed vowel **a-** use the singular definite article **el** instead of **la.** However, in the plural these feminine nouns do use the expected form **las.**

el agua (*water*)   las aguas
el águila (*eagle*)   las águilas
el área   las áreas

3. Nouns with the ending **-ma** are often masculine. Many of these words are cognates with English.

el clima (*weather*)   el problema   el telegrama
el idioma (*language*) el programa   el tema (*theme, topic*)
el poema   el sistema

Capítulo 2

2.1 Adjectives

Adjective placement

1. Descriptive adjectives in Spanish usually follow the noun that they modify.

una mujer **alta**   un libro **blanco**   un estudiante **inteligente**

Some descriptive adjectives, however, occasionally appear before the noun that they modify. **Bueno** and **malo** are two common adjectives that do this, but they are shortened to **buen** and **mal** in the masculine singular form in this case.

un libro **bueno**   un **buen** libro
un día **malo**   un **mal** día
una mesa **buena**   una **buena** mesa
una semana **mala**   una **mala** semana

2. With some adjectives, there is a noticeable difference in meaning depending on their placement. If the adjective follows the noun, it has a literal meaning, but if it precedes the noun, it has a more figurative meaning. This difference is seen clearly in adjectives like **grande, pobre,** and **viejo.** Note that **grande** is shortened to **gran** when it precedes either a masculine or a feminine noun.

	Before the noun	After the noun
grande	una **gran** universidad *a great university*	una universidad **grande** *a big university*
pobre	un **pobre** hombre *a poor (unfortunate) man*	un hombre **pobre** *a poor man (without money)*
viejo	un **viejo** amigo *a friend for a long time*	un amigo **viejo** *a friend who is old*

In English, adjectives always precede the noun, so position cannot differentiate between the above two types of meanings. Context determines whether *an old friend* is intended to mean **un viejo amigo** or **un amigo viejo.**

2.2   The verbs *estar* and *ir*

Using *tener* to express states

The verb **tener,** like **estar,** is often used to express states. **Tener** is used with **calor** (*heat*) and **frío** (*cold*) to say whether someone is hot or cold.

¡Tengo calor!	*I'm hot!*
¿No **tienes frío**?	*Aren't you cold?*

To say that someone is hungry or thirsty, use **hambre** (*hunger*) or **sed** (*thirst*).

Elena **tiene hambre**.	*Elena is hungry.*
Tengo sed.	*I'm thirsty.*

A variety of other states may be expressed using **tener,** such as **ganas** (*desire*), **miedo** (*fear*), **prisa** (*haste*), **razón** (*reason*), and **sueño** (*sleepiness*).

Tengo ganas de un café.	*I feel like (having) a coffee.*
¿**Tienes miedo**?	*Are you afraid?*
El profesor **tiene prisa**.	*The teacher is in a hurry.*
¡Ud. **tiene razón**!	*You are right!*
El bebé **tiene sueño**.	*The baby is sleepy.*

With all of these expressions, you can use **mucho/a** or **muchos/as** to express a greater degree of these states.

Tengo **mucho sueño**.	*I'm very sleepy.*
Perdón, tengo **mucha prisa**.	*Sorry, I'm in a big hurry.*

2.3   The verb *gustar*

Nos gusta(n), os gusta(n), les gusta(n)

To say what *we* like, use **nos gusta** or **nos gustan.**

Nos gusta la música.	*We like music.*
Nos gustan las películas.	*We like movies.*

When addressing a group of people as **vosotros/vosotras,** use **os gusta** or **os gustan.**

¿**Os gustan** las clases de biología?	*Do you (pl.) like the biology classes?*

When addressing people as **Uds.,** or when saying what other people (more than one person) like, use **les gusta** or **les gustan.**

¿**Les gusta** el fútbol?	*Do you* (pl.) *like soccer?*
No **les gusta** la cerveza.	*They don't like beer.*
Les gustan los libros.	*They like books.*

Capítulo 3

3.3   Stem-changing verbs: *o → ue*

Additional *o → ue* verbs

1. Here are some other common verbs in Spanish that belong to the **o → ue** family.

contar	*to count; to tell*	¿**Cuento** de uno a diez en español?
		Shall I (Do I) count from one to ten in Spanish?
costar	*to cost*	¿Cuánto **cuesta** el libro?
		How much does the book cost?
encontrar	*to find*	¿Dónde **encuentras** buena comida en la universidad?
		Where do you find good food at the university?
mostrar	*to show*	El mapa **muestra** dónde está la universidad.
		The map shows where the university is.
recordar	*to remember*	No **recuerdo** cómo te llamas.
		I don't remember what your name is.
soler*	*to be in the habit (of)*	Jaime **suele** llegar tarde al trabajo.
		Jaime usually arrives late to work.
volver	*to return*	**Vuelvo** al mismo lugar cada año.
		I return to the same place every year.

2. The verb **jugar** (*to play*) follows the same pattern as the **o → ue** verbs, but it is the **u** that changes to **ue.**

Los niños **juegan** en el parque.	*The children play in the park.*
Jugamos fútbol a las cuatro.	*We play soccer at 4:00.*

3.4   Demonstrative adjectives

The demonstrative adjectives *aquel/aquella/aquellos/aquellas*

In addition to **este/esta/estos/estas** and **ese/esa/esos/esas,** Spanish has a third set of demonstrative adjectives used to indicate something very far away in time or space.

	SINGULAR		PLURAL	
masculino	**aquel** libro	*that book*	**aquellos** libros	*those books*
femenino	**aquella** clase	*that class*	**aquellas** clases	*those classes*

---

*The verb **soler** is very common in Spain, but less so in Latin America.

Aquel/aquella/aquellos/aquellas is similar to English *that*, but it refers to something that is particularly far away or that happened a long time ago.

No me gusta **aquel** libro.   *I don't like that book over there.*
Aquellas clases eran muy difíciles.   *Those classes (back then) were very difficult.*

Spanish thus makes a three-way distinction (**este libro** vs. **ese libro** vs. **aquel libro**) based on distance in time or space, while English makes only a two-way distinction (*this book* vs. *that book*).

Demonstrative pronouns

1. Demonstratives may appear without the noun when the noun has been previously mentioned or is otherwise obvious from the context. In this case, they are called **pronombres demostrativos** (*demonstrative pronouns*).

Esa clase es muy difícil pero **esta** es fácil.   *That class is very difficult but this one is easy.*
Ese es rojo y **este** es azul.   *That one (masc. sing.) is red and this one is blue.*
Aquellos son de Honduras.   *Those ones (across the room) are from Honduras.*

Traditionally, demonstrative pronouns have been written with an accent mark (**ésta, ése,** and so on) to distinguish them from demonstrative adjectives. It is no longer required, but it is still common.

2. When a demonstrative pronoun refers to the situation in general or something else without a specific name, the neuter (genderless) forms **esto, eso,** and **aquello** are used.

¡**Esto** no me gusta!   *I don't like this (situation in general)!*
¿Qué es **eso**?   *What is that (unknown object)?*

Capítulo 4

4.1 Comparatives

Más de with numerals

In Spanish, when you want to express *more than* (or *less than*) followed by any number, use the construction **más de** (or **menos de**), followed by the number.

¡Elena tiene **más de** treinta primos!   *Elena has more than thirty cousins!*
Todos aquí tenemos **menos de** 25 años.   *All of us here are less than 25 years old.*

Comparatives of equality

1. To say that two people or things are the same with regard to some adjective, use **tan** + *adjective* + **como.**

José Luis es **tan alto como** Margarita.   *José Luis is as tall as Margarita.*
Mis hermanas son **tan inteligentes como** tú.   *My sisters are as smart as you.*

Notice that here the adjective agrees with the subject.

2. To do the same with regard to a noun, use **tanto** + *noun* + **como.**

Tengo **tantos primos como** tú.	*I have as many cousins as you.*
¿Tienes **tanta hambre como** yo?	*Are you as hungry as I am?*

Tanto agrees with the noun in number and gender, so it has four possible forms (**tanto/ tanta/tantos/tantas**).

Superlatives

1. You have used **más** to compare one person or thing to another. When preceded by a definite article, **más** expresses the idea of *most.* To express the idea of *least,* use the definite article and **menos.**

María Elena es **la más alta** de todas mis hermanas.	*María Elena is the tallest of all my sisters.*
Jorge es **el más guapo** de la familia.	*Jorge is the best looking in the family.*
Rigoberto y Camila son **los menos altos** de todos mis primos.	*Rigoberto and Camila are the least tall of all my cousins.*

This construction is known as the superlative (**el superlativo**). In English it is expressed with *most* or the ending *-est.*

2. When used with a noun, **más** + *adjective* usually follows the noun.

Carmen es **la abogada más famosa** de Panamá.	*Carmen is the most famous attorney in Panama.*
Marcos es **el estudiante más inteligente** de toda la universidad.	*Marcos is the most intelligent student in the whole university.*
Para mucha gente, el lunes es **el peor día** de la semana.	*For many people, Monday is the worst day of the week.*

When **mejor** and **peor** are used as superlatives, they usually precede the noun.

Mi primo es **el mejor médico** de la ciudad.	*My cousin is the best doctor in the city.*

Expressing things emphatically

1. It is very common in Spanish to attach the suffix **-ísimo** to adjectives to mean *extremely* or *very much.*

¡Elena tiene **muchísimos** primos!	*Elena really has a lot of cousins!*
Mi familia es **grandísima.**	*My family is extremely large.*

If the adjective ends in a consonant, **-ísimo** is simply added to the adjective.

facilísimo *extremely easy*   **dificilísimo** *extremely difficult*

If the adjective ends in a vowel, the vowel is dropped and **-ísimo** is added to the stem.

altísimo *extremely tall*   **delgadísimo** *extremely thin*   **feísimo** *extremely ugly*

When the stem ends in **c, g,** or **z** the spelling is adjusted to preserve the pronunciation of this final consonant. The c changes to **qu** (**rico → riquísimo**), g changes to **gu** (**largo → larguísimo**), and z changes to c (**feliz → felicísimo**).

Adjectives with **-ísimo** always agree with the noun they modify in number and gender.

2. In casual speech, there are many other ways to express the idea of *extremely.* One very common way is to use the prefix **super-.**

superfácil *extremely easy*   **superalto** *extremely tall*   **supergrande** *extremely big*

This prefix is common in the spoken language, but is not used in formal written Spanish. It is sometimes written as a separate word.

4.2　Stem-changing verbs: e → i

Additional e → i verbs

Here are some other common verbs in Spanish that belong to the **e → i** family.

conseguir	to obtain	¿Dónde **consigo** una foto de la familia real?
		Where can I get a picture of the royal family?
reír	to laugh	Mis papás **ríen** cuando ven la televisión.
		My parents laugh when they watch TV.
sonreír	to smile	Mi hermano **sonríe** mucho.
		My brother smiles a lot.

4.3　Stem-changing verbs: e → ie

Additional e → ie verbs

Here are some other common verbs in Spanish that belong to the **e → ie** family.

cerrar	to close	La profesora **cierra** la puerta a las ocho.
		The teacher closes the door at 8:00.
comenzar	to begin	El semestre **comienza** en enero.
		The semester begins in January.
entender	to understand	Mi mamá no **entiende** que ya no soy niña.
		My mom doesn't understand that I'm no longer a little girl.
perder	to lose	Cuando juego con mi hermano, siempre **pierdo.**
		When I play with my brother, I always lose.
preferir	to prefer	**Prefiero** caminar.
		I prefer to walk.

Capítulo 5

5.1　Verbs with irregular *yo* forms

More on *saber* and *conocer*

You saw that **saber** can mean *to know* (*a fact*), such as where someone lives or what they study. This can also include knowing an address or phone number, or knowing a poem or the words to a song.

¿**Sabes** el número de teléfono del hospital?　　*Do you know the phone number of the hospital?*
Todos **sabemos** la letra de esa canción.　　*We all know the words (lyrics) to that song.*

You saw that **conocer** means *to be familiar with* (*someone or something*). When used with reference to a song, for instance, the meaning is very different than **saber.**

¿**Conoces** esa canción?　　*Do you know that song? (Are you familiar with it? / Have you heard it before?)*

More irregular verbs with -zco

You saw that the **yo** form of **conocer** is **conozco**. This is part of a larger pattern: verbs whose infinitive ends in **-cer** (or **-cir**) generally take **-zco** in the **yo** form, but are otherwise regular. Here are some other common verbs of this type.

agradecer	*to thank; to be grateful for*	**Agradezco** su presencia. *I am grateful for your presence (here).*
aparecer	*to appear*	No **aparezco** en la lista. *I don't appear on the list.*
conducir	*to drive*	**Conduzco** un auto muy viejo. *I drive a very old car.*
favorecer	*to favor; to be partial to*	**Favorezco** la idea de crear más parques. *I'm in favor of the idea of creating more parks.*
merecer	*to deserve*	¡**Merezco** una segunda oportunidad! *I deserve another chance!*
ofrecer	*to offer*	**Ofrezco** un apartamento en el centro. *I'm offering an apartment downtown.*
parecer	*to seem; to look*	**Parezco** tonto en esa foto. *I look stupid in that photo.*
pertenecer	*to belong*	**Pertenezco** a un grupo de estudiantes extranjeros. *I belong to a group of foreign students.*
reconocer	*to recognize*	No **reconozco** mi ciudad. *I don't recognize my city.*
traducir	*to translate*	No **traduzco** cuando leo en español. *I don't translate when I read in Spanish.*

5.2 Reflexive verbs

Additional reflexive verbs

Here are some other common reflexive verbs in Spanish. Note that the meanings of reflexive verbs do not necessarily express reflexive action.

alegrarse	*to be glad, happy*	**Me alegro** cuando veo a mis amigos. *It makes me happy when I see my friends.*
atreverse (a)	*to dare (to do something)*	¿**Te atreves** a hablar con él? *Do you dare to speak with him?*
encontrarse	*to be found, located*	La librería **se encuentra** enfrente del museo. *The bookstore is located across from the museum.*
imaginarse	*to imagine*	**Me imagino** que la tienda del museo es muy grande. *I imagine that the museum store is very big.*
preguntarse	*to wonder, ask oneself*	**Me pregunto** si hay un cine en ese pueblo. *I wonder if there is a movie theater in that town.*
quedarse	*to stay*	¿**Te quedas** o te vas? *Are you staying or are you leaving?*
referirse (a)	*to refer (to)*	Cuando dicen «México», **se refieren** a la ciudad. *When they say "Mexico," they're referring to the city.*

The reciprocal meaning of reflexive verbs

Reflexive verbs with plural subjects can also have a *reciprocal* meaning, corresponding to the English expression *each other*.

Nos vemos los martes en la clase de química.	*We see each other on Tuesday in chemistry class.*
Marta y Eduardo **se conocen** bien.	*Marta and Eduardo know each other well.*

The context generally makes it clear whether the intended meaning is reflexive or reciprocal. **Nos vemos,** for example, can have either a reflexive meaning (*we see ourselves*) or a reciprocal meaning (*we see each other*), but in the first example above, the reciprocal meaning is much more likely.

The infinitive after a preposition

Prepositional expressions like the following are a common way to show the relationship between two or more activities.

antes de	*before*	Antes de cenar, quiero bañarme.
		Before having dinner, I want to take a bath.
después de	*after*	Después de nadar, María va a estudiar.
		After swimming, María is going to study.
para	*for, in order to*	Para hablar con mis padres, tienes que hablar español.
		(In order) to speak with my parents, you have to speak Spanish.

In Spanish, the infinitive is used after prepositions. English sometimes uses *-ing* forms of the verb in these cases, but Spanish consistently uses the infinitive.

5.3   *Ser* and *estar* with adjectives

Ser for location of events

1. To say where or when an event *occurs*, use the verb **ser.**

El concierto va a **ser** en el Teatro de la Ciudad.	*The concert will be at the City Theater.*
La fiesta **es** en la casa de Jaime.	*The party is at Jaime's house.*
El examen **es** mañana a las ocho.	*The exam is tomorrow at 8:00.*

2. Use **estar,** in contrast, to say where a person or thing is located.

La calle Torres **está** en el centro.	*Torres Street is downtown.*
Santiago **está** en Chile.	*Santiago is in Chile.*
Estamos en la casa de Jaime.	*We're at Jaime's house.*

In these cases with **estar,** the person or thing that is being described (a street, a city, or a group of people) is located at a particular place, but cannot be said to "occur" there.

Capítulo 6

6.1   The preterite: Regular verbs

Leer, creer, and *oír* in the preterite

The stem of the verbs **leer**, **creer**, and **oír** ends in a vowel (**leer**, **creer**, **oír**). Verbs like these take the regular endings in the preterite with one small adjustment: the ending for **él/ella/Ud.** is **-yó** (instead of **-ió**) and the ending for **ellos/ellas/Uds.** is **-yeron** (instead of **-ieron**).

Marta **oyó** que hay un restaurante cubano en el centro.	*Marta heard that there is a Cuban restaurant downtown.*
¿Uds. **leyeron** el libro?	*Did you (pl.) read the book?*
Jaime **creyó** que Luis preparó la cena.	*Jaime thought that Luis prepared the dinner.*

Replacing the **i** with a **y** allows these verbs to avoid having three vowels in a row. For most verbs in Spanish, the stem ends in a consonant (for example, **trabajar**, **aprender**, and **escribir**) and such an adjustment is not necessary.

Ver and *dar* in the preterite

1. For a few verbs in Spanish, the stem consists of a single consonant. The verb **ver** is of this type. Despite its very short stem, the preterite endings attach to **ver** in the usual way, and this verb is regular in the preterite.

Vi mucho pescado en el mercado.	*I saw a lot of fish in the market.*
¿**Viste** la carta?	*Did you see the menu?*
Jorge **vio** la torta.	*Jorge saw the cake.*
¿**Vieron** el restaurante salvadoreño?	*Did you (pl.) see the Salvadoran restaurant?*

Since **vi** and **vio** have only one syllable, a written accent mark is not used (in contrast to forms like **comí** and **comió**).

2. The verb **dar** also has a stem that consists of a single consonant, **d.** It too takes endings in the usual way, but in the preterite, it takes the endings of an **-er/-ir** verb.

Los cocineros **dieron** una clase sobre la comida japonesa.	*The cooks gave a class about Japanese food.*
Dimos una cena para los profesores.	*We gave a dinner for the teachers.*

As with **ver,** the one-syllable forms **di** and **dio** do not require an accent mark.

Capítulo 7

7.3   Pronouns after prepositions

Additional prepositions

1. The preposition **según** is different from other prepositions, because it may be followed by **yo** and **tú** (rather than **mí** and **ti**).

Según yo, Juan es muy buena persona.	*According to me, Juan is a very good person.*
Según tú, vamos a tener un examen mañana.	*According to you, we are going to have an exam tomorrow.*

2. Expressions of location are also sometimes followed by pronouns. Some examples are **cerca de** (*close to*), **lejos de** (*far from*), **delante de** (*in front of*), **detrás de** (*behind*), and **enfrente de** (*across from*).

Vivo **cerca de** ti.	*I live close to you.*
¡Quiero estar muy **lejos de** él!	*I want to be very far from him!*
Robert estaba **delante de** mí.	*Robert was in front of me.*
Miriam estaba **detrás de** él.	*Miriam was behind him.*
Luz estaba **enfrente de** ellos.	*Luz was across from them.*

Stressed possessives

1. The preposition **de** may be used to express possession, as in **la casa de nosotros** (*our house*). Alternatively, a *stressed possessive* (**posesivo tónico**) may be used in place of the phrase with **de,** as in **la casa nuestra.** Here is the full set of stressed possessives.

STRESSED POSSESSIVES	
mío, mía, míos, mías	*my; mine*
tuyo, tuya, tuyos, tuyas	*your; yours* (inform.)
suyo, suya, suyos, suyas	*his, her, your; his, hers, yours* (form.)
nuestro, nuestra, nuestros, nuestras	*our; ours*
vuestro, vuestra, vuestros, vuestras	*your; yours* (inform., pl., Sp.)
suyo, suya, suyos, suyas	*their, your; theirs, yours* (pl.)

In form, stressed possessives are similar, but not identical, to unstressed possessive adjectives (see **1.4**).

2. Stressed possessives are used *after* the noun or when the noun is somewhere else in the sentence (or not present at all). They agree in number and gender with the noun being referred to.

La casa de Uds. es verde, pero la casa **nuestra** es blanca.	*Your (pl.) house is green, but our house is white.*
Ese regalo es **mío.**	*That present is mine.*

3. When stressed possessives are used as pronouns, taking the place of the subject or object of the sentence, they have a definite article.

Aquí están mis libros. ¿Dónde están **los tuyos**?	*Here are my books. Where are yours?*
Tu coche es grande. **El mío** es chico.	*Your car is big. Mine is small.*
¿Te gustan tus tarjetas? A mí me gustan **las mías.**	*Do you like your cards? I like mine.*

However, when stressed possessives are used with the verb **ser** to describe the subject, they do not need the definite article.

Este regalo es de Ana. Es **suyo.**	*This gift is Ana's. It's hers.*
¿Esas computadoras son **tuyas**?	*Are those computers yours?*

In either case, all stressed possessives agree in both number and gender with the noun that they refer to.

Capítulo 8

8.1 More irregular preterite forms

Additional irregular preterite forms

The verb **conseguir** (*to obtain; to get*) has **seguir** as its root and is conjugated in the same way in the preterite. Likewise, **despedirse** (*to say good-bye; to take leave*) has **pedir** as its root and is conjugated in the same way.

Here are some other common verbs that change the stem vowel **e** to **i** in the preterite when conjugated in the **él/ella/Ud.** or **ellos/Uds.** forms.

divertirse (ie, i)	*to have fun*	Carmen **se divirtió** mucho en la fiesta. *Carmen had a lot of fun at the party.*
mentir (ie, i)	*to lie*	Carlos **mintió** cuando dijo que tenía 21 años. *Carlos lied when he said he was 21.*
preferir (ie, i)	*to prefer*	Marta **prefirió** comprar el vestido rojo. *Marta preferred to buy the red dress.*
reírse (í, i) (de)	*to laugh (at)*	Los niños **se rieron** de la corbata de su padre. *The children laughed at their father's tie.*
repetir (i, i)	*to repeat*	El profesor **repitió** la palabra tres veces. *The teacher repeated the word three times.*
sentirse (ie, i)	*to feel*	Catalina **se sintió** muy contenta cuando vio el anillo. *Catalina felt very happy when she saw the ring.*
sonreír (í, i)	*to smile*	El diseñador **sonrió** cuando mencionaron su ropa en la televisión. *The designer smiled when they mentioned his clothes on television.*
sugerir (ie, i)	*to suggest*	La asistente me **sugirió** una falda más larga. *The assistant suggested a longer skirt to me.*

8.2 The preterite and imperfect together

Comparison of meaning in preterite vs. imperfect

1. You have seen how the preterite can portray an action as having a clear end point. The preterite may also be used to show that an action has a clear beginning point.

María se probó el abrigo y le **gustó** mucho.	*María tried on the coat and liked it a lot.*
Cuando vio la foto, Juan **entendió** que la camisa le quedaba mal.	*When he saw the picture, Juan understood that the shirt fit him poorly.*

Although the meanings of **gustar** and **entender** generally imply ongoing actions, in these sentences, there is a clear point when María begins to like the coat (when she tries it on) and when Juan's understanding begins (when he sees the picture).

2. The preterite forms of **conocer** and **saber** often refer in this way to the beginning point of knowing someone or something. With **conocer,** this is the point of meeting someone, and with **saber,** it is the point of finding something out. In the imperfect, in contrast, the simple state of knowing is referred to, without any specific beginning or ending point.

Pretérito	Imperfecto
Conocí a Francisco cuando éramos niños. *I met Francisco when we were kids.*	**Conocía** a Francisco cuando éramos niños. *I knew Francisco when we were kids.*
Elena **supo** que los zapatos eran caros. *Elena found out that the shoes were expensive.*	Elena **sabía** que los zapatos eran caros. *Elena knew that the shoes were expensive.*

In the preterite, **conocer** and **saber** are sometimes said to change their meaning, but in fact their meaning comes from what they mean normally, together with the regular meaning of the preterite tense.

3. The verbs **poder** and **querer** are similar. Their preterite forms express the beginning or end point of being able and wanting, respectively, while the imperfect forms do not express any clear beginning or end points.

Pretérito	Imperfecto
Ayer **pude** comprar ese vestido negro. *I was able (I managed) to buy that black dress yesterday.*	Cuando yo trabajaba, **podía** comprar muchos vestidos. *When I worked, I could (I had the ability/means, though I may not have actually done it) buy a lot of dresses.*
Mario **quiso** hablar con Ana, pero ella no le hizo caso. *Mario tried to speak with Ana, but she ignored him.*	Mario **quería** hablar con Ana, pero nunca llegó. *Mario wanted (but didn't actually try) to speak with Ana, but she never arrived.*

Poder in the preterite is often translated into English as *to manage to* and **querer** as *to try.* What they both have in common is that some action results (such as, **pude** = *I was able to and actually did it;* **quise** = *I wanted to and actually tried*). When they are used in the negative, they are often translated as *to fail* (*to do something*) and *to refuse,* respectively.

No pude comprar ese vestido negro porque no traía dinero.
I wasn't able to (failed to) buy that black dress because I didn't have money with me.
Mario **no quiso** hablar con Ana porque estaba enojado todavía.
Mario didn't want to (refused to) speak with Ana because he was still mad.

8.3 Object pronoun placement with infinitives

Double object pronouns

1. Verbs often have both a direct and an indirect object, and both of these objects may be expressed as pronouns. In this case, the indirect object pronoun precedes the direct object pronoun.

Este sombrero es nuevo. **Me lo** dieron ayer.
This hat is new. They gave it to me yesterday.
¿Te gusta esta camisa? **¡Te la** regalo!
Do you like this shirt? I'll give it to you!
Necesito esos anillos. ¿**Me los** pasas?
I need those rings. Will you pass them to me?

2. The indirect object pronouns **le** and **les** are not used together with direct object pronouns; the form **se** is used instead.

¿Te gustó la falda de María? Yo **se la regalé.**	*Did you like María's skirt? I gave it to her.*
¿La camisa de Jaime? **Se la** dieron por su cumpleaños.	*Jaime's shirt? They gave it to him for his birthday.*
A Ud., ¿qué le parece este abrigo? **Se lo** vendo barato.	*What do you (form.) think about this coat? I'll sell it to you cheap.*

3. When reflexive verbs are used with a direct object pronoun, the reflexive pronoun precedes the direct object pronoun.

¿Esa camisa? **Me la** probé pero no me quedó.	*That shirt? I tried it on, but it didn't fit.*
A mi hija le gusta mucho su suéter rojo.	*My daughter really likes her red sweater.*
Se lo pone cada vez que sale.	*She puts it on every time she goes out.*

You will see examples of reflexive verbs with indirect object pronouns in **Estructura 9.3.**

4. Just as with single object pronouns, double object pronouns may either both precede a conjugated verb or both follow and be attached to an infinitive. In the latter case, they are written as a single word with the infinitive, and an accent mark is written to preserve the stress.

¿Esa corbata? **Te la** quiero regalar. (Quiero regalár**tela.**)	*That tie? I want to give it to you.*
¿El suéter de Mario? **Se lo** voy a lavar. (Voy a lavár**selo.**)	*Mario's sweater? I'm going to wash it for him.*
¿El pelo? ¿**Te lo** vas a lavar hoy? (¿Vas a lavár**telo** hoy?)	*Your hair? Are you going to wash it today?*

The relative order of the two pronouns is always the same regardless of whether they precede or follow the verb.

Another use of *lo: Lo* + adjective

To express ideas like *the good thing* or *the bad part,* say **lo bueno** or **lo malo. Lo** may be combined in this way with the masculine singular form of any adjective.

Lo bueno de esos zapatos es que te quedan bien.	*The good thing about those shoes is that they fit you well.*
Lo malo de esa tienda es que es muy cara.	*The bad thing about that store is that it is very expensive.*
Lo difícil es encontrar un abrigo en mi talla.	*The hard part is finding a coat in my size.*

Capítulo 9

9.1   The prepositions *por* and *para*

Additional uses of *por* and *para*

1. The preposition **para** is often used to indicate the organization for which someone works.

Manuel empezó a trabajar **para los hoteles Hilton** el año pasado.	*Manuel began to work for Hilton hotels last year.*
Susana quiere trabajar **para la universidad** después de graduarse.	*Susana wants to work for the university after graduating.*

Para is also used to express a point of comparison.

Para un hotel tan barato, es muy bonito.	*For such an inexpensive hotel, it is very nice.*
Para un norteamericano, Jason sabe mucho de Latinoamérica.	*For an American, Jason knows a lot about Latin America.*

2. The preposition **por** may be used to show a unit of measure, like the English word *per*.

| El hotel cuesta cien dólares **por noche.** | *The hotel costs $100 per night.* |
| El tren va a 120 kilómetros **por hora.** | *The train goes 120 kilometers per hour.* |

Por may also be used with verbs of motion to show who or what you are going to pick up along the way.

| Mañana paso **por ti** a las ocho. | *Tomorrow I'll come by for you at 8:00.* |
| Voy **por mi maleta.** | *I'm going for (to get) my suitcase.* |

9.3   Se for unplanned events

Additional verbs with *se* for unplanned events

1. Some other reflexive verbs that are often used with indirect object pronouns are **irse** (*to go away*), **notarse** (*to be noticeable*), **quebrarse** (*to break*), and **quedarse** (*to stay behind*).

El tren **se me fue.**	*The train left without me.*
Elena dice que está muy nerviosa pero no **se le nota.**	*Elena says she is very nervous, but you can't tell (it isn't noticeable on her).*
¿**Se te quebró** algo?	*Did you break something?*
Las llaves **se me quedaron** dentro del coche.	*I left the keys inside the car.*

In each of these cases, the reflexive verb describes an unintentional action, and the indirect object expresses who is affected by this action.

2. The reflexive verb **hacerse** (*to be/get done*) has the special meaning of *to seem* or *to think* when it is combined with an indirect object pronoun.

| **Se me hace** que el avión va a llegar tarde. | *It seems to me that the plane is going to arrive late.* |
| Dicen que Cancún es caro. ¿**Se te hace**? | *They say Cancun is expensive. Do you think so?* |

Capítulo 10

10.1   The relative pronoun *que*

Que and additional relative pronouns

1. Unlike English *that*, the Spanish relative pronoun **que** is never omitted.

| La impresora **que** compré ayer ya está en mi oficina. | *The printer (that) I bought yesterday is already in my office.* |

2. **Que** is the most common relative pronoun and may refer either to people or to things. **Quien** (singular) or **quienes** (plural) should be used when referring to people after a preposition.

Ella es la ingeniera **con quien** hablé por teléfono.	*She is the engineer that I spoke with on the phone.*
El señor **a quien** te presenté es el gerente del banco.	*The man that I introduced you to is the bank manager.*
Los ejecutivos **de quienes** vimos una foto en el libro van a venir a la universidad.	*The executives that we saw a picture of in the book are going to come to the university.*

The preposition must always precede the relative pronoun in Spanish. Formal written English is the same (as in, *the engineer with whom I spoke*), but in spoken English, the preposition and the relative pronoun are often separated (as in, *the engineer that I spoke with*).

3. When used as relative pronouns, **que** and **quien/quienes** are not written with accent marks, but when used as question words, they are.

—¿**Qué** vas a leer?	*"What are you going to read?"*
—Voy a leer el libro **que** está en la mesa.	*"I'm going to read the book (that is) on the table."*
—¿**A quién** viste en el trabajo?	*"Who did you see at work?"*
—Vi a la señora **con quien hablaste** ayer.	*"I saw the woman (that) you spoke with yesterday."*

Lo que

Lo que is a very common expression in Spanish. **Lo** here is a pronoun, and **que** introduces the relative clause that follows. **Lo que quiero** thus literally means *that which I want*, but it is more naturally translated as *what I want*.

¡**Lo que** quiero es tener mucho dinero y no tener que trabajar!	*(What) I want (is) to have a lot of money and not have to work!*
Me gusta **lo que** dijiste en la clase.	*I like what you said in class.*
Es interesante **lo que** hacen los arquitectos.	*What architects do is interesting.*

Capítulo 11

11.1   The present perfect

Additional irregular past participles

Here are some other common verbs that have irregular past participles.

INFINITIVE	PAST PARTICIPLE		
abrir	abierto	Han **abierto** la puerta.	*They've opened the door.*
cubrir	cubierto	Hemos **cubierto** la mesa con un mantel.	*We've covered the table with a tablecloth.*
romper	roto	¿Has **roto** la lámpara?	*Have you broken the lamp?*
volver	vuelto	María se fue y no ha **vuelto.**	*María left and hasn't returned.*

Using the past participle as an adjective

Past participles may be used as adjectives, often with the verb **estar.** When they are used as adjectives, they agree in gender and number with the noun that they modify.

La lámpara **está rota.**	*The lamp is broken.*
Los platos ya **están lavados.**	*The dishes are already washed.*
La cocina **está cerrada.**	*The kitchen is closed.*

Using the past participle to form the passive

The past participle may also be used to indicate an action with the verb **ser,** creating a passive construction. The tense of the verb **ser** indicates whether the action is a past, present, or future event.

Las calles **son barridas** cada jueves.	*The streets are swept every Thursday.*
Esta casa **fue construida** en 1982.	*This house was built in 1982.*
El lavaplatos **va a ser instalado** mañana.	*The dishwasher is going to be installed tomorrow.*

The person or thing that is doing the action may be expressed with the preposition **por.**

Los autos fueron lavados **por expertos.**	*The cars were washed by experts.*

The past perfect

The present perfect uses the verb **haber** in the present tense, followed by the past participle. The past perfect (**el pluscuamperfecto**) is the same but uses **haber** in the imperfect tense. It expresses the idea that you had already done something by the time some other event occurred.

Cuando llegó Ana, yo ya **había limpiado** la cocina.	*When Ana arrived, I had already cleaned the kitchen.*
Cuando yo te vi, ¿ya **habías barrido** el pasillo?	*When I saw you, had you already swept the hallway?*

11.2   Commands with object pronouns

Nosotros/as commands

1. To say what you want to do with other people as a group, you may use a **nosotros/as** command, equivalent to English sentences with *let's*. The **nosotros/as** command has the same form as the formal **Ud.** command (see **10.3**), but with a **-mos** ending.

Limpiemos la casa.	*Let's clean the house.*
¡**Pongamos** la comida en la mesa!	*Let's put the food on the table!*
¡**Cenemos**!	*Let's have dinner!*

As with formal commands, **nosotros/as** commands use the vowel **e** in the ending for **-ar** verbs and the vowel **a** for **-er** and **-ir** verbs.

2. As with all other command forms, object pronouns (indirect, direct, and reflexive) in **nosotros/as** commands are attached to the end of positive commands and appear as a separate word before negative commands. An accent mark is added to the stressed syllable of a positive command when one or more object pronouns are added.

Limpié**mosla.**	*Let's clean it.*
¡No **lo** pongamos allí!	*Let's not put it there!*

When the reflexive pronoun **nos** is attached to a positive **nosotros/as** command, the final **-s** of the verb is dropped.

¡Levanté**monos**!	*Let's get up!*
Senté**monos.**	*Let's sit down.*

3. Unlike other verbs, **ir** uses its present tense form (**vamos**) for the positive **nosotros/as** command. With the reflexive **irse**, the final **-s** is dropped when **nos** is attached.

Vámo**nos**!	*Let's go/leave!*

4. It is also common to use **vamos a** + *infinitive* to express the idea of *let's*.

Vamos a limpiar la casa.	*Let's clean the house.*
¡**Vamos a levantarnos** temprano!	*Let's get up early!*

11.3   The present progressive

The past progressive

In the present progressive, **estar** is in the present tense. However, progressives may also be created with other tenses. It is especially common for **estar** to be in the imperfect.

Estaba limpiando la casa ayer a las ocho.	*I was cleaning the house yesterday at 8.*
¿**Estabas comiendo** cuando te llamé?	*Were you eating when I called you?*

Just as the present progressive describes an action in progress in the present, the past progressive describes an action in progress in the past.

Capítulo 12

12.2   The present progressive with object pronouns

The present progressive with double object pronouns

As you saw in **Para saber más 8.3,** verbs sometimes have two objects that are both expressed as pronouns. When the verb is in the present progressive, these object pronouns may either precede **estar** or be attached to the **-ndo** form of the verb, just as with single object pronouns. When attaching either one or two object pronouns to the **-ndo** form, a written accent mark is placed over the vowel where the stress normally falls.

¿La pelota? **Se la** está dando el entrenador. (Está dándo**sela** el entrenador.) — *The ball? The coach is giving it to him/her.*

¿Te gusta esta raqueta? ¡Mariana **me la** está vendiendo a muy buen precio! (¡Mariana está vendiéndo**mela** a muy buen precio!) — *Do you like this racket? Mariana is selling it to me at a really good price!*

The two pronouns must be together, either both before **estar** or both attached to the **-ndo** form.

12.3   The subjunctive: Volition with regular verbs

Additional expressions of volition

Here are some other common verbs and expressions that convey a recommendation, a piece of advice, or a desire, and which are therefore followed by the subjunctive after **que.**

aconsejar *to advise*	**Te aconsejo** que **hables** con tu médico. *I advise you to speak to your doctor.*
exigir *to demand*	**Nos están exigiendo** que **leamos** el libro para el lúnes. *They're demanding that we read the book by Monday.*
insistir en	**¡Insisto** en que **juegues** tenis conmigo! *I insist that you play tennis with me!*
mandar *to order*	**Voy a mandar** que **caminen** un kilómetro al día. *I'm going to order that they walk one kilometer a day.*
permitir	**¿Permiten** que **andemos** en patineta aquí? *Do they allow us to skateboard here?*
preferir	**Prefieren** que **levantemos** pesas por la mañana. *They prefer that we lift weights in the morning.*
prohibir	Nuestro profesor **nos prohíbe** que **hablemos** inglés en la clase. *Our teacher prohibits (forbids) us from speaking English in class.*
ser importante	**Es importante** que **duermas** bien todas las noches. *It's important that you sleep well every night.*
ser mejor	**Es mejor** que no **andes** en bicicleta en este clima. *It's better that you don't ride bikes in this weather.*
sugerir	**Te sugiero** que **comas** más fruta. *I suggest that you eat more fruit.*

Capítulo 13

13.1 The subjunctive: Irregular verbs

Additional irregular verbs in the subjunctive

1. In general, verbs that have an irregular stem for **yo** in the present indicative use this same stem in the present subjunctive. The verbs **conocer** (**conozco/conozca**) and **oír** (**oigo/oiga**) are common examples.

Quiero que **conozcas** a mi tía.	*I want you to meet my aunt.*
Es muy importante que Uds. **oigan** la canción de este pájaro.	*It is very important that you (pl.) listen to this bird's song.*

   The person/number endings are regular for all verbs in the subjunctive.

2. Some verbs use a special stem for the present subjunctive. **Haber** (**haya**) and **saber** (**sepa**) are common examples of this type of verb.

Es necesario que **haya** un área especial para los pingüinos.	*It is necessary for there to be a special area for the penguins.*
Quiero que **sepas** que cerramos el parque a las siete.	*I want you to know that we close the park at 7.*

3. Verbs that change their stem in the present indicative (such as **poder** [o → ue] and **querer** [e → ie]) do the same in the present subjunctive.

Es importante que las tortugas **puedan** llegar a la playa sin problemas.	*It's important for the turtles to be able to get to the beach without problems.*
¡Quiero que me **quieras**!	*I want you to love me!*

4. Verbs of the **e → i** family, such as **pedir,** undergo this stem-change in all forms of the subjunctive, including the **nosotros** and **vosotros** forms, which do not undergo the change in the indicative.

No es necesario que **pidamos** ayuda.	*It is not necessary for us to ask for help.*
Pedimos ayuda de vez en cuando.	*We ask for help from time to time.*

   Similarly, verbs that have an **e → i** or **o → u** change in the preterite, such as **sentirse** or **dormir,** show this same change in the **nosotros** and **vosotros** forms of the present subjunctive. Their regular **e → ie** or **o → ue** change occurs in the other forms.

Es muy importante que **se sientan** / **nos sintamos** bien en la clase.	*It's very important that you (pl.) / we feel good in class.*
Los médicos recomiendan que **duerman/ durmamos** ocho horas cada noche.	*Doctors recommend that you (pl.) / we sleep eight hours every night.*

Present perfect subjunctive

The present perfect subjunctive (**el presente perfecto de subjuntivo**) is formed with the subjunctive of **haber** and the past participle. It is used in the same contexts as the present subjunctive, but it portrays the event as having happened in the past when the main clause verb is in the present. The English equivalents in these cases may or may not use *have/has.*

Espero que **hayas podido** leer el libro.	*I hope that you have been (were) able to read the book.*
Ojalá que Arturo **haya escuchado** mis consejos.	*I hope that Arturo (has) listened to my advice.*
Es necesario que Uds. **hayan estudiado** antes de hacer el examen.	*It's necessary for you to have studied before taking the test.*

13.2 The subjunctive: Disbelief and uncertainty

The subjunctive in adjective clauses (after nonexistent and indefinite antecedents)

1. You saw in **10.1** that the relative pronoun **que** introduces a clause (called a *relative clause* or *adjective clause*) that gives further information about a noun.

Hay tortugas **que viven en el mar.**	*There are turtles that live in the ocean.*

When the noun being described does not exist or is not known to exist, the relative clause appears in the subjunctive.

No hay ninguna tortuga que **viva** en la nieve.	*There is no turtle that lives in the snow.*
¿Aquí hay un parque que **tenga** muchos pájaros?	*Is there a park here that has a lot of birds?*

The above relative clauses describe a turtle that does not exist and a park that may not exist.

2. It is especially common to use the subjunctive in relative clauses when the noun being described does not refer to anyone or anything specific.

Los biólogos buscan un animal que **vuele.**	*The biologists are looking for an animal that flies.* (They don't have any particular animal in mind and there may not even be any.)

If you want to say that the biologists are looking for a specific animal, use the indicative.

Los biólogos buscan un animal que **vuela.**	*The biologists are looking for an animal that flies.* (Such an animal exists and they have this animal in mind.)

3. The use of the subjunctive in relative clauses is in keeping with the core meaning of the subjunctive: to express ideas that may not be true. To describe a noun that may not even exist, you thus use the subjunctive. Since the indicative expresses ideas that are thought to be true, you use it to describe a noun that you think exists.

The subjunctive: Emotion

The subjunctive is used after many verbs and expressions that convey an emotional reaction.

alegrarse *to be happy*	**Me alegro** de que **seas** uno de los mejores estudiantes. *I'm happy that you are one of the best students.*
gustar	**Me gusta** que **estés** en la clase conmigo. *I like it that you're in the class with me.*
lamentar *to regret*	**Lamento** que el sapo dorado ya no **exista.** *I regret that the golden toad doesn't exist anymore.*
molestar *to bother*	¿**Te molesta** que te **digan** «Susie»? *Does it bother you that they call you "Susie"?*
sentir *to be sorry*	**Siento** mucho que **hayan cortado** el árbol. *I'm very sorry that they cut (have cut) down the tree.*
ser bueno/malo	**Es bueno** que **tengan** un parque tan grande en la ciudad. *It's good that they have such a big park in the city.*
ser una lástima *to be a shame*	**Es una lástima** que el bosque **esté** en tan malas condiciones. *It's a shame that the forest is in such bad condition.*
temer	**Temo** que ya no **haya*** muchos pájaros en esta zona. *I'm afraid that there aren't many birds in this area anymore.*

The subjunctive clause describes the situation that the person is reacting to in each of these cases.

---

*Recall that when **haber** is used to express existence, it is always singular.

13.3 The subjunctive: Purpose and contingency

The subjunctive in time clauses

1. Time clauses are introduced by words such as **cuando.** When the time clause refers to an event that has not yet happened, it is in the subjunctive.

Marta se va a poner muy contenta cuando **vea** un cóndor en las montañas.	*Marta will become very happy when she sees a condor in the mountains.* (This hasn't happened yet.)

When the time clause refers to something that happens regularly or that has already happened, it is in the indicative.

Marta se pone muy contenta cuando **ve** un cóndor en las montañas.	*Marta becomes very happy when she sees a condor in the mountains.* (This happens regularly.)

2. **Cuando** is the most common word to introduce a time clause, but some other common expressions are **antes de que, después de que,** and **hasta que.** They all use the subjunctive when describing an event that hasn't happened yet.

Quiero visitar el parque **antes de que** lo **cierren.**	*I want to visit the park before they close it.*
Vamos a hablar **después de que regreses** de tu viaje.	*Let's talk after you return from your trip.*
Tenemos que seguir trabajando **hasta que** las playas **estén** limpias.	*We have to keep working until the beaches are clean.*

Because **antes de que** always refers to an event that hasn't yet happened, it is always followed by the subjunctive.

3. The choice of subjunctive or indicative in time clauses follows from the core meaning of each. The subjunctive is to express ideas that may not be true, so you use the subjunctive in time clauses that refer to a future event. Since the event has not happened yet, there is a chance that it may never happen, and this uncertainty makes the subjunctive appropriate. The indicative is used to express facts or ideas thought to be true, so you use it in time clauses about something that happens regularly or has already happened.

The subjunctive: Additional expressions of contingency

Some other common expressions followed by the subjunctive are **a menos de que** (*unless*), **con tal de que** (*provided that*), and **sin que** (*without*).

Hay muchas hormigas cada año **a menos de que haga** mucho frío.	*There are lots of ants every year unless it is very cold.*
Voy a pasar el día en las montañas **con tal de que me acompañes.**	*I'm going to spend the day in the mountains provided that you accompany me.*
¿Puedes observar a los osos **sin que te vean**?	*Can you observe the bears without them seeing you?*

In all of these cases, the subjunctive clause expresses an event that may not happen.

Capítulo 14

14.1   The past subjunctive
Additional irregular past subjunctive forms

1. The stem of the past subjunctive is always the same as the stem of the preterite, even if the preterite stem is irregular. You have already seen some verbs with irregular past subjunctive forms. Here are more common verbs with irregular stems.

decir	Queríamos que la actriz **dijera** algo interesante en la entrevista.
	We wanted the actress to say something interesting in the interview.
hacer	Era importante que **hicieran** una película sobre la vida del general.
	It was important that they make a movie about the life of the general.
traer	Recomendaban que **trajéramos** un diccionario.
	They recommended that we bring a dictionary.

Note that **decir** and **traer,** whose stems end in **-j,** drop the **i** in the past subjunctive ending. In **6.2,** you saw this same adjustment with the **-ieron** ending of the preterite, as in **dijeron** and **trajeron.** In both cases, this small adjustment makes pronunciation of the verb forms easier.

2. As you saw in **8.1,** some verbs change the stem vowel in the preterite. This change occurs in the past subjunctive also. Here are some common verbs in which stem vowel **e** changes to **i.**

mentir	Yo no quería que me **mintieran.**
	I didn't want them to lie to me.
pedir	No era necesario que los músicos **pidieran** ayuda.
	It wasn't necessary for the musicians to ask for help.
seguir	Era muy importante que los niños me **siguieran** en el museo.
	It was very important that the children follow me in the museum.
servir	Arreglaron esta parte del edificio para que **sirviera** de biblioteca.
	They fixed this part of the building so that it would serve as a library.

3. Here are some common verbs in which the stem vowel **o** changes to **u.**

dormir	Con tanto ruido, era imposible que yo **durmiera** tarde.
	With so much noise, it was impossible for me to sleep late.
morir	No queríamos que la cantante **muriera** en la ópera.
	We didn't want the singer to die in the opera.

The past perfect subjunctive

The *past perfect subjunctive* (**el pluscuamperfecto de subjuntivo**) is formed with the past subjunctive of **haber** (**hubiera, hubieras, ...**) followed by the past participle. It has the same basic meaning as the past perfect indicative (for example, **habían salido** [*they had left*]), but it is used in contexts where the subjunctive is required.

Yo esperaba que ya **hubieran salido.**	*I was hoping that they had already left.*
Nadie creía que **hubieras tocado** la guitarra tan bien.	*Nobody believed that you had played the guitar so well.*
Era imposible que **hubiéramos leído** todo el libro para el martes.	*It was impossible for us to have read the whole book by Tuesday.*

14.2   The future

Irregular future forms

The future tense endings are always regular, but some verbs have irregular stems. In addition to those that you have already seen, here are some other common verbs with irregular stems in the future.

querer	**querr-**	¿**Querrás** venir con nosotros al cine?
		Might you want to come with us to the movies?
saber	**sabr-**	¿**Sabrá** tocar el violín Gustavo?
		Does Gustavo perhaps know how to play the violin?
valer	**valdr-**	Ese libro **valdrá** mucho más en el futuro.
		That book will be worth a lot more in the future.

The future perfect

1. The future perfect is formed with **haber** in the future tense followed by the past participle. It is a common way to make conjectures about something that might have happened in the past.

   ¿**Habrán filmado** esa película en Lima?   *Might they have filmed that movie in Lima?*
   ¿Borges **habrá entrado** a esta librería?   *Could Borges have entered this bookstore?*

2. You may also use the future perfect to say what will have happened by a certain time.

   Para el 2 de julio, Marisela ya **habrá**   *By July 2, Marisela will have already*
      abierto la galería.   *opened the gallery.*

Capítulo 15

15.1   The conditional

Irregular conditional forms

Here are some additional common verbs with an irregular stem in the conditional.

querer	**querr-**	Yo **querría** acompañarte.
		I would like to go with (accompany) you.
saber	**sabr-**	Un guatemalteco **sabría** cómo se llama ese pájaro.
		A Guatemalan would know what that bird is called.
valer	**valdr-**	Mi teléfono **valdría** mucho, pero está roto.
		My phone would be worth a lot, but it's broken.

For many speakers, the conditional form of **querer** (**querría**) is rarely used and the past subjunctive form (**quisiera**) is used instead.

The conditional perfect

The conditional perfect is formed with **haber** in the conditional followed by the past participle. You use it to say what *would have* happened in the past.

Yo **habría viajado** a Uruguay el año pasado,   *I would have traveled to Uruguay last year,*
   pero no tenía suficiente dinero.   *but I didn't have enough money.*
Habría sido buenísimo hablar con los   *It would have been great to speak with the*
   indígenas de la zona en su lengua.   *indigenous people of the area in their*
     language.

15.2   *Si* clauses

The past perfect subjunctive in *si* clauses

1. When a **si** clause refers to a contrary-to-fact event in the past, use the past perfect subjunctive form of the verb (see **Para saber más 14.1**).

Si yo **hubiera sabido** que no tenías dinero, te habría prestado.

If I had known that you didn't have money, I would have lent you some.

Si Cristóbal Colón no **hubiera llegado** a América, el mundo sería muy diferente.

If Christopher Columbus had not arrived in the Americas, the world would be very different.

2. Many speakers also use this past subjunctive perfect form in place of the conditional perfect.

Hubiera sido buenísimo hablar con los indígenas de la zona en su lengua.

It would have been great to speak with the indigenous people of that area in their language.

APPENDIX 1: Verb Charts

A. REGULAR VERBS: SIMPLE TENSES

Infinitive Present Participle Past Participle	INDICATIVE						SUBJUNCTIVE		IMPERATIVE
	Present	Imperfect	Preterite	Future	Conditional		Present	Past	
hablar hablando hablado	hablo hablas habla hablamos habláis hablan	hablaba hablabas hablaba hablábamos hablabais hablaban	hablé hablaste habló hablamos hablasteis hablaron	hablaré hablarás hablará hablaremos hablaréis hablarán	hablaría hablarías hablaría hablaríamos hablaríais hablarían		hable hables hable hablemos habléis hablen	hablara hablaras hablara habláramos hablarais hablaran	habla / no hables hable hablemos hablad / no habléis hablen
comer comiendo comido	como comes come comemos coméis comen	comía comías comía comíamos comíais comían	comí comiste comió comimos comisteis comieron	comeré comerás comerá comeremos comeréis comerán	comería comerías comería comeríamos comeríais comerían		coma comas coma comamos comáis coman	comiera comieras comiera comiéramos comierais comieran	come / no comas coma comamos comed / no comáis coman
vivir viviendo vivido	vivo vives vive vivimos vivís viven	vivía vivías vivía vivíamos vivíais vivían	viví viviste vivió vivimos vivisteis vivieron	viviré vivirás vivirá viviremos viviréis vivirán	viviría vivirías viviría viviríamos viviríais vivirían		viva vivas viva vivamos viváis vivan	viviera vivieras viviera viviéramos vivierais vivieran	vive / no vivas viva vivamos vivid / no viváis vivan

B. REGULAR VERBS: PERFECT TENSES

	INDICATIVE					SUBJUNCTIVE	
	Present Perfect	Pluperfect	Preterite Perfect	Future Perfect	Conditional Perfect	Present Perfect	Pluperfect
	he	había	hube	habré	habría	haya	hubiera
	has	habías	hubiste	habrás	habrías	hayas	hubieras
	ha / hablado	había / hablado	hubo / hablado	habrá / hablado	habría / hablado	haya / hablado	hubiera / hablado
	hemos / comido	habíamos / comido	hubimos / comido	habremos / comido	habríamos / comido	hayamos / comido	hubiéramos / comido
	habéis / vivido	habíais / vivido	hubisteis / vivido	habréis / vivido	habríais / vivido	hayáis / vivido	hubierais / vivido
	han	habían	hubieron	habrán	habrían	hayan	hubieran

C. IRREGULAR VERBS

Infinitive / Present Participle / Past Participle	INDICATIVE					SUBJUNCTIVE		IMPERATIVE
	Present	Imperfect	Preterite	Future	Conditional	Present	Past	
andar	ando	andaba	anduve	andaré	andaría	ande	anduviera	
andando	andas	andabas	anduviste	andarás	andarías	andes	anduvieras	anda / no andes
andado	anda	andaba	anduvo	andará	andaría	ande	anduviera	ande
	andamos	andábamos	anduvimos	andaremos	andaríamos	andemos	anduviéramos	andemos
	andáis	andabais	anduvisteis	andaréis	andaríais	andéis	anduvierais	andad / no andéis
	andan	andaban	anduvieron	andarán	andarían	anden	anduvieran	anden
caber	quepo	cabía	cupe	cabré	cabría	quepa	cupiera	
cabiendo	cabes	cabías	cupiste	cabrás	cabrías	quepas	cupieras	cabe / no quepas
cabido	cabe	cabía	cupo	cabrá	cabría	quepa	cupiera	quepa
	cabemos	cabíamos	cupimos	cabremos	cabríamos	quepamos	cupiéramos	quepamos
	cabéis	cabíais	cupisteis	cabréis	cabríais	quepáis	cupierais	cabed / no quepáis
	caben	cabían	cupieron	cabrán	cabrían	quepan	cupieran	quepan
caer	caigo	caía	caí	caeré	caería	caiga	cayera	
cayendo	caes	caías	caíste	caerás	caerías	caigas	cayeras	cae / no caigas
caído	cae	caía	cayó	caerá	caería	caiga	cayera	caiga
	caemos	caíamos	caímos	caeremos	caeríamos	caigamos	cayéramos	caigamos
	caéis	caíais	caísteis	caeréis	caeríais	caigáis	cayerais	caed / no caigáis
	caen	caían	cayeron	caerán	caerían	caigan	cayeran	caigan

C. IRREGULAR VERBS (CONTINUED)

Infinitive / Present Participle / Past Participle	INDICATIVE					SUBJUNCTIVE		IMPERATIVE
	Present	Imperfect	Preterite	Future	Conditional	Present	Past	
dar dando dado	doy das da damos dais dan	daba dabas daba dábamos dabais daban	di diste dio dimos disteis dieron	daré darás dará daremos daréis darán	daría darías daría daríamos daríais darían	dé des dé demos deis den	diera dieras diera diéramos dierais dieran	da / no des dé demos dad / no deis den
decir diciendo dicho	digo dices dice decimos decís dicen	decía decías decía decíamos decíais decían	dije dijiste dijo dijimos dijisteis dijeron	diré dirás dirá diremos diréis dirán	diría dirías diría diríamos diríais dirían	diga digas diga digamos digáis digan	dijera dijeras dijera dijéramos dijerais dijeran	di / no digas diga digamos decid / no digáis digan
estar estando estado	estoy estás está estamos estáis están	estaba estabas estaba estábamos estabais estaban	estuve estuviste estuvo estuvimos estuvisteis estuvieron	estaré estarás estará estaremos estaréis estarán	estaría estarías estaría estaríamos estaríais estarían	esté estés esté estemos estéis estén	estuviera estuvieras estuviera estuviéramos estuvierais estuviera	está / no estés esté estemos estad / no estéis estén
haber habiendo habido	he has ha hemos habéis han	había habías había habíamos habíais habían	hube hubiste hubo hubimos hubisteis hubieron	habré habrás habrá habremos habréis habrán	habría habrías habría habríamos habríais habrían	haya hayas haya hayamos hayáis hayan	hubiera hubieras hubiera hubiéramos hubierais hubieran	
hacer haciendo hecho	hago haces hace hacemos hacéis hacen	hacía hacías hacía hacíamos hacíais hacían	hice hiciste hizo hicimos hicisteis hicieron	haré harás hará haremos haréis harán	haría harías haría haríamos haríais harían	haga hagas haga hagamos hagáis hagan	hiciera hicieras hiciera hiciéramos hicierais hicieran	haz / no hagas haga hagamos haced / no hagáis hagan

C. IRREGULAR VERBS (CONTINUED)

Infinitive / Present Participle / Past Participle	INDICATIVE					SUBJUNCTIVE		IMPERATIVE
	Present	Imperfect	Preterite	Future	Conditional	Present	Past	
ir / yendo / ido	voy	iba	fui	iré	iría	vaya	fuera	
	vas	ibas	fuiste	irás	irías	vayas	fueras	ve / no vayas
	va	iba	fue	irá	iría	vaya	fuera	vaya
	vamos	íbamos	fuimos	iremos	iríamos	vayamos	fuéramos	vayamos
	vais	ibais	fuisteis	iréis	iríais	vayáis	fuerais	id / no vayáis
	van	iban	fueron	irán	irían	vayan	fueran	vayan
oír / oyendo / oído	oigo	oía	oí	oiré	oiría	oiga	oyera	
	oyes	oías	oíste	oirás	oirías	oigas	oyeras	oye / no oigas
	oye	oía	oyó	oirá	oiría	oiga	oyera	oiga
	oímos	oíamos	oímos	oiremos	oiríamos	oigamos	oyéramos	oigamos
	oís	oíais	oísteis	oiréis	oiríais	oigáis	oyerais	oíd / no oigáis
	oyen	oían	oyeron	oirán	oirían	oigan	oyeran	oigan
poder / pudiendo / podido	puedo	podía	pude	podré	podría	pueda	pudiera	
	puedes	podías	pudiste	podrás	podrías	puedas	pudieras	
	puede	podía	pudo	podrá	podría	pueda	pudiera	
	podemos	podíamos	pudimos	podremos	podríamos	podamos	pudiéramos	
	podéis	podíais	pudisteis	podréis	podríais	podáis	pudierais	
	pueden	podían	pudieron	podrán	podrían	puedan	pudieran	
poner / poniendo / puesto	pongo	ponía	puse	pondré	pondría	ponga	pusiera	
	pones	ponías	pusiste	pondrás	pondrías	pongas	pusieras	pon / no pongas
	pone	ponía	puso	pondrá	pondría	ponga	pusiera	ponga
	ponemos	poníamos	pusimos	pondremos	pondríamos	pongamos	pusiéramos	pongamos
	ponéis	poníais	pusisteis	pondréis	pondríais	pongáis	pusierais	poned / no pongáis
	ponen	ponían	pusieron	pondrán	pondrían	pongan	pusieran	pongan
predecir / prediciendo / predicho	predigo	predecía	predije	predeciré	predeciría	prediga	predijera	
	predices	predecías	predijiste	predecirás	predecirías	predigas	predijeras	predice / no predigas
	predice	predecía	predijo	predecirá	predeciría	prediga	predijera	prediga
	predecimos	predecíamos	predijimos	predeciremos	predeciríamos	predigamos	predijéramos	predigamos
	predecís	predecíais	predijisteis	predeciréis	predeciríais	predigáis	predijerais	predecid / no predigáis
	predicen	predecían	predijeron	predecirán	predecirían	predigan	predijeran	predigan

C. IRREGULAR VERBS (CONTINUED)

Infinitive / Present Participle / Past Participle	INDICATIVE Present	Imperfect	Preterite	Future	Conditional	SUBJUNCTIVE Present	Past	IMPERATIVE
querer / queriendo / querido	quiero	quería	quise	querré	querría	quiera	quisiera	
	quieres	querías	quisiste	querrás	querrías	quieras	quisieras	quiere / no quieras
	quiere	quería	quiso	querrá	querría	quiera	quisiera	quiera
	queremos	queríamos	quisimos	querremos	querríamos	queramos	quisiéramos	queramos
	queréis	queríais	quisisteis	querréis	querríais	queráis	quisierais	quered / no queráis
	quieren	querían	quisieron	querrán	querrían	quieran	quisieran	quieran
saber / sabiendo / sabido	sé	sabía	supe	sabré	sabría	sepa	supiera	
	sabes	sabías	supiste	sabrás	sabrías	sepas	supieras	sabe / no sepas
	sabe	sabía	supo	sabrá	sabría	sepa	supiera	sepa
	sabemos	sabíamos	supimos	sabremos	sabríamos	sepamos	supiéramos	sepamos
	sabéis	sabíais	supisteis	sabréis	sabríais	sepáis	supierais	sabed / no sepáis
	saben	sabían	supieron	sabrán	sabrían	sepan	supieran	sepan
salir / saliendo / salido	salgo	salía	salí	saldré	saldría	salga	saliera	
	sales	salías	saliste	saldrás	saldrías	salgas	salieras	sal / no salgas
	sale	salía	salió	saldrá	saldría	salga	saliera	salga
	salimos	salíamos	salimos	saldremos	saldríamos	salgamos	saliéramos	salgamos
	salís	salíais	salisteis	saldréis	saldríais	salgáis	salierais	salid / no salgáis
	salen	salían	salieron	saldrán	saldrían	salgan	salieran	salgan
ser / siendo / sido	soy	era	fui	seré	sería	sea	fuera	
	eres	eras	fuiste	serás	serías	seas	fueras	sé / no seas
	es	era	fue	será	sería	sea	fuera	sea
	somos	éramos	fuimos	seremos	seríamos	seamos	fuéramos	seamos
	sois	erais	fuisteis	seréis	seríais	seáis	fuerais	sed / no seáis
	son	eran	fueron	serán	serían	sean	fueran	sean
tener / teniendo / tenido	tengo	tenía	tuve	tendré	tendría	tenga	tuviera	
	tienes	tenías	tuviste	tendrás	tendrías	tengas	tuvieras	ten / no tengas
	tiene	tenía	tuvo	tendrá	tendría	tenga	tuviera	tenga
	tenemos	teníamos	tuvimos	tendremos	tendríamos	tengamos	tuviéramos	tengamos
	tenéis	teníais	tuvisteis	tendréis	tendríais	tengáis	tuvierais	tened / no tengáis
	tienen	tenían	tuvieron	tendrán	tendrían	tengan	tuvieran	tengan

C. IRREGULAR VERBS (CONTINUED)

Infinitive Present Participle Past Participle	INDICATIVE						SUBJUNCTIVE		IMPERATIVE
	Present	Imperfect	Preterite	Future	Conditional		Present	Past	
traer trayendo traído	traigo traes trae traemos traéis traen	traía traías traía traíamos traíais traían	traje trajiste trajo trajimos trajisteis trajeron	traeré traerás traerá traeremos traeréis traerán	traería traerías traería traeríamos traeríais traerían		traiga traigas traiga traigamos traigáis traigan	trajera trajeras trajera trajéramos trajerais trajeran	trae / no traigas traiga traigamos traed / no traigáis traigan
valer valiendo valido	valgo vales vale valemos valéis valen	valía valías valía valíamos valíais valían	valí valiste valió valimos valisteis valieron	valdré valdrás valdrá valdremos valdréis valdrán	valdría valdrías valdría valdríamos valdríais valdrían		valga valgas valga valgamos valgáis valgan	valiera valieras valiera valiéramos valierais valieran	vale / no valgas valga valgamos valed / no valgáis valgan
venir viniendo venido	vengo vienes viene venimos venís vienen	venía venías venía veníamos veníais venían	vine viniste vino vinimos vinisteis vinieron	vendré vendrás vendrá vendremos vendréis vendrán	vendría vendrías vendría vendríamos vendríais vendrían		venga vengas venga vengamos vengáis vengan	viniera vinieras viniera viniéramos vinierais vinieran	ven / no vengas venga vengamos venid / no vengáis vengan
ver viendo visto	veo ves ve vemos veis ven	veía veías veía veíamos veíais veían	vi viste vio vimos visteis vieron	veré verás verá veremos veréis verán	vería verías vería veríamos veríais verían		vea veas vea veamos veáis vean	viera vieras viera viéramos vierais vieran	ve / no veas vea veamos ved / no veáis vean

D. STEM CHANGING AND SPELLING CHANGE VERBS

Infinitive / Present Participle / Past Participle	INDICATIVE					SUBJUNCTIVE		IMPERATIVE
	Present	Imperfect	Preterite	Future	Conditional	Present	Past	
construir (y) / construyendo / construido	construyo	construía	construí	construiré	construiría	construya	construyera	
	construyes	construías	construiste	construirás	construirías	construyas	construyeras	construye / no construyas
	construye	construía	construyó	construirá	construiría	construya	construyera	construya
	construimos	construíamos	construimos	construiremos	construiríamos	construyamos	construyéramos	construyamos
	construís	construíais	construisteis	construiréis	construiríais	construyáis	construyerais	construid / no construyáis
	construyen	construían	construyeron	construirán	construirían	construyan	construyeran	construyan
creer (y [3rd-pers. pret.]) / creyendo / creído	creo	creía	creí	creeré	creería	crea	creyera	
	crees	creías	creíste	creerás	creerías	creas	creyeras	cree / no creas
	cree	creía	creyó	creerá	creería	crea	creyera	crea
	creemos	creíamos	creímos	creeremos	creeríamos	creamos	creyéramos	creamos
	creéis	creíais	creísteis	creeréis	creeríais	creáis	creyerais	creed / no creáis
	creen	creían	creyeron	creerán	creerían	crean	creyeran	crean
dormir (ue, u) / durmiendo / dormido	duermo	dormía	dormí	dormiré	dormiría	duerma	durmiera	
	duermes	dormías	dormiste	dormirás	dormirías	duermas	durmieras	duerme / no duermas
	duerme	dormía	durmió	dormirá	dormiría	duerma	durmiera	duerma
	dormimos	dormíamos	dormimos	dormiremos	dormiríamos	durmamos	durmiéramos	durmamos
	dormís	dormíais	dormisteis	dormiréis	dormiríais	durmáis	durmierais	dormid / no durmáis
	duermen	dormían	durmieron	dormirán	dormirían	duerman	durmieran	duerman
pedir (i, i) / pidiendo / pedido	pido	pedía	pedí	pediré	pediría	pida	pidiera	
	pides	pedías	pediste	pedirás	pedirías	pidas	pidieras	pide / no pidas
	pide	pedía	pidió	pedirá	pediría	pida	pidiera	pida
	pedimos	pedíamos	pedimos	pediremos	pediríamos	pidamos	pidiéramos	pidamos
	pedís	pedíais	pedisteis	pediréis	pediríais	pidáis	pidierais	pedid / no pidáis
	piden	pedían	pidieron	pedirán	pedirían	pidan	pidieran	pidan
pensar (ie) / pensando / pensado	pienso	pensaba	pensé	pensaré	pensaría	piense	pensara	
	piensas	pensabas	pensaste	pensarás	pensarías	pienses	pensaras	piensa / no pienses
	piensa	pensaba	pensó	pensará	pensaría	piense	pensara	piense
	pensamos	pensábamos	pensamos	pensaremos	pensaríamos	pensemos	pensáramos	pensemos
	pensáis	pensabais	pensasteis	pensaréis	pensaríais	penséis	pensarais	pensad / no penséis
	piensan	pensaban	pensaron	pensarán	pensarían	piensen	pensaran	piensen

D. STEM CHANGING AND SPELLING CHANGE VERBS (CONTINUED)

Infinitive / Present Participle / Past Participle	INDICATIVE					SUBJUNCTIVE		IMPERATIVE
	Present	Imperfect	Preterite	Future	Conditional	Present	Past	
producir (zc, j) / produciendo / producido	produzco	producía	produje	produciré	produciría	produzca	produjera	produce / no produzcas
	produces	producías	produjiste	producirás	producirías	produzcas	produjeras	produzca
	produce	producía	produjo	producirá	produciría	produzca	produjera	produzcamos
	producimos	producíamos	produjimos	produciremos	produciríamos	produzcamos	produjéramos	producid / no produzcáis
	producís	producíais	produjisteis	produciréis	produciríais	produzcáis	produjerais	produzcan
	producen	producían	produjeron	producirán	producirían	produzcan	produjeran	
reír (i, i) / riendo / reído	río	reía	reí	reiré	reiría	ría	riera	ríe / no rías
	ríes	reías	reíste	reirás	reirías	rías	rieras	ría
	ríe	reía	rio	reirá	reiría	ría	riera	riamos
	reímos	reíamos	reímos	reiremos	reiríamos	riamos	riéramos	reíd / no riáis
	reís	reíais	reísteis	reiréis	reiríais	riáis	rierais	rían
	ríen	reían	rieron	reirán	reirían	rían	rieran	
seguir (i, i) (g) / siguiendo / seguido	sigo	seguía	seguí	seguiré	seguiría	siga	siguiera	sigue / no sigas
	sigues	seguías	seguiste	seguirás	seguirías	sigas	siguieras	siga
	sigue	seguía	siguió	seguirá	seguiría	siga	siguiera	sigamos
	seguimos	seguíamos	seguimos	seguiremos	seguiríamos	sigamos	siguiéramos	seguid / no sigáis
	seguís	seguíais	seguisteis	seguiréis	seguiríais	sigáis	siguierais	sigan
	siguen	seguían	siguieron	seguirán	seguirían	sigan	siguieran	
sentir (ie, i) / sintiendo / sentido	siento	sentía	sentí	sentiré	sentiría	sienta	sintiera	siente / no sientas
	sientes	sentías	sentiste	sentirás	sentirías	sientas	sintieras	sienta
	siente	sentía	sintió	sentirá	sentiría	sienta	sintiera	sintamos
	sentimos	sentíamos	sentimos	sentiremos	sentiríamos	sintamos	sintiéramos	sentid / no sintáis
	sentís	sentíais	sentisteis	sentiréis	sentiríais	sintáis	sintierais	sientan
	sienten	sentían	sintieron	sentirán	sentirían	sientan	sintieran	
volver (ue) / volviendo / vuelto	vuelvo	volvía	volví	volveré	volvería	vuelva	volviera	vuelve / no vuelvas
	vuelves	volvías	volviste	volverás	volverías	vuelvas	volvieras	vuelva
	vuelve	volvía	volvió	volverá	volvería	vuelva	volviera	volvamos
	volvemos	volvíamos	volvimos	volveremos	volveríamos	volvamos	volviéramos	volved / no volváis
	volvéis	volvíais	volvisteis	volveréis	volveríais	volváis	volvierais	vuelvan
	vuelven	volvían	volvieron	volverán	volverían	vuelvan	volvieran	

VOCABULARIO

The following abbreviations are used:

adj. adjective	*inf.* infinitive	*poss.* possessive
adv. adverb	*inform.* informal	*p.p.* past participle
Arg. Argentina	*interj.* interjection	*P.R.* Puerto Rico
C.A. Central America	*inv.* invariable form	*prep.* preposition
Carib. Caribbean	*i.o.* indirect object	*pres. p.* present participle
conj. conjunction	*L.Am.* Latin America	*pron.* pronoun
def. art. definite article	*m.* masculine	*refl. pron.* reflexive pronoun
d.o. direct object	*Mex.* Mexico	*s.* singular
f. feminine	*n.* noun	*S.A.* South America
form. formal	*obj.* (*of prep.*) object (of a	*sl.* slang
gram. grammatical term	preposition)	*Sp.* Spain
ind. art. indefinite article	*pl.* plural	*sub. pron.* subject pronoun

Spanish-English Vocabulary

A

a to (7); at (*with time*); **a base de** based on; **a continuación** following; below; **a escondidas** secretly; **a favor (de)** in favor (of); **a fondo** in depth; **a la plancha** grilled (6); **a la(s)...** at . . . (*time of day*); **a largo plazo** long-term, in the long-term; **a lo largo de** along, throughout; **a mano** by hand; **a mano derecha** on the right; **a mano izquierda** on the left; **a partir de** as of, since; **a pesar de** in spite of, despite; **a pie** on foot; **¿a qué hora... ?** at what time . . . ? (3); **¿a qué se dedica?** what do you (*form. s.*) do (*occupation*)? (4); **¿a qué te dedicas?** what do you (*inform. s.*) do (*occupation*)? (4); **a raíz de** as a result of; **a sus órdenes** at your service; **a ver** let's see; **al aire libre** outdoors; **al ajillo** sautéed with garlic (6); **al cabo de** at the end of; **al contrario** on the contrary; **al final** in the end; **al igual que** just like; **es a la/las...** it's at . . . (3); **está/queda a la derecha** it's on the right/left (5); **está/queda al lado de...** it's beside . . . (5); **un número / una letra a la vez, por favor** one number / letter at a time, please (1); **voy a/al** + *place* I'm going to . . . (2)
abajo below; underneath
abandonar to abandon
abarrotería grocery store
abarrotes: tienda de abarrotes grocery store
abastecedor *m.* grocery store
abastos: tienda de abastos grocery store
abierto/a (*p.p. of* **abrir**) open (16)
abogado/a lawyer (4)
abolir to abolish
abono fertilizer

abrazo hug, embrace; **dar** (*irreg.*) **un abrazo** to hug
abrigado/a bundled up
abrigo coat (8)
abril *m.* April (1)
abrir (*p.p.* **abierto**) to open (6)
absoluto/a absolute
abuelo/a grandfather/grandmother (4); *pl.* grandparents (4)
abulón *m.* (*pl.* **abulones**) abalone
abundar to abound, be plentiful
aburrido/a bored; boring (2); **¡qué aburrido!** how boring! (8)
acá *adv.* here
acabar to finish; to run out of; **acabar de** + *inf.* to have just (*done something*)
academia academy
académico/a academic
acampar to camp
acaso: por si acaso just in case
accesible accessible
acceso access
accesorio accessory (8)
accidente *m.* accident
acción *f.* action; **Día** (*m.*) **de Acción de Gracias** Thanksgiving (7); **película de acción** action movie
aceite *m.* oil (6); **aceite de oliva** olive oil
acentuar (ú) to accentuate
aceptar to accept
acerca de *prep.* about, concerning, regarding
acompañamiento side dish (*food*) (6)
acompañar to accompany; **te/le/les acompaño/acompañamos en el dolor** I'm/we're with you (*inform. s. / form. s. / form. pl.*) in your time of pain (16); **te/le/les acompaño/acompañamos en el sentimiento** you're (*inform. s. / form. s. / form. pl.*) in my/our thoughts (16)

aconsejable advisable
aconsejar to advise
acontecimiento event, happening
acordarse (ue) (de) to remember (5)
acorde (con) in agreement (with)
acostarse (ue) to go to bed (5)
acostumbrado/a (a) accustomed, used (to)
actitud *f.* attitude
actividad *f.* activity
activista *m., f.* activist
activo/a active; **llevar una vida activa** to lead an active life
acto act
actor *m.* actor (14)
actriz *f.* (*pl.* **actrices**) actress (14)
actuación *f.* acting; performance
actual *adj.* current, present-day
actuar (actúo) to act (14)
acudir (a) to go (to)
acuerdo agreement; **(no) estar** (*irreg.*) **de acuerdo** to (dis)agree
adecuado/a appropriate
adelante forward; **¡adelante!** come on! / let's go! / cheer up! (12)
además *adv.* moreover; **además de** *prep.* besides
adentro inside; **mar adentro** off-shore
adicional additional
adiós good-bye (1)
adivinanza riddle
adivinar to guess
adjetivo *gram.* adjective
administración *f.* administration; **administración de empresas** business administration; **administración de negocios** business administration; **administración de restaurantes** restaurant management
administrar to manage

514   Vocabulario

administrativo/a administrative; **asistente**
   (*m., f.*) **administrativo/a** administrative
   assistant (10)
admirar to admire
adolescencia adolescence
adolescente *m., f.* adolescent
¿adónde? where to? (2); **¿adónde va?**
   where are you (*form.*) going? (2);
   ¿adónde vas? where are you (*inform.*)
   going? (2)
adopción *f.* adoption
adoptar to adopt
adquirir (ie) to acquire
adquisición *f.* acquisition
aduana customs (*at a border*); **agente**
   (*m., f.*) **de aduanas** customs agent
adulto/a *n., adj.* adult
aeróbico: hacer (*irreg.*) **ejercicio aeróbico**
   to do aerobics
aerolínea airline
aeropuerto airport (9)
afán *m.* desire, zeal
afectar to affect
afeitarse to shave (5)
aficionado/a fan (12); **ser** (*irreg.*)
   aficionado/a (a) to be a fan (of)
afirmación *f.* statement
afortunado/a lucky
africano/a *n., adj.* African
afrontar to face, confront
afro-uruguayo/a Afro-Uruguayan
afuera *adv.* outdoors
afueras *n. pl.* outskirts; suburbs (5)
agarrar to grab
agave *m.* agave
agavero: alambre (*m.*) **agavero** dish which
   features an agave stock on a plate of
   rice with banana, chicken or beef, and
   melted cheese
agencia agency; **agencia de prensa**
   press agency; **agencia de seguros**
   insurance agency; **agencia de talentos**
   talent agency; **agencia de viajes** travel
   agency
agente *m., f.* agent; **agente de aduanas**
   customs agent; **agente de bienes**
   raíces real estate agent (10); **agente de**
   seguros insurance agent (10); **agente**
   de viajes travel agent
agosto August (1)
agotador(a) exhausting
agotamiento exhaustion (13);
   depletion (13)
agotar to sell out; to exhaust;
   to deplete
agradable pleasant (9)
agradecer (zc) to thank; **te/le/les agradezco**
   por... I appreciate that you . . . , I thank
   you for . . . (5)
agradecimiento thanks
agregar (gu) to add
agresivo/a aggressive
agrícola *adj. m., f.* agricultural

agricultor(a) farmer
agricultura agriculture
agroeconomista *m., f.* agroeconomist
agua *f.* (*but* **el agua**) water (6); **agua salada**
   salt water; **botella de agua** water bottle;
   caída de agua waterfall
aguacate *m.* avocado
aguacero rain shower; downpour
aguadulce *m. typical Costa Rican drink*
aguantar to withstand
ahí there
ahogar (gu) to drown
ahora now; **ahorita** right now
ahorrar to save (13)
aimara *m.* Aymara (*language*)
aire *m.* aire; **al aire libre** outdoors;
   contaminación (*f.*) **del aire** air pollution
ají *m.* chili pepper
ajillo: al ajillo sautéed with garlic (6)
ala *f.* (*but* **el ala**) wing
alambre (*m.*) **agavero** *dish which features*
   an agave stock on a plate of rice with
   banana, chicken or beef, and melted
   cheese
alarmante alarming
alavés, alavesa *n., adj.* from Álava, Spain
albergar (gu) to shelter
albergue *m.* hotel
álbum *m.* album
alcance *m.* reach; **al alcance** within reach
alcanzar (c) to reach; to achieve
alcohólico/a alcoholic
alegrarse (de) to be happy (about)
alegre happy (2)
alegría happiness
alemán *m.* German (*language*)
alemán (*pl.* **alemanes**), **alemana** *n., adj.*
   German
Alemania Germany
alergia allergy (12); **tener** (*irreg.*) **alergia a**
   to be allergic to (12)
alérgico/a allergic
alfabetismo literacy
alfabetización *f.* literacy (15); teaching of
   literacy (15)
alfombra rug
algo something (5); anything
algodón *m.* cotton
alguien someone (5); anyone
algún (alguna/os/as) some (5); any; **algún**
   día someday; **alguna vez** once; ever;
   de alguna manera in some way;
   en algún momento at some point
aliada *m., f.* ally
alimentar(se) to feed
alimenticio/a food; **cadena alimenticia**
   food chain
alimento food, foodstuff
alineación *f.* alignment
alistarse to enlist
allá (way) over there
allí there
alma *f.* (*but* **el alma**) soul

almacén *m.* (*pl.* **almacenes**) warehouse;
   department store (5)
almacenamiento storage
almohada pillow
almorzar (ue) (c) to eat lunch (3)
almuerzo lunch; **preparar el almuerzo**
   to prepare lunch (4)
aló hello (*telephone greeting*)
alojamiento lodging
alojarse to lodge, stay (hotel)
alpinismo mountaineering
alpinista *m., f.* mountain climber
alpino/a Alpine
alquilar to rent
alquiler *m.* rent
alrededor (de) around
altar *m.* altar
alterado/a altered
alternativa alternative
alternativo/a alternative (14)
altiplano high plateau
alto/a tall (2); **alta costura** haute couture;
   en voz alta out loud; **más alto que**
   taller than (4); **menos alto que** less tall
   than (4); **tacones** (*m. pl.*) **altos** high-
   heeled shoes
alumno/a student
alzar (c) to raise, lift up
amable friendly
amanecer *m.* dawn
amante *m., f.* lover
amar to love (16)
amarillo yellow (2)
Amazonas *m. s.* Amazon (River)
ambicioso/a ambitious
ambiental environmental
ambiente *m.* atmosphere;
   environment; **medio ambiente**
   environment (13)
ambos/as both
amenazar (c) to threaten
americano/a American; **fútbol** (*m.*)
   americano football (12); **jugar**
   (ue) (gu) fútbol americano to
   play football (12)
amigo/a friend (1)
aminoácido amino acid
amistad *f.* friendship (16)
amo/a master/mistress; **ama** (*f., but* **el ama**)
   de casa housewife (4)
amor *m.* love (16); **canción** (*f.*) **de amor**
   love song; **Día** (*m.*) **del Amor**
   Valentine's Day
amplio/a broad
analfabetismo illiteracy (15)
analfabetización *f.* illiteracy
anaranjado/a orange (2)
ancho/a wide (8)
andar *irreg.* to walk; **¡ándale!** come on!
   command inform. s.; **¡ándele!** come on!
   command form. s.; **andar en bicicleta**
   to ride a bicycle (12); **andar en patineta**
   to skateboard (12)

andino/a Andean

anécdota anecdote

anglohablante *m., f.* English speaker

anglosajón (*pl.* **anglosajones**), **anglosajona** Anglo Saxon

angustia distress; worry

anhelar to long, yearn for

anidar to nest

anillo ring (8)

animación *f.* animation

animado/a lively (2)

animal *m.* animal; **animal doméstico** pet

¡ánimo! come on! / let's go! / cheer up! (12)

aniversario anniversary

anoche last night

anotación *f.* score

anotar to note

ansioso/a anxious (2)

Antártida Antarctica

antepasado/a ancestor

anterior before

antes *adv.* before (1); **antes de** *prep.* before (1); **antes (de) que** *conj.* before

antes *prep.* before; in front of

antibiótico antibiotic

anticipar to anticipate

antigüedad antiquity

antiguo/a old (5)

antillano/a Antillean (from the Antilles or West Indies)

antioxidante *m.* antioxidant

antipático/a disagreeable (2)

antojarse to feel like, have a craving (9); **se me/te/le/nos/os/les antoja/antojó** + *inf.* / *s. n.* I / you (*inform. s.*) / he, she, you (*form. s.*) / we / you (*inform. pl.*) / they / they, you (*form. pl.*) feel/felt like + ([*doing*] *something*) (9); **se me/te/le/nos/os/les antojan/antojaron** + *pl. n.* I / you (*inform. s.*) / he, she, you (*form. s.*) / we / you (*inform. pl.*) / they / they, you (*form. pl.*) feel/felt like + *pl. n.* (9)

antojito appetizer

antónimo antonym

antro nightclub

anunciar to announce

anuncio ad; commercial

añadir to add

año year (1); **Año Nuevo** New Year's (7); **año pasado** last year; **cumplir... años** to turn . . . years old (7); **¿cuántos años tienes?** how old are you (*inform.*)? (2); **¿cuántos años tiene?** how old are you (*form.*)? (2); **este año** this year; **¡feliz Año Nuevo!** happy New Year! (7); **tener** (*irreg.*)... **años** to be . . . years old; **tengo** + *number* + **años** I'm + *number* years old (2)

apagar (gu) to turn off

aparato appliance

aparcar (qu) to park

aparecer (zc) to appear

apartamento apartment (5)

aparte: aparte de in addition to; **hoja de papel aparte** separate sheet of paper

apellido surname

apenas barely

aperitivo appetizer (6)

apetecer (zc) (*like* **gustar**) to appeal to

aplastar to flatten

aplicación *f.* application

aplicar (qu) to apply

apodo nickname

apoyar to support

apoyo support

apreciación *f.* appreciation

apreciar to appreciate

aprender (a) to learn (to) (6)

apretado/a tight (8)

apropiado/a appropriate

aprovechar to take advantage of

aproximadamente approximately

apuntar to write down; **apuntarse** to enroll; to add one's name to the list

apuntes *m. pl.* notes (*academic*)

apurarse to hurry

apuro hurry

aquel, aquella that ([way] over there)

aquello that ([way] over there)

aquellos/as those ([way] over there)

aquí here (2)

árabe *m.* Arabic (*language*); *n., adj. m., f.* Arab

árbol *m.* tree (5); **árbol de Navidad** Christmas tree; **copa de los árboles** top of the trees; **tala de árboles** tree cutting (13)

archivo document; file (10)

arcilla clay

ardor *m.* ardor

área *f.* (*but* **el área**) area, region

arena sand

arepa *fried bread made of cornmeal*

argentino/a *n., adj.* Argentine (2)

argumentar to argue

argumento argument (*legal*); plot

arma *f.* (*but* **el arma**) weapon

armado/a armed

armario armoire, closet (11)

armonía harmony

aro hoop; ring

arqueológico/a archeological

arquitecto/a architect (10)

arquitectura architecture (1)

arrecife *m.* reef

arreglar to arrange

arroba @ (at, *in an email address*) (1)

arroz *m.* rice (6); **arroz con leche** rice pudding; **arroz graneado** *fried rice dish*

arruinar to ruin

arte *m.* (*but* **las artes**) art (14); **bellas artes** fine arts; **obra de arte** piece, work of art (14)

artesanal handcrafted; traditional

artesanía crafts (9)

artículo article

artificial artificial; **fuegos artificiales** fireworks (7)

artista *m., f.* artist

artístico/a artistic

asado barbecue, cookout

asado/a roast(ed) (6)

asamblea assembly

ascender (ie) to climb

ascensor *m.* elevator (11)

ascetismo asceticism

asegurar to assure

asequible accessible

asfalto asphalt

así thus; so; **así como** as well as; **así que** therefore, consequently, so

asiático/a Asian

asistente *m., f.* **(administrativo/a)** (administrative) assistant (10)

asistir (a) to attend (2); to go to (*a class, function*)

asma *m.* asthma (12)

asociación *f.* association

aspecto aspect; **tener** (*irreg.*) **buen aspecto** to look good

aspiración *f.* goal

aspiradora vacuum cleaner (11); **pasar la aspiradora** to vacuum (11)

asqueroso/a disgusting

astronauta *m., f.* astronaut

astronómico/a astronomical

asumir to assume

asunto matter

asustar to frighten

atacar (qu) to attack

atar to tie

atención *f.* attention; **poner** (*irreg.*) **atención** to pay attention; **prestar atención** to pay attention

atender (ie) (a) to serve, wait on; to care for

atlántico/a Atlantic; **océano Atlántico** Atlantic Ocean

atleta *m., f.* athlete (12)

atlético/a athletic

atletismo athleticism

atracción *f.* attraction (9)

atractivo attraction

atractivo/a attractive

atraer (*like* **traer**) to draw, attract

atrás *adv.* back, backward; behind

atrevido/a daring

atrocidad *f.* atrocity

atún *m.* tuna (6)

audífonos *pl.* headphones (10)

aula *f.* (*but* **el aula**) classroom (1)

aumentar to increase

aumento increase; gain; **aumento de peso** weight gain

516 Vocabulario

aun *adv.* even

aún *adv.* still, yet

aunque although

austral southern

autobús *m.* (*pl.* **autobuses**) bus (5)

autóctono/a indigenous

automático/a automatic

autónoma autonomous

autor(a) author; **violación** (*f.*) **de los derechos del autor** copyright violation

autoridad *f.* authority

autorización *f.* authorization

avanzar (c) to advance

avenida avenue (5)

aventura adventure; **turismo de aventura** adventure tourism

aventurero/a adventurous

averiguar to verify

avión *m.* (*pl.* **aviones**) airplane (9)

avisar to warn

¡ay! *interj.* ah!; oh!; ouch!

ayer yesterday

ayuda help

ayudar to help (13)

azotea roof terrace

azteca *n., adj. m., f.* Aztec

azúcar *m.* sugar (6)

azul blue (2)

B

bacalao codfish, cod

bahía bay

bailar to dance (2)

bailarín (*pl.* **bailarines**), **bailarina** dancer (14)

baile *m.* dance (14)

bajar to lower; to download; to go down; to get off (*transportation*); **bajar en tirolina** to go ziplining (9); **bajar de peso** to lose weight (12); **baje (por esta calle)** go down (this street) (*command form. s.*) (5)

bajo/a short (2); **Países** (*m. pl.*) **Bajos** Netherlands; **planta baja** ground floor

balada ballad

balcón *m.* (*pl.* **balcones**) balcony

ballena whale (13)

ballet *m.* ballet

baloncesto basketball

balsa raft

banca bank

bancario/a banking

banco bank (5)

banda band (14)

bandeja tray, platter

bandera flag (2)

bañarse to bathe (oneself) (5); to take a bath

bañera bathtub (11)

baño bathroom (11); **cuarto de baño** bathroom (11); **traje** (*m.*) **de baño** bathing suit (8)

barato/a inexpensive

bárbaro/a: ¡qué bárbaro! how cool! (8)

barca small boat

barranca ravine

barrer to sweep (11)

barrio neighborhood

basarse (en) to base one's ideas/opinions (on)

base *f.* base; **a base de** based on; **base de datos** data base

básico/a basic

básquetbol *m.* basketball; **jugar (ue) básquetbol** to play basketball (3)

bastante rather, sufficiently; enough

bastar to be enough

bastón *m.* (*pl.* **bastones**) cane, walking stick

basura trash; **correo basura** junk mail; **no tirar basura** don't litter (9); **sacar (qu) la basura** to take out the trash (11)

basurero/a trash collector

bata robe

batalla battle

batata sweet potato

batidora mixer; blender

bautizar (c) to baptize

bautizo baptism (7)

baya berry

bebé *m., f.* baby

beber to drink; **no beber y conducir** don't drink and drive (9)

bebida beverage; drink (6)

béisbol *m.* baseball (12); **jugar (ue) (gu) béisbol** to play baseball (12)

beisbolista *m., f.* baseball player

belga *n., adj. m., f.* Belgian

Bélgica Belgium

belleza beauty

bello/a pretty (2)

bendecido/a blessed

bendición *f.* blessing

benefactor(a) benefactor

beneficiar to benefit

beneficio benefit

berro watercress

besar to kiss

biblioteca library (1)

bicicleta bicycle; **andar** (*irreg.*) **en bicicleta** to ride a bicycle (12); **bicicleta de montaña** mountain bike (9); **correr en bicicleta** to ride a bicycle

bien *adv.* well; **(muy) bien** (very) well (1); **lo pasé bien** I had a good time (7); **pasarlo bien** to have a good time (7); **¡qué bien!** how cool! (8); **que le(s) vaya bien** may things go well for you (*form. s., pl.*) (12)

bienes raíces *m. pl.* real estate; **agente** (*m., f.*) **de bienes raíces** real estate agent

bienestar *m.* well-being

bienvenida *n.* welcome; **dar** (*irreg.*) **la bienvenida** to welcome (11); **¡le damos la bienvenida a Ud.!** we welcome you (*form. s.*)! (11)

¡bienvenido/a(s)! *adj.* welcome! (11); **ser** (*irreg.*) **bienvenido/a(s)** to be welcome (11); **usted es (siempre) bienvenido/a** you (*form. s.*) are always welcome (11)

bife *m.* steak

bilingüe bilingual (2)

biodiversidad *f.* biodiversity

biografía biography

biología biology (1)

biólogo/a biologist

birria goat meat

bisabuelo/a great-grandfather/great-grandmother (4)

bisturí *m.* scalpel

bitácora digital blog

blanco/a white (2); **espacio en blanco** blank space; **línea en blanco** blank; **vino blanco** white wine (6)

blog *m.* blog (10)

bloguear to blog

bloguero/a blogger (10)

bloqueador (*m.*) **solar** sunscreen

boca mouth (8)

bocado taste

boda wedding (7); **boda civil** civil ceremony (*wedding*)

bodega grocery store (*Carib.*)

bofetada slap; **dar** (*irreg.*) **una bofetada** to slap

bol *m.* bowl (6)

bola ball

boleto ticket (9)

boliche *m.* bowling

bolígrafo pen (1)

boliviano/a *n., adj.* Bolivian (2)

bolsa bag (8)

bolsillo pocket

bolso purse (8)

bombero, mujer (*f.*) **bombero** firefighter (10)

bonito/a pretty (2); **¡qué bonita familia!** what a beautiful family! (4)

bordado/a embroidered

borracho/a drunk

borrador *m.* eraser (1)

bosque *m.* forest; **bosque tropical** rainforest (9)

bosquejo outline

botas boots

bote *m.* boat

botella bottle; **botella de agua** water bottle

botica pharmacy

botón *m.* (*pl.* **botones**) button

boxear to box (12)

boxeo boxing

boyante prosperous

brazo arm (8)

Bretaña: **Gran Bretaña** Great Britain

breve *adj.* brief

brindis *m. s., pl.* toast (7)

británico/a *n., adj.* British

brócoli *m.* broccoli (6)
bronce *m.* bronze
bucear to scuba dive (9)
budista *n., adj. m., f.* Buddhist (7)
buen, bueno/a good (2); **buen día** good morning (1); **¡buen provecho!** enjoy your meal!(6); **¡buen viaje!** bon voyage!, have a good trip! (7); **¡buena suerte!** good luck! (7); **buenas noches** good evening/night (1); **buenas tardes** good afternoon (1); **buenos días** good morning (1); **dar** (*irreg.*) **buena suerte** to bring good luck; **hace buen tiempo** it's nice weather (9); **pasar un buen rato** to have a good time; **¡qué buena idea!** what a good idea!; **¡que tenga(s) un buen día / fin de semana!** have (*form. s. / inform. s.*) a good day/weekend!; **¡que tenga(s) una buena tarde!** have (*form. s. / inform. s.*) a nice afternoon!; **sacar (qu) buenas notas** to get good grades; **tener** (*irreg.*) **buen aspecto** to look good; **tener** (*irreg.*) **buena/mala pinta** to have a good/bad appearance
bufanda scarf
bus *m.* bus
buscador (*m.*) **de Internet** search engine (10)
buscar (qu) to look for (8)
búsqueda search

C

caballero gentleman
caballo horse; **montar a caballo** to ride a horse (3)
cabecera: médico/a de cabecera primary care physician
cabello hair
cabeza head (8)
cable *m.* cable
cabo: al cabo de at the end of
cada *inv.* each, every; **cada vez más** increasingly
cadena chain; **cadena alimenticia** food chain
cadera hip (8)
caer *irreg.* to fall; **caer en** to fall on (*day of the week*); **caerse** to fall down (9)
café *m.* coffee (2); café, coffee shop; *adj.* brown
cafeína caffeine
caída de agua waterfall
caja box
cajero/a cashier (10); teller
calamares *m. pl.* squid (6)
calavera skull
calcetines *m. pl.* socks (8)
calculadora calculator
calcular to calculate
cálculos figures
caldo broth, clear soup (6)
calendario calendar

calentamiento global global warming (13)
calidad *f.* quality
cálido/a warm, hot (9)
caliente hot
calificar (qu) (a) to qualify (for)
callado/a quiet
calle *f.* street (5); **baje/suba (por esta calle)** go down/up (this street) (*command form. s.*) (5)
calor *m.* heat; **hace calor** it's hot (9); **¡qué calor!** it's so hot!
calvo/a bald
calzones *m. pl.* underwear (8)
cama bed (11); **hacer** (*irreg.*) **la cama** to make the bed (11)
cámara camera
camarero/a waiter, waitress (6); server (6)
camarones *m. pl.* shrimp (6)
cambiar to change; **cambiar cheques** to cash checks
cambio change; **cambio climático** climate change
caminar to walk
caminata *n.* walk, hike
camino road; path; **por el camino** on the way
camión *m.* bus
camisa shirt (8)
camiseta t-shirt (8)
campana: pantalones (*m. pl.*) **de campana** bell-bottom pants
campanada peal
campaña campaign
campeón (*pl.* **campeones**), **campeona** champion
campeonato championship
camping: hacer (*irreg.*) **camping** to go camping
campismo camping
campo field; countryside, rural area (5)
campus *m.* campus
Canadá *m.* Canada
canadiense *n., adj. m., f.* Canadian (2)
canal *m.* canal
canas: tener (*irreg.*) **canas** to have gray hair
cancelar to cancel
cáncer *m.* cancer
cancha (athletic) field, court
canción *f.* song; **canción de amor** love song
candidato/a candidate
candombé *m. Afro-Uruguayan music and dance*
canguro kangaroo
cano/a gray-haired
cansado/a tired (2)
cantante *m., f.* singer (14)
cantar to sing (3)
cantautor(a) singer-songwriter
cantidad *f.* quantity
canto singing

cañón *m.* (*pl.* **cañones**) canyon
caótico/a chaotic
capa layer
capacitado/a trained
capital *f.* capital city (5)
capitalismo capitalism
capitán (*pl.* **capitanes**), **capitana** captain
capítulo chapter
caqui: color caqui khaki
cara face (8); **¡qué cara!** what nerve!
característica characteristic
caracterizar (c) to characterize
caramelo candy
carbohidrato carbohydrate
carbón *m.* coal
carga cargo
cargador *m.* charger
cargar (gu) to charge; to load (10); to upload (10); **cargar con** to take on (responsibility)
cargo (political) office; **estar** (*irreg.*) **a cargo (de)** to be in charge (of)
Caribe *m.* Caribbean; **mar** (*m.*) **Caribe** Caribbean Sea
caribeño/a *n., adj.* Caribbean
cariño affection
cariñoso/a affectionate (16)
Carnaval *m.* Carnival (*the festivities in the days preceding Lent*) (7)
carne *f.* (red) meat (6)
carnicería butcher shop (5)
carnitas *Mexican dish made of roasted pork that is sautéed till browned*
caro/a expensive
carpa tent
carrera major (field of study); career; race (12); **carrera de fondo** long-distance race; **¿cuál es tu carrera?** what's your major? (1); **¿cuál es tu correo electrónico?** what is your email (address)? (1); **¿cuál es tu (dirección de) email?** what is your email (address)? (1); **¿cuál es tu número de teléfono?** what is your phone number? (1)
carretera highway (5)
carril *m.* lane
carta letter; menu (6)
casa house (2); **ama** (*f., but* **el ama**) **de casa** housewife (4)
casado/a married (16)
casamiento marriage
casarse (con) to get married (to) (16)
cascada waterfall
cáscara shell; peel
casco helmet (12)
casi *inv.* almost
caso case; **en caso de que** *conj.* in case
casona mansion
casquete *m.* (**polar**) (polar) ice cap
castaño/a brown (2)
catador(a) taster
catarata waterfall (9)
catedral *f.* cathedral (5)

categoría category
categorizar (c) to categorize
catire fair-skinned, fair-haired (*Carib.*)
católico/a Catholic
catorce fourteen
causa cause
causar to cause
cauteloso/a cautious
caverna cavern
cazar (c) to hunt
cazatalentos *inv.* talent scout
cebolla onion (6)
celebración *f.* celebration
celebrar to celebrate (7)
celebridad *f.* celebrity
celeste heavenly; **color** (*m.*) **celeste** light
   blue
celos: tener (*irreg.*) **celos** to be jealous
celoso/a jealous (16)
celular: (teléfono) celular cell phone
cementerio cemetery
cena dinner; **preparar la cena** to prepare
   dinner (4)
cenar to eat dinner (3)
censura censorship
centenar *m.* hundred
centígrado/a *adj.* Celsius, centigrade
central central
centro center (5); downtown (5); **centro
   estudiantil** student center, student
   union
Centroamérica Central America
centroamericano/a *n., adj.* Central
   American
cepillarse los dientes to brush one's
   teeth (5)
cepillo de dientes toothbrush
cerca *adv.* near, nearby, close; **cerca de**
   close/near to (9)
cereal *m.* cereal
ceremonia ceremony
cerrar (ie) to close (6)
cerro hill
cerveza beer (2)
césped *m.* lawn, grass
ceviche *m. raw fish dish*
chacra small farm
chala husk
chamo kid
champán *m.* champagne (7)
champiñones *m. pl.* mushrooms (6)
chaqueta jacket (8)
charco puddle
charcutería delicatessen
charlar to chat
charrería horsemanship (*Mex.*)
chau good-bye (1)
cheque *m.* check; **cambiar cheques**
   to cash checks; **cobrar un cheque**
   to cash a check
chévere cool; **¡qué chévere!** how cool! (8)
chicle *m.* gum
chico/a *n.* guy/girl; *adj.* small (2)

chido/a cool; **¡qué chido!** how cool! (8)
chilaquiles *m. pl. Mexican dish of fried
   tortilla pieces simmered in salsa or
   mole and served with cheese and
   sour cream*
chile *m.* chili pepper (6)
chileno/a *n., adj.* Chilean (2)
chillar to bawl
chimichurri *green sauce used for grilled
   meat (Arg.)*
chino/a *n.* Chinese person; *adj.* Chinese
chirimoya cherimoya fruit
chispa spark
chistoso/a funny
chivo goat
chocar (qu) con to run into; to bump
   against
chocolate *m.* chocolate
chofer *m., f.* driver (4)
chorizo sausage (6)
chulo/a cool (*Sp.*); **¡qué chulo!** how cool!
   (*Sp.*) (8)
chutar to shoot (*a soccer ball*) (*Sp.*)
ciclismo cycling
ciclista *m., f.* cyclist
ciclón *m.* (*pl.* **ciclones**) hurricane
ciego/a *adj.* blind; **cita a ciegas** blind
   date (16)
cielo sky; heaven
cien one hundred
ciencia science (1); **ciencias políticas**
   political science (1)
científico/a scientific
ciento one hundred (*used with 101–199*);
   por ciento percent
cierto/a true
cigarrillo cigarette
cinco five
cincuenta fifty
cine *m.* movies (2); movie theater (2); film
   (*in general*) (2)
cineasta *m., f.* filmmaker
cinematográfico/a *adj.* movie, film
cinta film, movie
cintura waist
cinturón *m.* (*pl.* **cinturones**) belt (8)
circuito circuit
circular to circulate
círculo circle
circunstancia circumstance
ciruela plum
cirugía surgery
cirujano/a surgeon (10)
cita appointment; date (16); **cita a ciegas**
   blind date (16)
ciudad *f.* city (5)
ciudadano/a citizen
civil civil; **boda civil** civil ceremony
   (*wedding*); **estado civil** marital status
   (16); **guerra civil** civil war
civilización *f.* civilization
¡claro que sí! *Interj.* of course! (6)
claro/a clear

clase *f.* class (*of students*) (1); class, course
   (*academic*) (1); **compañero/a de
   clase** classmate; **salón** (*m.*) **de clase**
   classroom (1)
clásico/a classic(al) (14)
clasificación *f.* classification
clave *n. f., adj.* key
clic: hacer clic to click (10)
cliente *m., f.* customer
clima *m.* climate; weather
climático/a *adj.* climate; **cambio climático**
   climate change
climatización *f.* air conditioning
clínica clinic
clóset *m.* (*pl.* **closets**) closet
cobrar un cheque to cash a check
cobre *m.* copper
coche *m.* car (5)
cochi *Nahuatl word meaning
   to sleep*
cochinillo roast suckling pig (*dish*)
cocina kitchen (11); cuisine
cocinar to cook (3)
cocinero/a cook; chef
codiciado/a sought-after
codo elbow (8)
coger (j) to take (*transportation*) (*Sp.*);
   coger a mano derecha/izquierda
   to turn right/left (*Sp.*)
cognado *gram.* cognate
cohombro cucumber (*P.R.*)
coincidir to coincide
cola line (*of people*)
colaborar to collaborate
colar (ue) to strain (*liquid*)
colchón *m.* (*pl.* **colchones**) mattress
colección *f.* collection
coleccionar to collect
colectivo bus
colega *m., f.* co-worker, colleague
colegio high school
cólera cholera
colesterol cholesterol
colibrí *m.* (*pl.* **colibríes**) hummingbird
colina hill
collar *m.* necklace (8)
colmado small grocery store (*Carib.*)
colocar (qu) to place
colombiano *n., adj.* Colombian (2)
colonia colony; neighborhood (*Mex.*)
color *m.* color; **color caqui** khaki; **color
   celeste** light blue; **color verde oliva**
   olive green; **¿de qué color es?** what
   color is it? (2)
columna column
com: punto com dot com (*in an email
   address*) (1)
comadre *f.* godmother of one's child (4);
   mother of one's godchild
comandante *m., f.* commander
comarca region
combatir to fight
combinación *f.* combination

combinar to combine

combustibles (*m. pl.*) **fósiles** fossil fuels

comedia comedy; **comedia musical** musical (*play*)

comedor dining room (11); dining hall

comentar (sobre) to comment (on)

comentario comment

comentarista *m., f.* news anchor

comenzar (ie) (c) to begin; **comenzar a +** *inf.* to begin to + *inf.*

comer to eat (2); **come/coma más** have some more (*command inform. s. / form. s.*) (11); **comer comida mexicana** to eat Mexican food (3); **dar** (*irreg.*) **de comer** to feed; **no dar** (*irreg.*) **de comer** don't feed (*animals*) (9)

comercialización *f.* commercialization

comercializar (c) to commercialize

comestibles *m. pl.* groceries, food (6); **comestibles empaquetados/enlatados** packaged/canned goods (6)

cometer to commit; **cometer un error** to make a mistake

cómico/a funny

comida food (3); (midday) meal (3); **comer comida mexicana** to eat Mexican food (3); **comida rápida** fast food

comienzo *n.* beginning

como like; as; **tal como** just as; **tan... como** as . . . as; **tanto como** as much as; **tanto/a/os/as... como** as much/many . . . as

¿cómo? how? (2); **¿cómo está?** how are you (*form. s.*)? (1); **¿cómo estás?** how are you (*inform. s.*)? (1); **¿cómo se dice... ?** how do you say . . . ? (2); **¿cómo se escribe... ?** how do you spell . . . ? (1); **¿cómo se llama?** what is your name (*form. s.*)? (1); **¿cómo te llamas?** what is your name (*inform. s.*)? (1)

¡cómo no! *interj.* of course! (6)

comodidad *f.* comfort

cómodo/a comfortable

compacto: disco compacto (el CD) compact disc (CD)

compadre *m. godfather of one's child* (4); *father of one's godchild*

compañero/a companion; friend; classmate; **compañero/a de clase** classmate; **compañero/a de cuarto** roommate

compañía company

comparación *f.* comparison

comparar to compare

compartir to share

competencia competition (12)

competición *f.* competition

competidor(a) competitor

competir (i, i) to compete

competitivo/a competitive

complacer (zc) to please

complejo *n.* complex

complejo/a *adj.* complex

complemento accessory

completar to complete

completo/a complete

complicar (qu) to complicate

componer (*like* **poner**) (*p.p.* **compuesto**) to compose (14)

composición *f.* composition

compositor(a) composer

compostador *m.* composter

comprar to buy (3)

compras: de compras shopping; **ir** (*irreg.*) **de compras** to go shopping (2)

comprender to understand

comprensión *f.* understanding

comprensivo/a understanding (16)

comprobar (ue) to prove

comprometerse to get engaged (16); to commit (*oneself*) (16)

comprometido/a engaged (16); in a serious relationship (16)

compromiso engagement; commitment

compuesto/a (*p.p. of* **componer**) **(de)** composed (of)

computación *f.* computer science

computadora computer (1); **(computadora) láptop/portátil** laptop (computer)

común common

comunicación *f.* communication; communications (*field of study*) (1)

comunicarse (qu) to communicate; **¿me puede comunicar con... ?** can you connect me with . . . ?

comunidad *f.* community

comunista *n., adj. m., f.* communist

comunitario/a community

con with (7); **con frecuencia** often; **¡con mucho gusto!** with pleasure! (6); (very) gladly; **con permiso** excuse me (8); **con tal de que** *conj.* provided that; **con vista a** with a view of; **¿me puede comunicar con... ?** can you connect me with . . . ?

concentrar(se) to concentrate

concepto concept

concha shell

conciencia conscience

consciente conscious (13)

concierto concert (14)

concluir (y) to conclude

conclusión *f.* conclusion

concordancia agreement

concreto: en concreto specifically; in particular

condición *f.* condition

condimento condiment (6)

cóndor *m.* condor

conducir *irreg.* to drive; **no beber y conducir** don't drink and drive (9)

conectar to connect; **conectarse al Internet** to connect to the Internet

conector *m.* connector

conejo rabbit

conexión (*f.*) **(inalámbrica)** (wireless) connection

conferencia conference

confesar (ie) to confess

confianza confidence; trust

conflicto conflict

confundir to confuse

congregarse (gu) to congregate

congreso conference

cónico/a conical

conjugar (gu) to conjugate

conjunto outfit (*clothes*) (8)

conjuro spell

conmemorar to commemorate

conmigo with me (7)

Cono Sur Southern Cone

conocer (zc) to know, be acquainted, familiar with (5); to meet; **conocerse** to meet (each other) (16)

conocimiento knowledge

conquista conquest

conquistador(a) conqueror

consciente conscious; aware

consecuencias consequences

consecutivo/a consecutive

conseguir (*like* **seguir**) to get (10)

consejero/a advisor

consejo (piece of) advice

conservación conservation

conservar to preserve, conserve (13); to keep (13)

consideración *f.* consideration

considerar to consider

consistir (en) to consist (of)

consola console

constipado/a congested (12)

constitucional constitutional

construcción *f.* construction

construir (y) to build

consultar to consult

consumir to consume

consumo consumption

contacto contact; **lentes** (*m. pl.*) **de contacto** contact lenses; **mantenerse** (*like* **tener**) **en contacto con** to stay in touch with; **ponerse los lentes de contacto** to put on contacts (5)

contador(a) accountant

contagiar to infect

contaminación *f.* pollution (5); **contaminación del aire** air pollution

contaminar to pollute

contar (ue) to tell, narrate; to count

contener (*like* **tener**) to contain

contenido content

contento/a happy (2); **ponerse** (*irreg.*) **contento/a** to become happy (5)

conteo count

contestar to answer

contexto context

contigo with you (*inform. s.*) (7)

continente *m.* continent

continuación: a continuación following; below

continuar (continúo) to continue

contra against; **en contra de** against

contraceptivo contraceptive

contrario: al contrario on the contrary; **lo contrario** the opposite

contrastante contrasting

contrastar to contrast
contratar to hire
contrayente *m., f.* party (*of a contract*)
control *m.* control
controlar to control
controversia controversy
controvertido/a controversial
conversación *f.* conversation
conversar to converse
convertir (ie, i) to convert; **convertirse en** to become
conyugal conjugal
cooperar to cooperate
copa drink (*alcoholic*); **copa de los árboles** canopy (*of trees*); **Copa Mundial** World Cup
copiar to copy (10)
coqueto/a flirtatious
coraje *m.* anger, rage; **¡qué coraje!** how frustrating/annoying! (4)
corazón *m.* heart
corbata tie (8)
cordillera mountain range
Corea Korea
coreano/a *n., adj.* Korean
coro choir
coronado/a crowned
corporación *f.* corporation
correcto/a correct
corredor(a) runner
correo mail; **correo basura** junk mail; **correo electrónico** email; **¿cuál es tu correo electrónico?** what is your email (address)? (1); **oficina de correos** post office
correr to run (2); **correr en bicicleta** to ride a bicycle; **correr en el parque** to run in the park (3)
corresponder to correspond
correspondiente corresponding
corrida de montaña mountain running
corrupción *f.* corruption (15)
corrupto/a corrupt
corsé *m.* corset
cortar to cut (10)
Corte (*f.*) **Suprema** Supreme Court
cortés polite
corto/a short (*in length*) (8); **pantalones** (*m. pl.*) **cortos** shorts (8)
cosa thing (1)
cosecha harvest
cosido/a sewn
cosmetólogo/a cosmetologist (10)
costa coast
costal *m.* sack, bag
costar (ue) to cost
costarricense *n., adj., m., f.* Costa Rican (2)
costoso/a expensive
costumbre *f.* custom (7); habit (7)
costura sewing; **alta costura** haute couture
cotidiano/a daily
cráter *m.* crater
crear to create
creativo/a creative

crecer (zc) to grow
creencia belief
creer (y) (*p.p.* creído) to think; to believe (12); **creo que...** I think . . . (15)
crimen *m.* violent crime (15); **lugar** (*m.*) **del crimen** scene of the crime
criminal *m., f.* criminal
criollo/a creole; **pabellón** (*m.*) **criollo** *Venezuelan rice and beans dish*
crisis *f.* crisis; **crisis económica** economic crisis (15)
cristiano/a Christian (7)
criterio criterion
crítica criticism
criticar (qu) to criticize
crítico/a *n.* critic; *adj.* critical
cruce *m.* crossroads
crucero cruise; cruise ship
crudo/a raw; harsh
cruzar (c) to cross
cuaderno notebook (1)
cuadra (city) block (5)
cuadro square; **de cuadros** plaid
¿cuál(es)? what?; which? (2); **¿cuál es la fecha de hoy?** what is today's date? (1); **¿cuál es tu carrera?** what's your major? (1)
cualificado/a qualified
cualquier *adj.* any
cuando when; **de vez en cuando** once in a while
¿cuándo? when? (2)
cuanto: en cuanto as soon as; **en cuanto a** regarding
cuánto lo siento I'm very sorry (16)
¿cuánto/a(s)? how much?; how many? (1); **¿cuánto tiempo hace que** + *present tense?* how long have you (*done / been doing something*)? (13); **¿cuánto tiempo lleva(s)** + *pres. p.?* how long have you (*form. s. / inform. s.*) (*done / been doing something*)? (13); **¿cuántos años tienes?** how old are you (*inform. s.*)? (2)
cuarenta forty
Cuaresma Lent
cuarto room; **compañero/a de cuarto** roommate; **cuarto de baño** bathroom (11)
cuatro four
cuatrocientos/as four hundred
cubano/a *n., adj.* Cuban (2)
cubierto/a (*p.p. of* cubrir) covered
cubierto place setting
cubrir (*p.p.* **cubierto**) to cover
cuchara spoon (6)
cuchillo knife (6)
cuello neck (8)
cuenta account; **darse** (*irreg.*) **cuenta de** to realize (13)
cuento story
cuerda string
cuerdo/a sensible; rational; sane
cuero leather
cuerpo body
cuestión *f.* issue
cuidador(a) curator

cuidar (a, de) to take care of (13)
culantro coriander
culinario/a culinary
culpa fault; blame; **echar la culpa** to blame
cultivar to grow, raise (crop)
culto/a cultured; learned
cultura culture
cumbia *Colombian folk dance now popular throughout Latin America*
cumbre *f.* summit, peak
cumpleaños *s., pl.* birthday (7); **¡feliz cumpleaños!** happy birthday! (7)
cumplir to achieve; **cumplir... años** to turn . . . years old (7)
cuñado/a brother-in-law / sister-in-law (4)
curado/a drunk (*sl.*)
curioso/a curious
curita adhesive bandage
currículum *m.* résumé, curriculum vitae (CV) (10)
curso course (1)
cursor *m.* cursor
cuyo/a whose

D

danés (*pl.* **daneses**), **danesa** *n.* Danish person; *adj.* Danish
danza dance (14)
daño damage (13)
dar *irreg.* to give; **dar a luz** to give birth; **dar buena suerte** to bring good luck; **dar de comer** to feed; **dar el pésame** to give one's condolences; **dar la bienvenida** to welcome (11); **dar un abrazo** to hug; **dar un paseo** to take a walk (9); **dar un paso** to take a step; **dar una bofetada** to slap; **dar una fiesta** to throw a party; **darle vuelta a** to think about (*something*); **darse cuenta de** to realize (13); **darse la mano** to shake hands; **darse prisa** to hurry; **¡le damos la bienvenida a Ud.!** we welcome you (*form. s.*)! (11); **no dar de comer** don't feed (*animals*) (9); **te/le/les doy/damos el pésame** my/our condolences (16)
dato piece of information; *pl.* data; **base** (*f.*) **de datos** database
de of (1); from (1); **de alguna manera** in some way; **de compras** shopping; **de cuadros** plaid; **de dentro a fuera** inside out; **¿de dónde eres?** where are you from?; **de hecho** actually; **de la madrugada** in the early A.M. hours (3); **de la mañana** A.M.; in the morning (3); **de la misma manera** likewise; **de la noche** at night (3); **de la tarde** P.M.; in the afternoon/evening (3); **de lujo** luxury; **de nada** you're welcome (5); **de niño/a** as a child; **¿de parte de quién?** may I ask who's calling?; **¿de qué color es?** what color is it? (2); **¿de qué está hecho/a?** what is it made of?; **de repente** suddenly; **de verdad** really; **de vez en cuando** once in a while; **favor de** + *inf.* please + *inf.*

debajo de below

debate *m.* debate

deber + *inf.* should, must, ought to (*do something*); **debería** + *inf.* should / ought to (*do something*) (13); **debo** + *inf.* I have to / must (*do something*) (6)

debido a because of, due to

débil weak (2)

década decade

decenas *pl.* tens

decente decent

decidir to decide

decir *irreg.* to say (4); to tell (4); **¿cómo se dice... ?** how do you say . . . ? (2)

decisión *f.* decision; **tomar una decisión** to make a decision

declaración *f.* statement

declarar to state

decorar to decorate

dedicarse (qu) (a) to dedicate oneself (to); to work at (job); **¿a qué se dedica?** what do you (*form. s.*) do (*occupation*)? (4); **¿a qué te dedicas?** what do you (*inform. s.*) do (*occupation*)? (4)

dedo finger (8)

defecto de nacimiento birth defect

defender (ie) to defend

definitivamente definitely

deforestación *f.* deforestation

deforestar to deforest

degustación *f.* tasting

degustar to taste (*sample different items for flavor*)

dejar to leave; **dejar de** + *inf.* to stop (*doing something*)

del of the; from the

delante de in front of

delfín *m.* (*pl.* **delfines**) dolphin (13)

delgado/a thin (2)

delicado/a delicate

delincuencia crime

demanda demand (15)

demás the rest; **los/las demás** others; **todo lo demás** everything else

demasiado *adv.* too; too much

demasiado/a *adj.* too; *pl.* too many

democracia democracy (15)

democrático/a democratic

demostrar (ue) to show

demostrativo/a *gram.* demonstrative

denominación *f.* designation

dentista *m., f.* dentist (10)

dentro inside; **de dentro a fuera** inside out; **dentro de** inside; within, in

departamento apartment

dependencia dependency

depender (de) to depend (on)

dependiente *m., f.* clerk

deporte sport (2); **hacer** (*irreg.*) **deportes** to play sports; **practicar (qu) un deporte** to play a sport (3)

deportista *m., f.* athlete

deportivo/a *adj.* sporting, sports

depositar to deposit

depresión *f.* depression (12)

derecha *n.* right side; **a la derecha (de)** to the right (of); **coger (j) a mano derecha** to turn right (*Sp.*); **doble/gire a la derecha** turn right (*command form. s.*) (5); **quedar a la derecha** to be on the right

derecho right (*prerogative*); law (*field of study*); *adv.* straight ahead; **derecho humano** human right (15); **siga derecho** go / keep going / continue straight (*command form. s.*) (5); **violación** (*f.*) **de los derechos del autor** copyright violation; **violar los derechos humanos** to violate human rights

derivarse (de) to derive (from)

dermatológico/a dermatological

derramar to spill

derretimiento melting

derrocar (qu) to overthrow

desaparecer (zc) to disappear

desarrollar to develop

desarrollo development (15)

desastre (*m.*) **natural** natural disaster (15)

desayunar to eat breakfast (3)

desayuno breakfast; **preparar el desayuno** to make/prepare breakfast (4)

descalzo/a barefoot

descansar to rest (11)

descarga download

descargar (gu) to download (10)

descender (ie) (de) to descend (from)

describir to describe

descripción *f.* description

descubrir (*p.p.* **descubierto**) to discover

descuido carelessness

desde *prep.* from; since; **desde hace** + *period of time* for + period of time

desear to wish; to want; **le(s) deseo mucha suerte** I wish you (*form. s., pl.*) luck (12)

desechable disposable

desecho (orgánico) (organic) waste

desempleo unemployment (15)

desencadenar to trigger; to unleash

deseo wish

desequilibrio imbalance (13)

desesperación *f.* desperation

desfile *m.* parade (7); **desfile de moda** fashion show (8)

desgarrador(a) heartbreaking

desgraciadamente unfortunately

deshacer (*like* **hacer**) (*p.p.* **deshecho**) to dissolve; to undo (10)

desierto desert

desigualdad *f.* inequality (15)

deslizar (c) to slide

desmayarse to faint (12)

desordenado/a disorganized; messy

despacho office

despedida farewell, good-bye (7)

despejado/a clear (*weather*); **está despejado** it's clear (*sky*) (9)

despejarse to clear up (*weather*)

despensa pantry (11)

despertarse (ie) to wake up (5)

después *adv.* afterwards; **después (de)** after (1); **después (de) que** *conj.* after

destacado/a renowned

destilería distillery

destino destination

destreza skill

destrozado/a destroyed

destrucción *f.* destruction

destruir (y) to destroy

desventaja disadvantage

desviarse (me desvío) to change course

detallado/a detailed

detalle *m.* detail

detallista *m., f.* detail-oriented

detective *m., f.* detective

deteriorar to deteriorate

deterioro deterioration (13)

determinar to determine

detrás de behind; **está/queda detrás de...** it's behind . . . (5)

deuda debt; **deuda externa** foreign debt (15)

devolver (*like* **volver**) (*p.p.* **devuelto**) to return

día *m.* day (1); **algún día** someday; **buen día** good morning (1); **buenos días** good morning (1); **Día de Acción de Gracias** Thanksgiving (7); **día de entre semana** weekday (3); **Día de la Independencia** Independence Day (7); **Día de las Madres** Mother's Day; **Día de los Muertos** Day of the Dead (7); **Día de los Padres** Father's Day; **Día de los Reyes Magos** Three Kings' Day; Epiphany (Adoration of the Magi) (7); **Día de Todos los Santos** All Saints' Day; **Día del Amor** Valentine's Day; **día festivo** holiday; **días entre semana** weekdays; **hoy en día** today; these days; **¡que tenga(s) un buen día!** have a nice day (*form. s. / inform. s.*)!; **son las doce del día** it's noon; **todo el día** all day (3); **todos los días** every day (3)

diagnóstico diagnosis

diálogo dialogue

diamante *m.* diamond

diario newspaper

diario/a daily; **rutina diaria** daily routine

dibujar to draw

dibujo drawing

diccionario dictionary (1)

dicho/a aforesaid

diciembre December (1)

dictadura dictatorship (15)

diecinueve nineteen

dieciocho eighteen

dieciséis sixteen

diecisiete seventeen

diente *m.* tooth; *pl.* teeth (8); **cepillarse los dientes** to brush one's teeth (5); **cepillo de dientes** toothbrush; **lavarse los dientes** to brush one's teeth

dieta diet; **estar** (*irreg.*) **a dieta** to be on a diet

dietética dietetics

diez ten; **son diez para las nueve** it's 8:50 (3); **son las nueve menos diez** it's 8:50 (3)

diferencia difference

diferente different (1)

difícil difficult (2); hard

dificultad f. difficulty

difunto/a n., adj. deceased

digestión f. digestion

digestivo/a digestive

digitalizado/a digitalized

dinero money; **ganar dinero** to make money; **sacar (qu) dinero** to withdraw money

dios m. s. god; **Dios** God

diplomático/a diplomatic

dirección f. address; pl. instructions; **¿cuál es tu (dirección de) email?** what is your email (address)? (1); **¿cuál es tu/su profesión?** what is your (inform. s. / form. s.) profession? (4)

directo/a direct

director(a) de marketing director of marketing (10)

dirigir (j) to direct (14)

discapacitado/a disabled

disciplina discipline

disco record; **disco compacto** compact disc; **disco duro** hard drive (10)

discriminación f. discrimination (15)

disculpar to excuse, pardon; **disculpa/ disculpe** excuse me (command inform. s. / form. s.) (3); **disculpen** excuse me (command form. pl.) (8)

discurso speech

diseñador(a) designer (8); **diseñador(a) gráfico/a** graphic designer (10)

diseñar to design

diseño design (1)

disfraz m. (pl. **disfraces**) costume (7)

disfrazado/a disguised

disfrutar de + n. to enjoy (something) (9)

dislocarse (qu) to dislocate

disminución f. decrease (13); reduction

disminuir (y) to diminish

disponer (like **poner**) (p.p. **dispuesto**) **de** to have available

disponible available

dispositivo device

dispuesto/a ready, prepared; willing; **estar** (irreg.) **dispuesto** to be ready/willing (10)

distancia distance

distinguir (distingo) to distinguish

distribuidor(a) distributor

distrito district

diversidad f. diversity

diversión f. fun

diverso/a diverse

divertido/a fun

divertirse (ie, i) to have fun (7); **¡diviértete!/ ¡diviérta(n)se!** have fun! (command inform. s. / form. s., pl.) (11); **me divertí mucho** I had a lot of fun (7)

dividir to divide

división f. division

divorciado/a divorced (16)

divorcio divorce (16)

doblar to turn; **doble a la derecha/ izquierda** turn (to the) right/left (command form. s.) (5); **no doblar** do not turn (9)

doble m. double

doce twelve; **son las doce del día** it's noon

doctor(a) doctor (4)

doctorado doctorate

documento document

dólar m. dollar

doler (ue) (like **gustar**) to hurt (12); to ache

dolor m. pain (12); **te/le/les acompaño/ acompañamos en el dolor** I'm/we're with you (inform. s. / form. s. / form. pl.) in your time of pain (16)

doméstico/a domestic; **animal** (m.) **doméstico** pet

dominante dominant

dominar to dominate

domingo Sunday (3); **Domingo de Pascua** Easter Sunday; **Domingo de Ramos** Palm Sunday

dominicano/a n., adj. Dominican (2); **República Dominicana** Dominican Republic

donar to donate

donde where

¿dónde? where? (2); **¿de dónde eres?** where are you (inform. s.) from? (1); **¿de dónde es usted?** where are you (form. s.) from? (1); **¿dónde está/queda... ?** where is . . . ? (5); **¿dónde vive(s)?** where do you (form. s. / inform. s.) live? (1)

dormir (ue, u) to sleep (2); **dormirse** to fall asleep (5)

dormitorio bedroom (11)

dorso: nadar de dorso to do the backstroke

dos two; **dos veces** twice (3); **son las dos y cuarto** it's 2:15 (3)

doscientos/as two hundred

drama m. drama

dramático/a dramatic

drástico/a drastic

droga drug

ducha shower (11)

ducharse to take a shower (5)

duda doubt; **poner** (irreg.) **en duda** to call into question; **sin duda** without (any) doubt (14)

dueño/a owner (10)

dulce adj. sweet (6)

dulces m. pl. sweets; candy

duquesa duchess

duración f. length

durante during

durar to last

durazno peach

duro/a hard; **disco duro** hard drive (10)

DVD m. DVD

E

echar to throw; to add; **echar de menos** to miss; **echar la culpa** to blame

ecología ecology

ecológico/a ecological (13)

ecologista m., f. ecologist

economía economy; economics (1)

económico/a economic; economical; **crisis** (f.) **económica** economic crisis (15)

ecoturismo ecotourism

ecuatoriano/a n., adj. Ecuadorian (2)

edad f. age

edificio building (5)

editar to edit; to publish

editor(a) editor

editorial m. editorial

educación f. education

educado/a polite

educar (qu) to teach, educate

educativo/a educational

efecto effect

Egipto Egypt

egoísta m., f. selfish

egresado/a (de) graduate (of)

ejecutivo/a executive (10)

ejemplo example; **por ejemplo** for example

ejercer (z) to exercise

ejercicio exercise; **hacer** (irreg.) **ejercicio** to work out (2)

el def. art. m. s. the (1)

él sub. pron. he; obj. of prep. him

elaboración f. production

elaborar to manufacture, produce

elección f. election (15)

electricidad f. electricity

eléctrico/a electrical

electrónico/a electronic; **correo electrónico** email; **¿cuál es tu correo electrónico?** what is your email (address)? (1)

elefante m. elephant

elegante elegant

elegir (i, i) (j) to choose; to elect

elemento element

eliminar to eliminate

élite f. elite

ella sub. pron. she; obj. of prep. her

ellos/as sub. pron. they; obj. of prep. them

elogiado/a praised

elogio praise

email m. email (10); **¿cuál es tu (dirección de) email?** what is your email (address)? (1)

emancipación f. emancipation

emancipar(se) to become free/ independent (16)

embarazo pregnancy

embarcar (qu) to embark

embargo: sin embargo nevertheless

emblemático/a emblematic

emigrante m., f. emigrant

emoción f. emotion; **¡qué emoción!** how exciting!

emocional emotional
emocionante exciting
empacar (qu) to pack
empaquetado/a packaged; **comestibles** (*m. pl.*) **empaquetados** packaged goods (6)
emparejar to match
empate *m.* tie (*score*)
empezar (ie) (c) to begin (4); to start; **empezar a** + *inf.* to begin to (*do something*) (4)
empleado/a employee (10)
empleo job; employment; **solicitar un empleo** to apply for a job (10)
emprender to undertake, start
empresa corporation; business; **administración** (*f.*) **de empresas** business administration
empresarial *adj.* business
empresario/a business person (10)
empujar to push; push (9)
en in (1); on; at (1); **caer** (*irreg.*) **en** to fall on (*day of the week*); **en algún momento** at some point; **en caso de que** (*conj.*) in case; **en concreto** specifically; in particular; **en contra de** against; **en el punto de mira** in the crosshairs; **en general** in general; **en mi opinión...** in my opinion . . . (15); **en negrita** boldface; **en particular** in particular; **¿en qué puedo servirle(s)?** how may I help you (*form. s., pl.*)? (10); **en total** in all; **en una relación** together (16); in a relationship (16); **en voz alta** out loud; **está/queda en la esquina de... y...** it's on the corner of . . . and . . . (5)
enagua petticoat
enamorado/a (de) in love (with) (16)
enamorarse (de) to fall in love (with) (16)
encandilar to dazzle
encantado/a nice to meet you, enchanted (10)
encantar (*like* **gustar**) to like very much, love; to delight (7)
encender (ie) to turn on (*appliance*); to light
encerrar (ie) to enclose; to circle
enclavado/a nestled
encontrar (ue) to find
encuentro encounter
encuesta survey
energía energy; **energía eólica** wind energy
enero January (1)
énfasis *m.* emphasis; **poner** (*irreg.*) **énfasis** to emphasize
enfermarse to get sick
enfermedad *f.* illness (12)
enfermero/a nurse (10)
enfocado/a focused
enfocarse (qu) (en) to focus (on)
enfrentarse (a) to confront
enfrente de *prep.* in front of / facing; **está/queda enfrente de...** it's facing / in front of . . . (5)
engañar to deceive

engordar to gain weight
¡enhorabuena! congratulations! (7)
enlace *m.* (web) link
enlatado/a canned; **comestibles** (*m. pl.*) **enlatados** canned goods (6)
enojado/a angry (2)
enorme enormous
ensalada salad (6); **ensalada mixta** tossed salad
ensayar to rehearse
ensayo rehearsal
enseñanza teaching
enseñar to teach (7); **enseñar a** + *inf.* to teach to (*do something*)
ensuciar to dirty
entablar to initiate
entender (ie) to understand
entonces so; then, next
entrada entrance
entrar to enter; **no entrar** do not enter (9)
entre *prep.* between; among; **entre semana** during the week; **días de entre semana** weekdays
entregar (gu) to turn in; to deliver
entrenador(a) coach (12); trainer (12)
entrenamiento training
entrenar to train
entretenimiento entertainment
entrevista interview
entrevistar to interview (10)
entusiasmo enthusiasm
enviar (envío) to send
eólico/a: energía eólica wind energy
episodio episode
época era
equilibrado/a balanced
equilibrio balance
equinoccio equinox
equipaje *m.* baggage (9)
equipo team (12)
equis *f.* × (*letter*)
equivocación: por equivocación by mistake
equivocado/a mistaken; wrong
erradicar (qu) to eradicate
error *m.* mistake; **cometer un error** to make a mistake; **error ortográfico** spelling mistake
escala scale; layover; stop (9); **hacer** (*irreg.*) **escala** to have a layover; to make a stop (9)
escalada rock/mountain climbing (9); **hacer** (*irreg.*) **escalada** to go rock climbing (9)
escalar to climb
escalera stairs (11)
escalofríos chills
escándalo scandal
escandinavo/a Scandinavian
escanear to scan
escáner *m.* scanner (10)
escapar to escape
escasez *f.* shortage
escena scene
escenario setting; stage

escenografía set (*film*); scenery (*theater*)
escéptico/a skeptical
esclavitud (*f.*) **(infantil)** (child) slavery (15)
esclavo/a slave
escoger (j) to choose (7)
escolar *adj.* school
escondido/a hidden; **a escondidas** in secret
escribir (*p.p.* **escrito/a**) to write (7); **¿cómo se escribe... ?** how do you spell . . . ? (1)
escrito/a (*p.p. of* **escribir**) written
escritor(a) writer (10)
escritorio desk (1)
escritura writing
escuchar to listen (3)
escuela school (3); **escuela militar** military school; **escuela primaria** elementary school; **escuela privada** private school; **escuela secundaria** high school; **escuela tele-secundaria** distance high school
esculpir to sculpt
escultura sculpture (14)
ese/a *adj.* that (3)
esencial essential
eso that (*neuter*)
esos/as *adj.* those (3)
espacio space; **espacio en blanco** blank space
espalda back
España Spain
español *m.* Spanish (*language*)
español (*pl.* **españoles**), **española** *n.* Spaniard (2); *adj.* Spanish
espárragos *pl.* asparagus
especia spice
especial special
especialidad *f.* specialty
especialista *m., f.* specialist
especializarse (c) (en) to specialize (in); to major (in)
especie *f.* species, kind (13); **especie en peligro de extinción** endangered species
específico/a specific
espectacular spectacular
espectáculo show
espectador(a) spectator
espejo mirror (11)
esperanza hope
esperar to hope (for) (12); to wait (for) (12)
espíritu *m.* spirit
espiritual spiritual
esposo/a husband/wife (4)
espuma foam
esquí *m.* skiing
esquiador(a) skier
esquiar (esquío) to ski (12)
esquina corner; **está/queda en la esquina de... y...** it's on the corner of . . . and . . . (5); **siga hasta llegar a la esquina de...** go / keep going / continue until you (*command form. s.*) reach the corner of . . . (5)

establecer (zc) to establish
establecimiento establishment
establo barn; stable
estación f. station; season (1)
estacionar to park; **no estacionar** no parking (9)
estadio stadium (12)
estado state; **estado civil** marital status (16); **Estados Unidos** United States; **golpe** (m.) **de estado** coup d'état
estadounidense n. U.S. citizen, American; adj. of/from the United States of America (2)
estallar to erupt
estampilla stamp
estancia stay
estar irreg. to be (2); **¿cómo está(s)?** how are you (form. s. / inform. s.)? (1); **¿de qué está hecho/a?** what is it made of?; **¿dónde está... ?** where is . . . ? (5); **está a la derecha/izquierda** it's on the right/left (5); **está al lado de / detrás de / enfrente de / en la esquina de... y ...** it's next to / behind / facing, in front of / on the corner of . . . and . . . (5); **está despejado** it's clear (sky) (9); **está lloviendo** it's raining (9); **está nevando** it's snowing (9); **está nublado** it's cloudy (9); **¡está padre!** that's cool! (8); **estar a cargo de** to be in charge of; **estar a dieta** to be on a diet; **estar dispuesto** to be ready/willing (10); **estar (pasado) de moda** to be (un)fashionable; **(no) estar de acuerdo** to (dis)agree
este/a adj. this (3); **baje/suba por esta calle** go down/up this street (command form. s.) (5)
estereotipo stereotype
estética aesthetics
estilo style
estirarse to stretch
esto this (neuter)
estos/as these (3)
estómago stomach
estornudar to sneeze
estrategia strategy
estrecho/a narrow
estrella star (14)
estrés m. stress
estribillo chorus, refrain
estricto/a strict
estrofa verse
estructura structure
estudiante m., f. student (1)
estudiantil adj. student; **centro estudiantil** student center, student union
estudiar to study (2); **¿qué estudias?** what do you study?; what's your major? (1)
estudio study
estufa stove (11)
estupendo/a stupendous (2); **¡qué estupendo!** how cool! (8)
étnico/a ethnic
Europa Europe

europeo/a European
evaluar to evaluate
evento event
evidencia evidence
evitar to avoid
exacto/a exact
exagerado/a exaggerated
examen m. exam (1)
excelente excellent (2)
excesivo/a excessive
exclamación f. exclamation
excluir (y) to exclude
exclusivo/a exclusive
excremento excrement
excursión f. excursion; tour
excusa excuse
exiliado/a exiled
exilio exile
existencia existence
existente existing
existir to exist
éxito success; **tener** (irreg.) **éxito** to be successful
exitoso/a successful
exorcista m., f. exorcist
exótico/a exotic
expandir(se) to expand
expansión f. expansion
experiencia experience
experimentar to experience
experto/a expert
explicación f. explanation
explicar (qu) to explain
exploración f. exploration
explorar to explore
explotar to exploit; to develop (13)
exportador(a) exporter
exportar to export
exposición f. exposition
expresar to express
expresión f. expression
exquisito/a exquisite
extendido/a widespread
extensión f. extension
externo/a external; **deuda externa** foreign debt (15)
extinción f. extinction; **especie** (f.) **en peligro de extinción** endangered species
extinto/a extinct
extraer (like **traer**) to extract
extranjero abroad (9)
extraño/a strange
extremadamente extremely
extremo/a extreme
extrovertido/a extroverted (2)

F

fábrica factory
fabricación f. production
fabuloso/a fabulous
fácil easy (2)
facilitar to facilitate
factor m. factor

factura bill
facultad f. school (of a university)
falda skirt (8)
fallar to fail
fallecer (zc) to die, pass away
fallo error, mistake
falso/a false
falta lack
faltar to be lacking
fama fame; reputation; **tener** (irreg.) **fama de** to be known for
familia family; **¡qué bonita familia!** what a beautiful family! (4)
familiar adj. family; **nido familiar** parents' home (16); **planificación** (f.) **familiar** family planning
famoso/a famous
fantasía fantasy
fantástico/a fantastic
farmacia pharmacy
faro lighthouse
fascinado/a fascinated
fascinante fascinating
fascinar (like **gustar**) to fascinate (7); to like very much, love (7)
fauno faun
favor m. favor; **a favor (de)** in favor (of); **favor de no fumar** please don't smoke (9); **por favor** please; **un número / una letra a la vez, por favor** one number/ letter at a time, please (1)
favorito/a favorite
fax m. fax
febrero February (1)
fecha date; **¿cuál es la fecha de hoy?** what is today's date? (1)
felicidad f. happiness; **¡felicidades!** congratulations! (7)
felicitación f. greeting; wish; **¡felicitaciones!** congratulations! (7)
felicitar to congratulate (7); **te felicito/ felicitamos** I/we congratulate you (7)
feliz (pl. **felices**) happy (2); **¡feliz Año Nuevo!** happy New Year! (7); **¡feliz cumpleaños!** happy birthday! (7); **¡feliz Navidad!** Merry Christmas! (7)
femenino/a feminine
fenomenal phenomenal; awesome; **¡qué fenomenal!** how cool! (8)
fenómeno phenomenon
feo/a ugly (2); **¡qué feo/a!** how ugly! (4)
feria fair
ferrocarril m. railroad
festival m. festival
festivo/a festive, celebratory; **día** (m.) **festivo** holiday
ficción f. fiction
fiebre f. fever (12); **tener** (irreg.) **fiebre** to have a temperature
fiesta party (2); **dar** (irreg.) **una fiesta** to throw a party; **hacer** (irreg.) **una fiesta** to throw a party; **irse** (irreg.) **de fiesta** to party

fiestero/a party-loving
figura figure
figurar to figure
fijarse to pay attention to
fijo/a fixed, set
fila row
filarmónico/a philharmonic
film *m.* movie
filmar to film
filmografía filmography
filosofía philosophy (1)
filtro filter
fin *m.* end; **fin de semana** weekend (3); **organización** (*f.*) **sin fines de lucro** nonprofit organization (15); **por fin** finally; **¡que tenga(s) un buen fin de semana!** have (*form. s. / inform. s.*) a nice weekend!
final *m.* end; **al final** in the end
finalmente finally
financiamiento financing
financiero/a financial
firma signature
firmar to sign
física physics (1)
flaco/a thin (2)
flamenco *music of Andalusia and southern Spain*
flan *m.* (baked) custard (6)
flecharse to fall in love
flexibilidad *f.* flexibility
flor *f.* flower (7)
Florida: Pascua Florida Easter (7)
fluorescente fluorescent
fogata bonfire
folclor *m.* folklore
folclórico/a folk (9)
folleto brochure
fomentar to encourage, promote
fondo background; bottom; fund; **a fondo** in depth; **carrera de fondo** long-distance race; **recaudar fondos** to raise funds
forma form; shape; **mantenerse en forma** to stay in shape
formación *f.* formation; (academic) training; education
formar to form
formato format
fórmula formula
formular to formulate
formulario form
fortalecer (zc) to strengthen
forzar (ue) (c) to force
fósil *m.* fossil; **combustibles** (*m. pl.*) **fósiles** fossil fuels
foto *f.* photo; **sacar (qu) fotos** to take photos
fotocopia photocopy
fotografía photograph
fotógrafo/a photographer (10)
fractura fracture (12)
fracturarse to fracture
fragancia fragrance
francés *m.* French (*language*) (1)

francés (*pl.* **franceses**)**, francesa** *n.* French person; *adj.* French
Francia France
franquear to go through
frase *f.* phrase; sentence
frecuencia frequency; **con frecuencia** often
frecuente often
fregadero kitchen sink (11)
frente *m.* front; *adv.* **frente a** facing
fresa strawberry (6)
frijoles *m. pl.* beans (6)
frío cold(ness); *adj.* cold; **hace frío** it's cold (9); **¡qué frío!** how cold! (4); **tener** (*irreg.*) **(mucho) frío** to be (very) cold
frito/a fried (6); **papas fritas** french fries
frontera border (15)
fronterizo/a *adj.* border
fruta fruit (6)
frutería fruit store
frutilla strawberry (*Arg.*)
fuego fire; **fuegos artificiales** fireworks (7)
fuente *f.* fountain; source
fuera *adv.* outside; **de dentro a fuera** inside out
fuerte strong (2); heavy (*food*)
fuerza force; strength; **fuerzas militares** military forces
fumar to smoke; **favor de no fumar** please don't smoke (9)
función *f.* function
funcionamiento functioning
funcionar to function, work
fundación *f.* foundation
fundar to found
funeral *m.* funeral
fútbol *m.* soccer; **fútbol americano** football (12); **jugar (ue) (gu) fútbol** to play soccer (3); **jugar (ue) (gu) fútbol americano** to play football (12)
futbolista *m., f.* soccer player
futuro future
futuro/a future

G

gabinete *m.* cabinet
gafas *pl.* (*eye*) glasses
galán *m.* (*pl.* **galanes**) leading man
galería gallery
gallina hen
gallo rooster; **gallo pinto** *rice and beans dish of Nicaragua and Costa Rica;* **pico de gallo** *uncooked salsa made of chopped tomato, onion, and jalapeños*
galón *m.* (*pl.* **galones**) gallon
ganadería ranching
ganador(a) winner
ganar to win (12); **ganar dinero** to earn (*income*), to make money
ganas: tener (*irreg.*) **ganas de** + *inf.* to feel like (*doing something*); **¿tiene(s) ganas de** + *n./inf.?* do you (*form. s. / inform. s.*) feel like . . . ? (6)
garantía guarantee

garantizar (c) to guarantee
gasolina gasoline
gastar to spend (9)
gastronomía gastronomy
gastronómico/a gastronomic
gato/a cat (4)
gazpacho *cold tomato soup of southern Spain*
gel *m.* gel
generación *f.* generation; **generación de relevo** upcoming generation
generar to generate
género gender; genre, type (14)
generoso/a generous
genético/a genetic
gente *f.* people
geoglifo geoglyph
geografía geography
geográfico/a geographic
geométrico/a geometric
gerente *m., f.* manager (10)
gigante *adj. m., f.* gigantic
gimnasia gynamastics
gimnasio gym(nasium) (1); **ir** (*irreg.*) **al gimnasio** to go to the gym (3)
gira tour
girar to turn; **gire a la derecha/izquierda** turn (to the) right/left (*command form. s.*) (5); **no girar** do not turn (9)
glaciar *m.* glaciar
glamoroso/a glamorous
global global; **calentamiento global** global warming (13); **Sistema** (*m.*) **de Posicionamiento Global (SPG)** Global Positioning System (GPS)
globalización *f.* globalization
gobernador(a) governor
gobernante *m., f.* leader, ruler
gobernar (ie) to govern
gobierno government
gol *m.* goal; **marcar (qu) un gol** to score a goal; **meter un gol** to score a goal
golazo: ¡qué golazo! what a goal!
golf *m.* golf
golfista *m., f.* golfer
golpe (*m.*) **de estado** coup d'état
gordo/a fat (2)
gorra (baseball) cap (8)
gorro knitted hat (8)
gracias thank you (1); **gracias por** + *n./verb* thank you for . . . (5); **Día** (*m.*) **de Acción de Gracias** Thanksgiving (7); **muchas/muchísimas gracias** thank you very much (5); **no, gracias** no, thank you (6); **sí, gracias** yes, please (5)
gracioso/a funny (2)
grado degree (*temperature*)
graduación *f.* graduation (1)
graduarse (me gradúo) (de) to graduate (from)
gráfico/a graphic; **diseñador(a) gráfico/a** graphic designer (10)
gramática grammar

gran, grande large, big (2); great; **Gran Bretaña** Great Britain

graneado: arroz (*m.*) **graneado** *fried rice dish*

granizo hail

granja farm

grano grain

grappamiel *f. alcoholic beverage of Uruguay*

grasa fat

grasiento/a greasy

gratis *inv.* free (*of charge*)

grave serious

gripe *f.* flu

gris gray (2)

gritar to shout

grupo group; band

guacamayo macaw

guagua bus (*Carib.*)

guanábana soursop

guantes *m. pl.* gloves (8)

guapo/a handsome; good-looking; **¡qué guapo/a!** how handsome/beautiful! (4)

guaraní *m. indigenous language of S.A.*

guardar to keep; to save (8)

guatemalteco/a *n., adj.* Guatemalan (2)

guay: ¡qué guay! how cool! (8)

guayabera *lightweight shirt worn in tropical climates*

guerra war (15); **guerra civil** civil war

guía *m., f.* guide (9); **guía naturalista** nature guide (4)

guion script

guisado stew (6)

guita dinero *sl.*

guitarra guitar; **tocar (qu) la guitarra** to play the guitar (2)

guitarrista guitarist

gustar to be pleasing; **¿le gusta** + *activity*? do you (*form. s.*) like + *inf.*? (2); **¿le gustaría** + *inf.*? would you (*form. s.*) like (*to do something*)? (9); **me gusta** + *inf./n.* I like + *inf./n.* (2); **me gustaría** + *inf.* I would like (*to do something*) (9); **no me gusta** + *inf./n.* I don't like + *inf./n.* (2); **¿te gusta** + *activity*? do you (*inform. s.*) like + *inf.*? (2); **¿te gustaría** + *inf.*? would you (*inform. s.*) like (*to do something*)? (9)

gusto like, preference; *pl.* likes; **¡con mucho gusto!** with pleasure! (6); **mucho gusto** nice to meet you (1)

H

haber *irreg.* (*inf. of* **hay**) there is, there are (1); **no hay de qué** you're welcome (5); **(no) hay que** + *inf.* you (don't) have to / it's (not) necessary to (*do something*) (12)

hábil skillful

habilidad *f.* ability

habitación *f.* bedroom

habitante *m., f.* inhabitant

hábitat *m.* habitat

hábito habit

hablar to speak (2); to talk (3); **hablar por teléfono** to talk on the phone (3)

hacer *irreg.* (*p.p.* **hecho**) to do (3); to make (5); **¿cuánto tiempo hace que** + *present tense*? how long have you (*done / been doing something*)? (13); **desde hace** + *period of time* for + period of time; **hace** + *time expression* + *present tense* I've been (*doing something*) for + time (13); **hace buen tiempo** it's nice weather (9); **hace (mucho) calor** it's (very) hot (*weather*) (9); **hace (mucho) frío** it's (very) cold (*weather*) (9); **hace mal tiempo** it's bad weather (9); **hace (mucho) sol** it's (very) sunny (9); **hace** + *time expression* + **que** + *present tense* to have been (*doing something*) for (*time*); **hace** + *time expression* + **que** + *preterite* to have (done *something*) (*time*) ago; **hace (mucho) viento** it's (very) windy (9); **hacer camping** to go camping; **hacer clic** to click (10); **hacer deportes** to play sports; **hacer ejercicio aeróbico** to do aerobics; **hacer ejercicio** to work out (2); **hacer escala** to have a layover; to make a stop (9); **hacer escalada** to go rock climbing (9); **hacer kayak** to go kayaking; **hacer la cama** to make the bed (11); **hacer la maleta** to pack a suitcase (9); **hacer la tarea** to do homework (3); **hacer ruido** to be noisy; **hacer senderismo** to go hiking; **hacer snorkel** to go snorkeling (9); **hacer un recorrido** to take a trip / go on a tour (9); **hacer una fiesta** to throw a party; **hacerse de voluntario** to volunteer; **¿qué tiempo hace?** what's the weather like? (9)

hacia toward

hambre *f.* (*but* **el hambre**) hunger (15); **tener** (*irreg.*) **hambre** to be hungry

hamburguesa hamburger (2)

harina flour (6)

hasta *adv.* until; even; *prep.* until; **hasta luego** see you later (1); **hasta mañana** see you tomorrow (1); **hasta pronto** see you soon (1); **hasta que** (*conj.*) until; **siga hasta llegar a (la esquina de)**... go / keep going / continue (*command form. s.*) until you reach (the corner of) ... (5)

hechizo spell

hecho *n.* fact, event; **de hecho** actually

hecho/a (*p.p. of* **hacer**) made; **¿de qué está hecho/a?** what is it made of?

helado ice cream (6)

helicóptero helicopter

hembra female

hemisferio hemisphere

heredar to inherit

heredero/a heir

herencia inheritance

herida wound (12); injury (12)

hermanastro/a stepbrother/stepsister (4)

hermano/a brother/sister (4); *pl.* siblings

hermoso/a pretty (2); beautiful

héroe *m.* hero

herramienta tool

hervor *m.* boil (*liquid*)

heteroparental *family made up of opposite-sex parents and their children*

hielo ice; **patinar sobre el hielo** to ice skate; **patinaje** (*m.*) **sobre el hielo** ice skating

hijastro/a stepson/stepdaughter (4)

hijo/a son/daughter (4); *pl.* children; **hijo/a único/a** only child (4)

hinchazón *f.* (*pl.* **hinchazones**) swelling (12)

hipermercado large supermarket (6)

hipocondríaco/a hypochondriac

hipoteca mortgage

hipotético/a hypothetical

hispano/a Hispanic

hispanohablante *n. m., f.* Spanish-speaker; *adj. m., f.* Spanish-speaking

historia history (1)

histórico/a historical (14)

hogar home (16); **sin hogar** homeless

hoja de papel sheet of paper (1)

hola hi; hello (1)

Holanda Holland

Hollywoodense *n., adj.* of or pertaining to Hollywood

hombre *m.* man (1)

hombro shoulder (8)

homenaje *m.* tribute

homoparental *family made up of same-sex parents and their children*

hondureño/a *n., adj.* Honduran (2)

hongos *m. pl.* mushrooms (6)

honor *m.* honor

hora hour; time; **¿a qué hora... ?** at what time? (3); **¿qué hora es?** what time is it? (3)

horario schedule

hormiga ant

hormiguero anthill

horno oven (11)

horrible horrible (2)

hospital *m.* hospital (5)

hotel *m.* hotel (9)

hoy today; **¿cuál es la fecha de hoy?** what is today's date? (1); **hoy en día** today; these days; **hoy es...** today is . . . (1)

huarache *m.* sandal

hueso bone

huevo egg (6); **huevos motuleños** *Yucatan dish of fried eggs over black beans and a fried tortilla*

huitlacoche *m.* corn smut

humanidad *f.* humanity; *pl.* humanities (1)

humanitarismo humanitarianism

humano/a human; **derecho humano** human right (15); **violar los derechos humanos** to violate human rights

humedad *f.* humidity
húmedo/a humid
humillar to humiliate
humorístico/a humorous
huracán *m.* (*pl.* **huracanes**) hurricane (13)

I

iceberg *m.* iceberg
idea idea (1); **¡qué buena idea!** what a good idea!
identidad *f.* identity
identificar(se) (qu) to identify (oneself)
idioma *m.* language
idiosincrasia idiosyncrasy
idiota *m.* idiot
iglesia church (5)
ignorar to ignore
igual same (1); igual; **al igual que** just like; **igual que** just like; **sin igual** unequaled
igualdad *f.* equality (15)
igualmente likewise (1)
ilegal illegal
ilegítimo/a illegitimate
ilógico/a illogical
ilusión *f.* dream; hope
imagen *f.* (pl. **imágenes**) image
imaginación *f.* imagination
imaginar to imagine
imaginario/a imaginary
imitar to imitate
impacto impact
impensado/a unexpected
imperfecto *gram.* imperfect
imperialismo imperialism
imperio empire
imponer (*like* **poner**) (*p.p.* **impuesto**) to impose
importación *f.* importation
importancia importance
importante important
importar (*like* **gustar**) to matter (7); to be important; **sin importar** regardless of
imposible impossible
impresión *f.* impression
impresionante impressive
impreso/a (*p.p. of* **imprimir**) printed
impresora printer (10)
imprimir (*p.p.* **impreso**) to print
impulsar to motivate
impureza impurity
inalámbrico/a wireless; **conexión** (*f.*) **inalámbrica** wireless connection
inauguración *f.* inauguration
inaugurado/a inaugurated
inca *n. m., f.* Inca; *adj. m., f.* Incan
incapacitado/a disabled
incidente *m.* incident
incienso incense
inclinarse (por) to lean (toward)
incluir (y) to include
incluso/a including
incorporar to incorporate
incrementar(se) to increase

indefinido/a indefinite
independencia independence; **Día** (*m.*) **de la Independencia** Independence Day (7)
independiente independent
independizarse (c) to become independent (16)
indicación *f.* indication; instruction
indicar (qu) to indicate
índice *m.* index; rate
indiferente indifferent
indígena *n. m., f.* native (indigenous) person (15); *adj. m., f.* indigenous
indigente indigent
indio/a *n., adj.* Indian
individuo individual
industrializarse (c) to industrialize
inesperado/a unexpected
infantil *adj.* child, children's; **esclavitud** (*f.*) **infantil** child slavery (15)
infección *f.* infection (12)
inferior inferior; lower
infierno hell
infinitivo *gram.* infinitive
inflable inflatable
inflar to inflate
influencia influence
influir (y) to influence
influyente influential
información *f.* information
informar to inform
informática computer science
informe *m.* report
infraestructura infrastructure (15)
ingeniería engineering (1)
ingeniero/a engineer (4)
Inglaterra England
inglés *m.* English (*language*) (1)
inglés (*pl.* **ingleses**), **inglesa** *n.* English person; *adj.* English
ingrediente *m.* ingredient
ingresos *pl.* income
iniciar to begin
inicio beginning
injusticia injustice
inmaduro/a immature
inmediatamente immediately
inmigración *f.* immigration
inmigrante *m., f.* immigrant (15)
inmigrar to immigrate
innovación *f.* innovation
inodoro toilet (11)
inseguridad *f.* insecurity
inseguro/a insecure
insistir (en) to insist (on)
insomnio insomnia (12)
inspeccionar to inspect
inspiración *f.* inspiration
inspirar to inspire
instalar to install
institucional institutional
instrucción *f.* instruction
instructor(a) instructor

instrumento instrument; **tocar (qu) un instrumento** to play an instrument
insultar to insult
integrar to integrate
inteligente intelligent (2)
intenso/a intense
intentar to try (to)
interacción *f.* interaction
intercambio exchange
interés *m.* (*pl.* **intereses**) interest
interesante interesting (2)
interesar (*like* **gustar**) to interest (7)
interior interior; **ropa interior** underwear (8)
internacional international; **relaciones** (*f. pl.*) **internacionales** international relations (1)
interno/a internal
interpretar to interpret; **interpretar un papel** to play a role/part (14)
intérprete *m., f.* interpreter
interrumpir to interrupt
intersección *f.* intersection
íntimo/a intimate
intrínsico/a intrinsic
introducción *f.* introduction
introvertido/a introverted (2)
inundación *f.* flood (13)
inundar(se) to flood
inventar to invent
inversión *f.* investment
inversionista *m., f.* investor
investigación *f.* research
invierno winter (1); **Juegos Olímpicos de invierno** Winter Olympics
invitación *f.* invitation
invitado/a guest
invitar to invite (7); **invitar + a +** *inf.* to invite (*to do something*)
iPad *m.* iPad
ir *irreg.* to go (2); **ir a +** *inf.* to be going to (*do something*) (2); **ir al gimnasio** to go to the gym (3); **ir de compras** to go shopping (2); **irse** to leave, to go away (5); **irse de fiesta** to party; **¿adónde va(s)?** where are you (*form. s. / inform. s.*) going? (2); **que le(s) vaya bien** may things go well for you (*form. s., pl.*) (12); **voy a/al +** *place* I'm going to . . . (2)
irlandés (*pl.* **irlandeses**), **irlandesa** *n.* Irish person; *adj.* Irish
isla island
Italia Italy
italiano/a *n., adj.* Italian
itinerario itinerary
izquierda left; **a la izquierda** on the left; **a mano izquierda** on the left; **coger (j) a mano izquierda** to turn left (*Sp.*); **doble/ gire a la izquierda** turn (to the) right/left (*command form. s.*) (5); **quedar a la izquierda** to be on the left

J

jaguar *m.* jaguar

jalar to pull; pull (9)

jalisciense *adj.* of or pertaining to Jalisco, Mex.

jamaicano/a *n., adj.* Jamaican

jamón *m.* ham (6)

Jánuca *m.* Hanukah (7)

japonés *m.* Japanese (*language*)

japonés (pl. **japoneses**), **japonesa** *n.* Japanese person; *adj.* Japanese

jarabe (*m.*) **para la tos** cough syrup

jardín *m.* (*pl.* **jardines**) garden (5)

jeans *m. pl.* jeans (8)

jefe/a boss (10)

jerarquía hierarchy

Jerusalén Jerusalem

jirafa giraffe

jitomate *m.* tomato (*Mex.*)

joven *n. m., f.* (*pl.* **jóvenes**) young person (1); *adj.* young (2)

joyería jewelry; jewelry store

joyero/a jeweler

jubilación *f.* retirement

judío/a *n.* Jewish person, Jew; *adj.* Jewish (7)

juego game; **Juegos Olímpicos (de invierno/verano)** (Winter/Summer) Olympics (12)

jueves *m.* Thursday (3)

juez(a) *n.* judge (10)

jugador(a) player (12)

jugar (ue) (gu) to play (*a game, sport*) (2); **jugar básquetbol** to play basketball (3); **jugar béisbol** to play baseball (12); **jugar fútbol** to play soccer (3); **jugar fútbol americano** to play football (12); **jugar tenis** to play tennis (12); **jugar videojuegos** to play video games (3); **jugar voleibol** to play volleyball (12)

jugo juice (6)

juicio trial

julio July (1)

junio June (1)

juntarse (con) to hang out (with); to get together (with)

junto a along with

juntos/as together

jurídico/a judicial

justicia justice; **sala de justicia** courtroom (10)

justificar (qu) to justify

justo/a fair (15)

juvenil young; youthful

juventud *f.* youth

juzgar (gu) to judge

K

kayak *m.* kayak (9); **hacer** (*irreg.*) **kayak** to go kayaking

kilo(gramo) kilo(gram) (1)

kilómetro kilometer

kiosko kiosk (5)

koala *m.* koala

kuna *n. m., f.* member of the Kuna group; *adj. m., f.* of or pertaining to the Kuna indigenous group of Panama

L

la *def. art. f. s.* the (1); *d.o. pron. f. s.* you (*form.*), her, it (6)

laberinto labyrinth

labio lip (8)

laboral *adj.* work-related

lácteo/a *adj.* dairy; **productos lácteos** dairy products (6)

lado side; **al lado** beside; **de un lado al otro lado de** on the other side of; **de un lado al otro** from one side to the other; **dejar a un lado** to leave aside; **por otro lado** on the other hand; **por un lado** on one hand

ladrón (*pl.* **ladrones**), **ladrona** thief

lago lake

lágrima tear

lamentablemente sadly, unfortunately

lamentar to regret

lamento lament; moan, cry

lámpara lamp (11)

lanzador(a) pitcher (*baseball*)

lanzar (c) to launch; to throw, pitch

lápiz *m.* (*pl.* **lápices**) pencil (1)

láptop: (computadora) láptop laptop (computer) (10)

largo/a long (2); **a largo plazo** long-term, in the long-term; **a lo largo de** along, throughout

largometraje *m.* feature film

las *def. art. f. pl.* the (1); *d.o. pron. f. pl.* they, you (*form.*) (6); **a la(s)...** at ... (*time of day*)

lastimar(se) to injure (oneself) (12)

Latinoamérica Latin America

latinoamericano/a *n., adj.* Latin American

lavabo bathroom sink (11)

lavadora washing machine (11)

lavandería laundromat

lavaplatos *m. s., pl.* dishwasher (11)

lavar to wash (4); **lavar el suelo** to wash the floor (11); **lavar la ropa** to wash clothes (4); **lavar los platos** to wash dishes (4); **lavarse las manos** to wash one's hands (5); **lavarse los dientes** to brush one's teeth

le *i.o. pron.* him, her, you (*form. s.*) (7); **¿en qué puedo servirle?** how may I help you? (10); **le acompaño/acompañamos en el dolor** I'm/we're with you in your time of pain (16); **le acompaño/acompañamos en el sentimiento** you're in my/our thoughts (16); **le agradezco por...** I appreciate that you for ... (5); **¡le damos la bienvenida a Ud.!** we welcome you! (11); **le deseo mucha suerte** I wish you luck (12); **le doy/damos el pésame** my/our condolences (16); **¿le gusta** + *activity*? do you (*form.*) like + *inf.*? (2); **¿le gustaría** + *inf.*? would you like (*to do something*)? (9); **que le vaya bien** may things go well

for you (12); **quiero presentarle a...** I'd like you to meet ... (10); **se le antoja/antojó** + *inf. / s. n.* they, you feel/felt like ([*doing*] *something*) (9); **se le antojan/antojaron** + *inf. s. n.* they, you feel/felt like + *pl. n.* (9)

leche *f.* milk (6); **arroz** (*m.*) **con leche** rice pudding

lechuga lettuce (6)

lector(a) reader

lectura reading

leer (y) (*p.p.* leído) to read (2); **leer el periódico** to read the newspaper (3)

legalizar (c) to legalize

lejano/a distant

lejos (de) far (from) (9)

lema *m.* slogan

lengua tongue; language

lenguado sole (*fish*)

lenguaje *m.* language

lenteja lentil

lentes *m. pl.* glasses (8); **lentes de contacto** contact lenses; **ponerse** (*irreg.*) **los lentes / los lentes de contacto** to put on glasses/contacts (5)

lentillas contact lenses

lento/a slow (2)

león (*pl.* **leones**), **leonesa** lion; **león marino** sea lion (13)

leprosario leper colony

les *i.o. pron.* them, you (*form. pl.*) (7); **¿en qué puedo servirles?** how may I help you? (10); **les acompaño/acompañamos en el dolor** I'm/we're with you in your time of pain (16); **les acompaño/acompañamos en el sentimiento** you're in my/our thoughts (16); **les agradezco por...** I appreciate that you ... , I thank you for ... (5); **les deseo mucha suerte** I wish you luck (12); **les doy/damos el pésame** my/our condolences (16); **que les vaya bien** may things go well for you (12); **quiero presentarles a...** I'd like you to meet ... (10); **se les antoja/antojó** + *inf. / s. n.* they/you feel/felt like ([*doing*] *something*) (9); **se les antojan/antojaron** + *inf. pl. n.* they/you feel/felt like + *pl. n.* (9)

letra letter; **una letra a la vez, por favor** one letter at a time, please (1)

levantador(a) de pesas weightlifter

levantar to raise, lift; **levantar pesas** to lift weights (12); **levantarse** to get up (5)

leve *adj.* light

ley *f.* law; **violar la ley** to break the law

libanés (*pl.* **libaneses**), **libanesa** *n.*, Lebanese person; *adj.* Lebanese

Líbano Lebanon

libertad *f.* freedom (15)

libre free; **al aire libre** outdoors; **tiempo libre** free time

librería bookstore (1)

libro book (1); **libro de texto** textbook

licenciado/a graduate; attorney

licenciatura degree (Bachelor's)

licopeno lycopene
licor *m.* liquor
licorería liquor store
líder *m., f.* leader
liga league
ligado/a tied, bound
ligero/a light
lima lime
limitar to limit
límite *m.* limit
limón *m. (pl.* **limones**) lemon (6); lime (6)
limpiar to clean (4)
limpio/a clean
lince *m.* lynx
lindo/a pretty (2); **¡qué lindo/a!** how cute/pretty! (4)
línea line; **línea en blanco** blank (line)
lino linen
lío trouble, mess; **¡qué lío!** what a mess! (4)
líquido liquid
Lisboa Lisbon
lisina lysine
lista list
listo/a ready
literatura literature (14)
llamada (phone) call
llamar to call; **llamarse** to be called (1);
    ¿cómo se llama? what is your name *(form. s.)*? (1); **¿cómo te llamas?** what is your name *(inform. s.)*? (1); **me llamo** my name is (1)
llanero/a plainsman, plainswoman
llanto sobbing, weeping
llanura plain
llave *f.* key (1)
llavero keychain
llegar (gu) to arrive (5); **siga hasta llegar a (la esquina de)...** go / keep going / continue *(command form. s.)* until you reach (the corner of) . . . (5)
llenar to fill
lleno/a full
llevar to wear (8); to bring (8); to carry; to take; **¿cuánto tiempo lleva(s)** + *pres. p.?* how long have you *(form. s. / inform. s.) (done / been doing something)*? (13); **llevar una vida activa** to lead an active life; **llevo** + *time expression* + *pres. p.* I've been *(doing something)* for + *time* (13)
llover (ue) to rain; **está lloviendo** it's raining (9); **llueve** it's raining (9)
lluvia rain
lluvioso/a rainy
lo *d.o. pron. m. s.* you *(form.)* (6); him; it (6);
    cuánto lo siento I'm very sorry (16); **lo contrario** the opposite; **lo siento** I'm sorry (7); condolences (7); **lo siento mucho** I'm very sorry (16)
lobo wolf
localidad *f.* locality
localizar (c) to locate
loco/a crazy (2)
lógico/a logical

Londres London
loro parrot (13)
los *def. art. m. pl.* the (1); *d.o. pron. m.* they (6); *d.o. pron. m. pl.* you *(form. pl.)* (6)
lotería lottery; **sacar (qu) la lotería** to win the lottery
luchar to fight
lucir (zc) to wear, to dress up (8); to shine (8)
lucrativo/a lucrative
lucro: organización *(f.)* **sin fines de lucro** nonprofit organization (15)
lúcuma lucuma *(fruit)*
luego then, afterward, next; **hasta luego** see you later (1)
lugar *m.* place (5); **lugar del crimen** scene of the crime
lujo: de lujo luxury
luna moon
lunes *m.* Monday (3)
luz *f. (pl.* **luces**) light; **dar** *(irreg.)* **a luz** to give birth

M

macerar to tenderize
macho male
madera wood
madrastra stepmother (4)
madre *f.* mother (4); **Día** *(m.)* **de las Madres** Mother's Day
madrina godmother
madrugada early morning; dawn; **de la madrugada** in the early A.M. hours (3)
madurez *f.* maturity
maestría Master's degree; **sacar (qu) una maestría** to get a Master's (degree)
maestro/a teacher
mágico/a magic
mago: Día *(m.)* **de los Reyes Magos** Three Kings Day; Epiphany (Adoration of the Magi) (7)
maillot *m.* (sports) jersey
maíz *m.* corn (6)
mal *adv.* poorly; **lo pasé mal** I had a bad time (7); **(muy) mal** (very) bad (1); **pasarlo mal** to have a bad time (7)
mal, malo/a *adj.* bad (2); **hace mal tiempo** it's bad weather (9); **¡qué malo!** that's terrible! (8); **sacar (qu) malas notas** to get bad grades; **tener** *(irreg.)* **mala pinta** to have a bad appearance; **verse** *(irreg.)* **mal** to look bad
maldición *f.* curse
maleta suitcase (9); **hacer** *(irreg.)* **la maleta** to pack a suitcase (9)
malgastar to waste (13)
mamá mother (4)
manchar to stain; **mancharse** to get dirty
mandar to order; to send
mandato command
manejar to drive
manera way; **de la misma manera** likewise
manga sleeve
mango mango (6)

manifestación *f.* protest
manifiesto manifest
mano *f.* hand (8); **a mano** by hand; **a mano derecha/izquierda** on the right/left; **coger (j) a mano derecha/izquierda** to turn right/left *(Sp.)*; **darse** *(irreg.)* **la mano** to shake hands; **lavarse las manos** to wash one's hands
mantener *(like* **tener***)* to maintain; **mantenerse en contacto (con)** to stay in touch (with); **mantenerse en forma** to stay in shape
mantequilla butter (6)
manzana apple (6); city block *(Sp., S.A.)*
mañana tomorrow; morning; **de la mañana** in the morning, A.M. (3); **hasta mañana** see you tomorrow (1); **por la mañana** *(generally)* during the morning (3)
mapa *m.* map
mapuche *n. indigenous person of south-central Chile and southwestern Argentina*
mapuey *m. tropical tuber*
maquillarse to put on makeup (5)
máquina machine
mar *m.* sea (13); **mar adentro** off-shore
maracuyá passion fruit
maratón *m. (pl.* **maratones**) marathon
maravilloso/a marvelous (2)
marca brand (8)
marcar (qu) to mark; to score; **marcar un gol** to score a goal
margen *m. (pl.* **márgenes**) margin
marido husband (4)
marino/a *adj.* sea; **león** *(m.)* **marino** sea lion (13)
mariposa butterfly
mariscos *m. pl.* seafood (6)
marítimo/a *adj.* maritime
marketing *m.* marketing
marrón brown (2)
Marruecos Morocco
martes *m.* Tuesday (3)
marzo March (1)
más more; **cada vez más** increasingly; **come/coma más** have some more *(command inform. s. / form. s.)* (11); **más alto que** taller than (4); **más de** + *number* more than + *number;* **más** + *adj.* **que** more (-er) + *adj.* than (4); **mi/nuestro más sentido pésame** my/our deepest sympathies (16)
masa dough
máscara mask
mascota pet (4)
masculino/a masculine
masivo/a mass
máster *m.* Master's (program, degree)
masticar (qu) to chew
matar to kill
mate *m. strong tea of South America*
matemáticas *pl.* math (1)
materia subject (1)
material *m.* material

530   Vocabulario

materno/a maternal
matrícula tuition
matricularse to enroll
matrimonio marriage (16)
máximo/a maximum
maya *n., adj. m., f.* Mayan
mayo May (1); **el primero de mayo** the first of May (1);
mayor older (4); oldest; greater; greatest
mayoría majority
mayormente principally
mayúscula capital (letter), uppercase
mazcora ear of corn; cob
me *d.o. pron.* me (6); *i.o. pron.* to/for me (7); *refl. pron.* myself; **me gusta** + *inf./n.* I like + *inf./n.* (2); **me gustaría** + *inf.* I would like (*to do something*) (9); **¿me puede comunicar con... ?** can you connect me with . . . ?; **no me gusta** + *inf./n.* I don't like + *inf./n.* (2); **se me antoja/antojó** + *inf. / s. n.* I feel/felt like + ([*doing*] *something*) (9); **se me antojan/antojaron** + *pl. n.* I feel/felt like + *pl. n.* (9)
mearse *sl.* to wet/pee oneself
mecánico/a *n., adj.* mechanic
medialuna croissant
medianoche *f.* midnight; **es medianoche** it's midnight (3)
medias *pl.* stockings
medicado/a medicated
medicina medicine
médico/a doctor (4); **médico/a de cabecera** general practitioner
medio *n.* medium; means; *pl.* mass media; **medio ambiente** environment (13); **medio de transporte** means of transportation
medio/a *adj.* half; middle; average; **es la una y media** it's 1:30 (3); **media naranja** better half; **y media** half past (*the hour*)
medioambiental environmental (13)
mediocampo mid-field
mediocre mediocre
mediodía *m.* noon; **es mediodía** it's noon (3);
meditar to meditate
Mediterráneo Mediterranean
medusa jellyfish
megaestrella superstar
mejillón *m.* mussel
mejor better (4); best
mejorar to improve
mellizo/a fraternal twin
melocotón *m.* peach
melodramático/a melodramatic
memoria memory; **memoria USB** memory card/stick (10); **tarjeta de memoria** memory card
memorizar (c) to memorize
mencionar to mention
menor younger (4); youngest; less; least
menos less; least; minus; **menos** + *adj.* + **que** less + *adj.* than (4); **menos alto que** less tall than (4)

mensaje *m.* message; **mensaje recordatorio** reminder
mensual monthly
mente *f.* mind
mentir (ie, i) to lie
menú *m.* menu
mercado (outdoor) market (5)
merendar (ie) to have a snack (6)
merienda snack (6)
merluza hake
mes *m.* month (1)
mesa table (1)
mesita de noche nightstand (11)
mesoamericano/a *n., adj.* Meso-American
mestizo/a of mixed race (European and native American)
meta goal
metabólico/a metabolic
metal *m.* metal
meter to put, place; **meter un gol** to score a goal
metro subway (5); meter
metrópoli *f.* metropolis
metropolitano/a metropolitan
mexicano/a *n., adj.* Mexican (2); **comer comida mexicana** to eat Mexican food (3)
mezcla mix
mezclar(se) to mix, blend
mí *obj. of prep.* me; **para mí** for me (7); for me (personally) (15)
mi(s) *poss. adj.* my; **en mi opinión...** in my opinion . . . (15); **mi más sentido pésame** my deepest sympathies (16); **mi nombre es** my name is (1)
micro bus (*C.A. and S.A.*)
microempresa micro-business
microfinanza micro-finance
micrófono microphone (10)
microondas *m. s., pl.* microwave (11)
microproducto micro-product
miedo fear; **tener (*irreg.*) miedo** to be afraid
miedoso/a easily frightened
miel *f.* honey
miembro member
mientras while
miércoles *m.* Wednesday (3)
mil (one) thousand
militar *n. m., f.* soldier; **escuela militar** military school; **fuerzas militares** military forces
milla mile
millón *m.* million
minería mining
minibús *m.* small bus
minifalda miniskirt
minimizar (c) to minimize
mínimo minimum
miniserie *f.* miniseries
minuto minute
mío/a(s) *poss. adj.* my; *poss. pron.* (of) mine
mira: en el punto de mira in the crosshairs

mirar to look at; to watch (3); **mirar la televisión** to watch television (3)
misa mass
misión *f.* mission
mismo/a same; **de la misma manera** likewise
misquito *indigenous group of Central America*
misterio mystery
misterioso/a mysterious
místico/a *n., adj.* mystic
mitad *f.* half
mixteco/a *n., adj.* Mixtec (*an indigenous group of Mex.*)
mixto/a mixed; **ensalada mixta** tossed salad
mochila backpack (1)
moda fashion; style; **desfile** (*m.*) **de moda** fashion show (8); **estar** (*irreg.*) **(pasado) de moda** to be (un)fashionable (8); **la última moda** the latest fashion
modalidades *f. pl.* manners
modelo model
módem *m.* (*pl.* **módems**) modem (10)
moderado/a moderate
moderno/a modern (5)
modificar (qu) to modify
modistería dressmaker's shop
modo way; manner; means; **modo de transporte** means of transportation
mojar to wet
mola *embroidered panel used in the typical clothing of Kuna women in Panama*
molestar (*like* **gustar**) to bother (7)
molestia bother; **si no es molestia** if it's not a bother (6)
momento moment; **en algún momento** at some point
monarquía monarchy
monitor *m.* monitor
mono monkey (13)
montaña mountain (9)
montar to ride; **montar a caballo** to ride a horse (3); **montar en bicicleta** to ride a bicycle
montón: un montón a lot
monumento monument
morado/a purple (2)
morder (ue) to bite
moreno/a *n.* brunet(te); *adj.* dark brown (*hair, eyes*) (2)
moretón *m.* (*pl.* **moretones**) bruise (12)
morir(se) (ue, u) (*p.p.* **muerto**) to die (8)
mosaico mosaic
mostrar (ue) to show
motivado/a motivated (2)
moto(cicleta) motorcycle
motuleño: huevos motuleños *Yucatan dish of fried eggs over black beans and a fried tortilla*
mover(se) (ue) to move (*motion*)
móvil *m.* cell phone

movimiento movement

muchacho/a boy, girl

mucho *adj.* much; a lot; *adv.* a lot; **me divertí mucho** I had a lot of fun (7)

mucho/a a lot (of); *pl.* many; **¡con mucho gusto!** with pleasure! (6); **le(s) deseo mucha suerte** I wish you (*form. s., pl.*) luck (12); **lo siento mucho** I'm very sorry (16); **¡mucha suerte!** good luck! (12); **muchas/muchísimas gracias** thank you very much (5); **mucho gusto** nice to meet you (1); **mucho tiempo** a long time (13)

mudarse to move (*residence*) (16)

mueble *m.* piece of furniture

muerte *f.* death

muerto/a (*p.p. of* **morir**) to die; **Día** (*m.*) **de los Muertos** Day of the Dead (7)

mujer *f.* woman (1); wife (4); **mujer bombero** female firefighter (10); **mujer policía** policewoman

mulato/a mulatto

múltiples *pl.* multiple

multitud *f.* multitude

mundial *adj.* world; **Copa Mundial** World Cup

mundo world

municipalidad *f.* municipality

municipio municipality

muñeca wrist; doll

muñeco doll

mural *m.* mural

murga *typical song of Carnival celebrations in Uruguay and Arg.*

músculo muscle

museo museum (5)

música music (2)

músico *m., f.* musician

musulmán (*pl.* **musulmanes**), **musulmana** *n., adj.* Muslim (7)

mutuo/a mutual

muy very; **muy bien** very well (1); **muy mal** very bad (1)

N

nacer (**zc**) to be born (6)

nacimiento birth (7); **defecto de nacimiento** birth defect

nación *f.* nation; **Naciones Unidas** United Nations

nacional national

nacionalidad *f.* nationality

nacionalista *m., f.* nationalist

nacionalizado/a nationalized

nada nothing (5); not anything; **de nada** you're welcome (5)

nadar to swim (2); **nadar de dorso** to do the backstroke

nadie no one (5); nobody, not anybody

náhuatl *m.* Nahuatl (*language of the Aztecs*)

naranja orange (6); **media naranja** better half

narcotráfico drug trafficking (15)

nariz *f.* (*pl.* **narices**) nose (8)

narración *f.* narration

narrar to narrate

natación *f.* swimming (12)

nativo/a native

natural natural; **desasatre** (*m.*) **natural** natural disaster (15); **recurso natural** natural resource (13)

naturaleza nature (9)

naturalista *adj.* nature; **guía** (*m., f.*) **naturalista** nature guide (4)

náuseas *pl.* nausea (12); **tener** (*irreg.*) **náuseas** to feel nauseous

náutico/a nautical

navegable navigable

navegador *m.* browser; **navegador web** web browser

navegante *m., f.* sailor

navegar (**gu**) to navigate

Navidad *f.* Christmas (7); **árbol** (*m.*) **de Navidad** Christmas tree; **¡feliz Navidad!** Merry Christmas! (7)

navideño/a *adj.* Christmas

necesario/a necessary

necesidad *f.* necessity

necesitar to need

negativo/a negative

negociar to negotiate

negocio business; **administración** (*f.*) **de negocios** business administration

negrita: en negrita boldface

negro/a black (2)

nervioso/a nervous

nevar (**ie**) to snow; **está nevando** it's snowing (9); **nieva** it's snowing (9)

ni neither; nor; **ni... ni** neither . . . nor

nicaragüense *n., adj. m., f.* Nicaraguan (2)

nido nest; **nido familiar** parent's home (16)

nieto/a grandson, granddaughter (4)

ningún/ninguna none, no (not one, not any) (5)

niñez *f.* childhood

niño/a small child; boy/girl; **de niño/a** as a child

nivel *m.* level (15)

no no (1); **¡cómo no!** *interj.* of course! (6); **favor de no fumar** no smoking, please (9); **no beber y conducir** don't drink and drive (9); **no doblar** do not turn (9); **no entrar** do not enter (9); **no estacionar** no parking (9); **no fumar** no smoking (9); **no girar** do not turn (9); **no, gracias** no, thank you (6); **no hay de qué** you're welcome (5); **no hay que** + *inf.* you don't have to / it's not necessary to (*do something*) (12); **no pasar** do not enter (9); **no pisar** (**el césped**) stay off / do not walk on (the grass) (9); **no puedo** I can't (8); **no tirar basura** don't litter (9); **no vale la pena** it's not worth it; **si no es molestia** if it's not a bother (6)

noble *m.* noble, aristocrat; *adj.* noble

noche *f.* night; **buenas noches** good evening/night (1); **de la noche** at night (3); **por la noche** (*generally*) during the night (3); **toda la noche** all night (3)

Nochebuena Christmas Eve (7)

Nochevieja New Year's Eve (7)

nombrar to name

nombre *m.* name; **mi nombre es** my name is (1)

nominación *f.* nomination

nominar to nominate

nopalitos *pl. dish made with the leaves of prickly pears*

noreste *m.* northeast

normal normal

noroeste *m.* northwest

norte *m.* north

norteamericano/a *n., adj.* North American (2)

Noruega Norway

noruego/a *n., adj.* Norwegian

nos *d.o. pron.* us (6); *i.o. pron.* to/for us (7); *refl. pron.* ourselves; **se nos antoja/ antojó** + *inf. / s. n.* we feel/felt like + ([*doing*] *something*) (9); **se me/te/le/ nos/os/les antojan/antojaron** + *pl. n.* we feel/felt like + *pl. n.* (9)

nosotros/as *sub. pron.* we; *obj. of prep.* us

nota grade (*academic*); note; **nota de agradecimiento** thank-you note; **sacar** (**qu**) **buenas/malas notas** to get good/ back grades

notar to note

noticia piece of news; *pl.* news

novecientos nine hundred

novela novel

noveno/a ninth

noventa ninety

noviazgo relationship (16); engagement (16)

noviembre *m.* November (1)

novio/a boyfriend/girlfriend (16); fiancé(e) (16); groom/bride (16)

nublado/a cloudy; **está nublado** it's cloudy (9)

núcleo nucleus

nuera daughter-in-law (4)

nuestro/a(s) *poss. adj.* our; *poss. pron.* our, of ours; **nuestro más sentido pésame** my/our deepest sympathies (16)

nueve nine; **son diez para las nueve** it's 8:50 (3); **son las nueve menos diez** it's 8:50 (3)

nuevo/a new (2); **Año Nuevo** New Year's (7); **¡feliz Año Nuevo!** happy New Year! (7); **Nueva York** New York

nuez *f.* (*pl.* **nueces**) nut; walnut

número number; shoe size (8); **¿cuál es tu número de teléfono?** what is your phone number? (1); **un número a la vez, por favor** one number at a time, please (1)

nunca never (3)

nutrición *f.* nutrition
nutriente *m.* nutrient
nutritivo/a nutritious

O

o or
objetivo/a objective
objeto object
obligación *f.* obligation
obligar (gu) to force
obligatorio/a obligatory
obra work; **obra de arte** piece, work of art
(14); **obra de teatro** play (14)
obrero/a worker, laborer
observación *f.* observation
observador(a) observer
observar to observe
obtener (*like* **tener**) to obtain
océano ocean; **océano Atlántico** Atlantic
Ocean; **océano Pacífico** Pacific Ocean
ochenta eighty
ocho eight
ochocientos/as eight hundred
octavo/a eighth
octubre *m.* October (1); **el quince de
octubre** October fifteenth (1)
ocupación *f.* occupation
ocupado/a busy
ocupar to occupy
ocurrir to occur
odiar to hate
oeste *m.* west
ofensivo/a offensive; **volante** (*m., f.*)
ofensivo/a offensive midfielder
oferta supply (15); offer (15)
oficial official
oficina office (1); **oficina de correos** post
office
oficio trade (*profession*)
ofrecer (zc) to offer
oír *irreg.* to hear (5); to listen to (*music, the
radio*) (5); **oye...** listen . . . (*command
inform. s.*); **oiga...** listen . . . (*command
form. s.*); **oigan...** listen . . .
(*command form. pl.*)
ojalá (que) I hope (that)
ojo eye (8)
oleoducto oil pipeline
oler *irreg.* to smell
Olímpicos: Juegos (*pl.*) **Olímpicos (de
Invierno/Verano)** (Winter/Summer)
Olympics (12)
oliva olive; **aceite** (*m.*) **de oliva** olive oil;
color (*m.*) **verde oliva** olive green
olla pot, pan
olor *m.* scent, odor
olvidar(se) to forget (9)
once eleven
onda wave
opción *f.* option
ópera opera (14)
operación *f.* operation
operático/a pertaining to opera

opinar to think; to have/express an opinion
opinión *f.* opinion; **en mi opinión...** in my
opinion . . . (15)
oportunidad *f.* opportunity
oportuno/a opportune
optar (por) to opt (for)
optimista *m., f.* optimist; *adj.* optimistic (2)
opuesto/a opposite
oración *f.* sentence
orden *m.* order; *f.* order (*command, legal*);
a sus órdenes at your (*form. s., pl.*)
service (4)
oreja ear (8)
orgánico/a organic; **desecho orgánico**
organic waste
organismo organism; body
organización *f.* organization; **organización
sin fines de lucro** nonprofit
organization (15)
organizar (c) to organize
orgullo pride
orgulloso/a proud
oriental Oriental; Eastern
oriente *m.* east
origen *m.* origin
originario/a native
originarse to begin
orilla shore
oro gold
orquesta orchestra (14)
orquídea orchid
ortografía spelling
ortográfico/a *adj.* spelling; **error** (*m.*)
ortográfico spelling mistake
os *d.o. pron.* (*Sp.*) you (*inform. pl.*) (6); *i.o.
pron.* (*Sp.*) to/for you (*inform. pl.*) (7); *refl.
pron.* (*Sp.*) yourselves (*inform. pl.*); **se os
antoja/antojó** + *inf. / s. n.* you (*inform.
pl.*) feel/felt like + ([*doing*] something)
(9); **se os antojan/antojaron** + *pl. n.*
you (*inform. pl.*) feel/felt like + *pl. n.* (9)
oscuro/a dark
oso (polar) (polar) bear (13)
ostra oyster
otoño autumn, fall (1)
otro/a other, another; **otra vez** again
ozono ozone

P

pabellón (*m.*) **criollo** *Venezuelan rice and
beans dish*
paciencia patience
paciente *m., f.* patient
pacífico/a *adj.* Pacific; **océano Pacífico**
Pacific Ocean
padecer (zc) to suffer
pádel *m.* paddle tennis
padrastro stepfather (4)
padre *m.* father (4); *pl.* parents (4); **Día**
(*m.*) **de los Padres** Father's Day; **¡está
padre!** that's cool! (8); **¡qué padre!** how
cool! (8)
padrino godfather

pagar (gu) to pay
página page; **página web** web page (1)
país *m.* country (3); **Países Bajos**
Netherlands; **País Vasco** Basque
Country
paisaje *m.* scenery, landscape (9)
pájaro bird (13)
palabra word
palacio palace
palestino/a *n., adj.* Palestinian
paleta palette
pan *m.* bread (6); **pan tostado** toast
panadería bakery (6)
panameño/a *n., adj.* Panamanian (2)
panamericano/a Pan-American
panel (*m.*) **(solar)** (solar) panel
panorámico/a panoramic
pantalla monitor (10); screen (10)
pantalón *m.* pants; *pl.* pants (8); **pantalones
cortos** shorts (8); **pantalones de
campana** bell-bottoms
panteón *m.* mausoleum
papa potato (6); **papas fritas** french fries
papá *m.* father (4)
papel *m.* paper; role, part (*in a movie or
play*) (14); **hoja de papel** sheet of paper
(1); **interpretar un papel** to play a
role/part (14)
paquete *m.* package
Paquistán *m.* Pakistan
paquistaní *n., adj. m., f.* Pakistani
par *m.* pair (*objects*)
para (intended) for (7); **para** + *inf.* in order
to (*to do something*); **para mí** for me (7);
for me (personally) (15); **para que** so
that; **para servirle** at your (*form. s.*)
service (10); **para ti** for you (*inform. s.*)
(7); **servir (i, i) para** to be good at/for
(*doing something*) (4); **son diez para
las nueve** it's 8:50 (3); **son las nueve
menos diez** it's 8:50 (3)
paradisíaco/a idyllic
paradójico/a paradoxical
paraguas *m. s., pl.* umbrella (8)
paraguayo/a *n., adj.* Paraguayan (2)
parapente *m.* paragliding
parar to stop
parásito parasite
parecer (zc) (*like* **gustar**) to seem (7);
parecerse (a) to resemble; **¿qué te/le
parece(n)** + *n./inf.?* how about (*inform.
s. / form. s.*) . . . ? (6)
parecido/a (a) similar (to)
pared *f.* wall
pareja pair; partner (16); couple (16)
pariente *m., f.* relative (4)
París Paris
parlamentario/a parliamentary
parlante *m., f.* loudspeaker
parlar to chatter
parque *m.* park (5); **correr en el parque**
to run in the park (3)
párrafo paragraph

parrilla grill

parte *f.* part; **de parte de** from; on behalf of; **¿de parte de quién?** may I ask who's calling?

participante *m., f.* participant

participar to participate

particular: en particular in particular

partido game (12); match (12)

partir: a partir de as of, since

pasado past; **estar** (*irreg.*) **pasado/a de moda** to be unfashionable (8)

pasado/a last; **año pasado** last year; **semana pasada** last week

pasaporte *m.* passport (9)

pasar to spend (*time*); to happen; **lo pasé bien/mal** I had a good/bad time (7); **no pasar** do not enter (9); **pasa/pase(n)** come in / go ahead (*command inform. s. / form. s., pl.*) (8); **pasar la aspiradora** to vacuum (11); **pasar por** to go through; **pasar un buen rato** to have a good time; **pasarlo bien/mal** to have a good/bad time (7); **¿puedo pasar?** excuse me / may I pass by/enter? (8); **¿qué te/ le pasa?** what's happening with you? (*inform. s. / form. s.*) (1); what's the matter? (1)

pasatiempo pastime

Pascua Easter (7); **Domingo de Pascua** Easter Sunday; **Pascua de Resurrección** Easter (7); **Pascua Florida** Easter (7)

pasear to tale a walk, stroll; **sacar (qu) a pasear** to walk (*dog*)

paseo walk, trip (9); **dar** (*irreg.*) **un paseo** to take a walk (9)

pasillo hallway (11)

paso step; **dar** (*irreg.*) **un paso** to take a step

pasta pasta (6)

pastel *m.* pastry; cake

pastilla pill

patada kick

patata potato (*Sp.*)

paterno/a paternal

patinador(a) skater

patinaje *m.* skating; **patinaje sobre el hielo** ice skating

patinar to skate; **patinar sobre el hielo** to ice skate

patines *m. pl.* skates (12)

patineta skateboard (12); **andar** (*irreg.*) **en patineta** to skateboard (12)

patología disease

patrocinador(a) sponsor

patrocinar to sponsor

paz *f.* peace (15)

pecho chest (8)

pechuga breast

pedacito small piece

pedir (i, i) to ask for (4); to order

pedo *n.* fart

pedorrear to fart

peer (y) to fart

pegar (gu) to paste (10); **pegarse** to bump

peinarse to brush/comb one's hair (5)

película movie; film (2); **película de acción** action movie; **película de terror** horror film (2)

peligro danger (13); **especie** (*f.*) **en peligro de extinción** endangered species

peligroso/a dangerous (15)

pelo hair (2)

pelota ball (12)

pelotero/a baseball player

peluquería (hair) salon

pena embarrassment; shame; **(no) vale la pena** it's (not) worth it

peña *venue for musical and other artistic performances (S.A.)*

pendiente *m.* earring (8); *adj.* pending

pensamiento thought

pensar (ie) (en) to think (about) (12); **pensar** + *inf.* to intend, plan to (*do something*)

peor worse (4)

pepino cucumber (6)

pequeño/a small (2)

pera pear

percusionista *m., f.* percussionist

perdedor(a) loser

perder (ie) to lose; to miss

perdón excuse me (8)

perdonar to forgive; **perdona/perdone(n)** excuse me (*command inform. s. / form. s., pl.*) (8)

perejil *m.* parsley (6)

perezoso/a lazy (2)

perfeccionar to perfect

perfecto/a perfect

perfil *m.* profile

perfume *m.* perfume

perico parakeet

perímetro perimeter

periódico newspaper; **leer (y) el periódico** to read the newspaper (3)

periodista *m., f.* journalist (4)

periodo period (*of time*)

permiso permission; **con permiso** excuse me (8)

permitir to permit

pernoctar to spend the night

pero *conj.* but

perro dog (4)

perseguir (*like* **seguir**) to chase; to pursue

persona person; *pl.* people

personaje *m.* character (*in a movie, play or novel*) (14); celebrity, well-known person (14)

personalidad *f.* personality

perspectiva perspective

pertenecer (zc) (a) to belong (to)

pertenencias *pl.* belongings

peruano/a *n., adj.* Peruvian (2)

pesado/a boring; difficult; heavy; **¡qué pesado!** how annoying! (8)

pésame: dar (*irreg.*) **el pésame** to give one's condolences; **mi/nuestro más sentido pésame** my/our deepest sympathies (16); **te/le/les doy/damos el pésame** my/our condolences (16)

pesar to weigh; **a pesar de** in spite of, despite

pesas weights (12); **levantar pesas** to lift weights (12)

pesca fishing

pescadería fish market (6)

pescado fish (*food*) (6)

pesero bus (*Mex.*)

pesimismo pessimism

pesimista *m., f.* pessimist; *adj.* pessimistic (2)

pésimo/a awful; **¡qué pésimo!** that's awful! (8)

peso weight; **aumento de peso** weight gain; **bajar de peso** to lose weight (12); **subir de peso** to gain weight (12)

petróleo petroleum, oil

petrolero/a *adj.* oil; petroleum

pez *m.* (*pl.* **peces**) fish (*animal*) (4)

pianista *m., f.* pianist

picadura bite; sting

picante spicy (6)

picar (qu) to bite; to chop, mince

pico peak; beak; **pico de gallo** *uncooked salsa made of chopped tomato, onion, and jalapeños*

pie *m.* foot (8); **a pie** on foot

piel *f.* skin (2)

pierna leg (8)

pijama *m.* pijama (8)

pimienta pepper (*spice*) (6)

pimiento pepper

pinchar to click (*computer, Sp.*)

pingüino penguin (13)

pinta appearance; **tener** (*irreg.*) **buena/ mala pinta** to have a good/bad appearance

pintar to paint

pinto: gallo pinto *rice and beans dish of Nicaragua and Costa Rica*

pintor(a) painter (4)

pintura paint; painting (14)

piña pineapple (6)

pirámide *f.* pyramid

piraña piranha

pisar to step on; **no pisar (el césped)** stay off / do not walk on (the grass) (9)

piscina swimming pool (11)

piso floor; apartment (*Sp.*)

pista clue

pitisalé *m. salted meat of Dominican Republic and Haiti*

pizarra chalkboard (1); whiteboard (1)

placer *m.* pleasure; **es un placer** nice to meet you (10); it's a pleasure (10)

plagio plagiarism

plan *m.* plan

plancha: a la plancha grilled (6)

planeación *f.* planning
planear to plan
planeta (*m.*) **(Tierra)** planet (Earth) (13)
planificación *f.* planning; **planificación familiar** family planning
planta plant; floor; **planta baja** ground floor; **primera/segunda/tercera planta** second/third/fourth floor (11)
plástico plastic
plata silver
plataforma platform
plátano banana (*Mex.*) (6); plantain
platillo dish
plato dish; plate (6); **lavar los platos** to wash dishes (4); **plato principal** main course
playa beach (2)
plaza plaza (5)
plazo: a largo plazo in the long run
pliegue *m.* pleat
pluma pen
población *f.* population
pobre poor (2)
pobreza poverty (15)
poco/a few; (a) little; **un poco (de)** a little bit (of)
poder *n. m.* power
poder *irreg.* to be able, can (3); **¿en qué puedo servirle(s)?** how may I help you (*form. s., pl.*)? (10); **¿me puede comunicar con... ?** can you connect me with . . . ?; **no puedo** I can't (8); **¿puede repetir... ?** can you (*form. s.*) repeat . . . ? (1); **¿puedo pasar?** excuse me; may I pass by/enter? (8); **sí, se puede** yes we can; it can be done (12)
poema *m.* poem
poesía poetry (14)
polar polar; **casquete** (*m.*) **polar** polar cap; **oso polar** polar bear
polémico/a controversial
policía *m., f.* police officer (4); *f.* police (*force*); **mujer** (*f.*) **policía** policewoman
polinesio/a Polynesian
política politics; policy
político/a *n.* politician (15); *adj.* political; **ciencias** (*pl.*) **políticas** political science; **proceso político** political process (15)
pollo chicken (6)
pólvora powder
pomelo grapefruit (*Sp., Arg.*)
poner *irreg.* (*p.p.* **puesto**) to put (5); to place; **poner atención** to pay attention; **poner en duda** to call into question; **poner énfasis** to emphasize; **ponerse** to put on (*an article of clothing*) (5); **ponerse** + *adj.* to become/get + *adj.* (5); **ponerse contento/a** to become happy (5); **ponerse los lentes / los lentes de contacto** to put on glasses/contacts (5)
pop *adj.* pop (*music, culture*) (14)
popularizar (c) to make popular

por about; because of; through; for; by; **baje/suba por esta calle** go down/up this street (*command form. s.*) (5); **gracias por** + *n./verb* thank you for . . . (5); **por ejemplo** for example; **por equivocación** by mistake; **por favor** please; **por fin** finally; **por la mañana** (*generally*) during the morning (3); **por la noche** (*generally*) during the night (3); **por la tarde** (*generally*) during the afternoon/evening (3); **por primera vez** the first time; **¿por qué?** why? (2); **por si acaso** just in case; **¡por supuesto!** of course! (6); **un número / una letra a la vez, por favor** one number / letter at a time, please (1)
porcentaje *m.* percentage
porción *f.* portion; serving
porque because
portarse to behave
portátil: (computadora) portátil laptop (computer)
portero/a building manager; doorman
portuario/a *adj.* port
portugués *m.* Portuguese (*language*)
portugués (*pl.* **portugueses**), **portuguesa** *n., adj.* Portuguese
porvenir *m.* future
posada inn
posgrado graduate (study)
posibilidad *f.* possibility
posible possible
posición *f.* position
posicionamiento: Sistema (*m.*) **de Posicionamiento Global (SPG)** Global Positioning System (GPS)
positivo/a positive
posponer (*like* **poner**) (*p.p.* **pospuesto**) to postpone
posgrado (*or* **postgrado**) graduate (study)
postre *m.* dessert (6)
potencial potential
práctica practice
practicar (qu) to practice (3); **practicar yoga** to do yoga (3); **practicar un deporte** to play a sport (3)
práctico/a practical
precariedad *f.* uncertainty
precaución *f.* precaution
precio price
precioso/a pretty (2)
preciso/a precise
precolombino/a Pre-Columbian
predador *m.* predator
predicción *f.* prediction
predisposición *f.* predisposition
preferencia preference
preferido/a preferred; favorite
preferir (ie, i) to prefer
pregunta question
preguntar to ask (7)
prehispánico/a pre-Hispanic
premio prize

prenda article of clothing
prender to turn on (*appliance*)
prensa: agencia de prensa press agency
preocupado/a worried
preocupar(se) to worry
preparación *f.* preparation; training
preparar (el desayuno / el almuerzo / la cena) to prepare (breakfast/lunch/dinner) (4); **prepararse** to get ready, prepare oneself
preparativos *pl.* preparations
preposición *f. gram.* preposition
presentación *f.* presentation
presentador(a) presenter
presentar to present; to introduce; **quiero presentarle(s) a...** I'd like you (*form. s., pl.*) to meet . . . (10); **quiero presentarte a...** I'd like you (*inform. s.*) to meet . . . (10)
preservar to preserve
presidencia presidency
presidente, presidenta president
prestar to lend; **prestar atención** to pay attention; **prestarse a** to lend oneself to
prestigioso/a prestigious
presupuesto budget
pretérito *gram.* preterite
prevención *f.* prevention
prevenir (*like* **venir**) to warn
previo/a previous, prior
prieto/a dark
primaria: escuela primaria elementary school
primavera spring (*season*) (1)
primer, primero/a first; **por primera vez** the first time; **primer piso / primera planta** second floor (11); **primero de mayo** first of May (1)
primo/a cousin (4)
princesa princess
principal main; **plato principal** main course (*of a meal*)
príncipe *m.* prince
principio *n.* beginning
prisa: darse (*irreg.*) **prisa** to hurry; **tener** (*irreg.*) **prisa** to be in a hurry
privado/a private; **escuela privada** private school
privatización *f.* privatization
privatizar (c) to privatize
privilegiado/a privileged
probador(a) tester
probar (ue) to try; to test; **probarse** to try on (8)
problema *m.* problem; **problema social** social problem (15)
problemático/a problematic
proceloso/a stormy
procesar to process
procesión *f.* procession
proceso process; **proceso político** political process (15)
producción *f.* production
producir (*like* **conducir**) to produce

producto product; **productos lácteos** dairy products (6)

profesión *f.* profession (4); **¿cuál es tu/su profesión?** what is your (*inform. s. / form. s.*) profession? (4)

profesional profession

profesor(a) professor (1)

profundidad *f.* depth

profundo/a deep

progenitor(a) parent

programa *m.* program

programador(a) programmer (10)

progresar to progress

progresivo/a progressive

progreso progress

prohibir (prohíbo) to prohibit

promedio average

prometedor(a) promising

prometer to promise

promoción *f.* promotion

promover (ue) to promote

pronombre *m. gram.* pronoun

pronóstico del tiempo weather forecast

pronto soon; **hasta pronto** see you soon (1)

propiedad *f.* property

propio/a own, one's own

proponer (*like* **poner**) (*p.p.* **propuesto**) to propose

propósito purpose

prosperidad *f.* prosperity

protagonista *m., f.* protagonist (14)

protección *f.* protection

protector(a) protective

proteger (j) to protect (13)

proteína protein

protestar to protest

provecho: ¡buen provecho! enjoy your meal! (6)

proveer (y) (*p.p.* **proveído**) to provide

provincia province

provisión *f.* provision; *pl.* supplies

provocar (qu) to provoke

próximo/a next

proyecto project

proyector *m.* projector (1)

prueba quiz

psicología psychology (1)

psicólogo/a psychologist (4)

psiquiatra *m., f.* psychiatrist

pub *m.* pub, bar

publicar (qu) to publish

publicidad *f.* publicity

público/a public; **transporte** (*m.*) **público** public transportation (5)

pueblo town (5)

puente *m.* bridge (5)

puerco pig; pork (6)

puerta door (1)

puertorriqueño/a *n., adj.* Puerto Rican (2)

pues *conj.* well; since

puesto job; position; stand; **conseguir** (*like* **seguir**) **un puesto** to get a job/position (10)

pulmón *m.* lung

pulpa pulp

pulpería small grocery store

pulsera bracelet (8)

punto point; **en el punto de mira** in the crosshairs; **punto com** dot com (*in an email address*) (1)

puñado handful

purificador(a) purifying

purificar(se) (qu) to purify (oneself)

puro/a pure; **¡pura vida!** cool! (8)

Q

que that, which; who; **hasta que** *conj.* until; **que le(s) vaya bien** may things go well for you (*form. s., pl.*) (12); **¡que tenga(s) un buen día!** have (*form. s. / inform. s.*) a good day! (12); **¡que tenga(s) un buen fin de semana!** have (*form. s. / inform. s.*) a nice weekend!; **¡que tenga(s) una buena tarde!** have (*form. s. / inform. s.*) a nice afternoon!; **que yo sepa** as far as I know; **ya que** since

¿qué? what? (2); which?; **¿a qué hora... ?** at what time . . . ? (3); **¿a qué se dedica?** what do you (*form. s.*) do (*occupation*)? (4); **¿a qué te dedicas?** what do you (*inform. s.*) do (*occupation*)? (4); **¿en qué puedo servirle(s)?** how may I help you (*form. s., pl.*)? (10); **¿qué estudias?** what do you study?; what's your major? (1); **¿qué hora es?** what time is it? (3); **¿qué tal?** how are you? (1); **¿qué te/le parece(n)** + *n./inf.*? how about (*inform. s. / form. s.*) . . . ? (6); **¿qué te pasa?** what's happening with you (*inform. s.*)?; what's the matter? (1); **¿qué tiempo hace?** what's the weather like? (9)

¡qué... ! what . . . !; **¡qué** + *adj.*! how + *adj.*! (4); **¡qué** + *adj.* + *n.*! what + *adj.* + *n.*! (4); **¡qué** + *n.*! how/what + *n.*! (4); **¡qué aburrido!** how boring! (8); **¡qué bárbaro!** how cool! (8), awesome!; **¡qué bien!** how cool! (8); **¡qué bonita familia!** what a beautiful family! (4); **¡qué buena idea!** what a good idea!; **¡qué calor!** it's so hot!; **¡qué cara!** what nerve!; **¡qué chévere!** how cool! (8); **¡qué chido!** how cool! (8); **¡qué chulo!** how cool! (8); **¡qué coraje!** how frustrating/annoying! (4); **¡qué emoción!** how exciting!; **¡qué estupendo!** how cool! (8); **¡qué fenomenal!** how cool! (8); **¡qué feo/a!** how ugly! (4); **¡qué frío!** how cold! (4); **¡qué golazo!** what a goal!; **¡qué guapo/a!** how handsome/beautiful! (4); **¡qué guay!** how cool! (8); **¡qué lindo/a!** how cute/pretty! (4); **¡qué lío!** what a mess! (4); **¡qué malo/a!** that's terrible! (8); **¡qué padre!** how cool! (8); **¡qué pesado!** what a pain!, how annoying! (4); **¡qué pésimo!** that's awful! (8); **¡qué poca vergüenza!** what nerve!; **¡qué**

rabia! how frustrating/annoying! (4); **¡qué rico/a!** how delicious! (4); **¡qué vergüenza!** how embarrassing!

quechua *m.* Quechua (*language*)

quedar to remain, to be left; to be located; **¿dónde queda... ?** where is . . . ? (5); **queda a la derecha/izquierda** it's on the right/left (5); **queda al lado de / detrás de / enfrente de / en la esquina de... y ...** it's next to / behind / facing, in front of / on the corner of . . . and . . . (5); **quedarle** to fit (8); **quedarse** to stay (5)

quehacer *m.* chore

quemadura *n.* burn; **quemadura de sol** sunburn (9)

quemar to burn

querer *irreg.* to want (4); **querer** + *inf.* to want (*to do something*) (4); to love; **¿quiere(s)** + *n./inf.*? would you (*form. s. / inform. s.*) like . . . ? (6); **quiero presentarle(s) a...** I'd like you (*form. s., pl.*) to meet . . . (10); **quisiera** + *inf.* I would like (*to do something*) (10)

querido/a dear; **ser** (*m.*) **querido** loved one

queso cheese (6)

quetzal *m.* quetzal bird

quiché *adj. m., f.* of or pertaining to the Quiche Mayan group of Guatemala

quichua *n. m., f.* Quechua

¿quién(es)? who? (2); whom?; **¿de parte de quién?** may I ask who's calling?

quieto/a calm, still

química chemistry (1)

quince fifteen; **el quince de octubre** October fifteenth (1)

quinceañera *15th birthday celebration for girls* (7); *young woman celebrating her fifteenth birthday*

quinientos/as five hundred

quinta farm; country house

quinto/a fifth

quitar(se) to remove, take off

quizá(s) *adv.* perhaps, maybe (14)

R

rabia anger; fury; **¡qué rabia!** how frustrating/annoying!

racismo racism (15)

radio *f.* radio (*medium*)

raíz *f.* (*pl.* **raíces**) root; **a raíz de** as a result of; **bienes** (*m. pl.*) **raíces** real estate; **agente** (*m., f.*) **de bienes raíces** real estate agent

rama branch

ramo: Domingo de Ramos Palm Sunday

rana frog

rancho ranch

rango rank

rap *m.* rap music

rapanui *m. language of the Rapa Nui people of Easter Island*

rapero/a rapper

rapidez *f.* (*pl.* **rapideces**) speed

536   Vocabulario

rápido *adv.* quickly
rápido/a fast (2); **comida rápida** fast food
raqueta racket (12)
rarámuri *m., f.* of or pertaining to the Tarahumara people of northwestern Mexico
raro/a strange
rascacielos *m. s., pl.* skyscraper (5)
rastafari *adj. m., f.* Rastafarian
ratificar (qu) to ratify
rato while, short time; **pasar un buen rato** to have a good time
ratón *m.* mouse (10)
raza race
razón *f.* reason; **no tener** (*irreg.*) **razón** to be wrong; **tener** (*irreg.*) **razón** to be right
razonable reasonable
reacción *f.* reaction
reaccionar to react
real royal; real
realidad *f.* reality
realismo realism
realizar (c) to achieve, attain
rebaja sale (8); **estar** (*irreg.*) **de rebajas** on sale, at a reduced price
rebelde *m., f.* rebel
rebeldía rebellion
recalar en to end up at
recaudar fondos to raise funds
recepción *f.* reception
receta recipe
rechazar (c) to reject
rechazo rejection
recibir to receive
reciclaje *m.* recycling (13)
reciclar to recycle (13)
recién *adj.* recent
recinto (universitario) campus
recipiente *m.* recipient
reclutar to recruit
recoger (j) to pick up
recolectar to gather; to harvest
recomendable recommendable
recomendación *f.* recommendation
recomendar (ie) to recommend (12)
reconocer (zc) to recognize
reconocido/a famous
reconocimiento recognition
reconstrucción *f.* reconstruction
récord *adj. m., f.* record
recordar (ue) to remember
recordatorio/a: mensaje (*m.*) **recordatorio** reminder
recorrer to traverse
recorrido tour; **hacer** (*irreg.*) **un recorrido** to take a trip / go on a tour (9)
recreación *f.* recreation
recrear to recreate
recto/a straight; **siga recto** go straight (*command form. s.*) (5)
recuerdo memory; souvenir (9)
recuperar to recuperate

recurrir to turn to; to resort to
recurso resource; **recurso natural** natural resource (13)
red *f.* network; Internet; **red social** social network (10)
reducir (like **conducir**) to reduce
reelección *f.* reelection
reelegir (i, i) (j) to reelect
reescribir (*p.p.* **reescrito**) to rewrite
referencia reference
referéndum *m.* referendum
referirse (ie, i) (a) to refer (to)
reflejar to reflect
reforma reform
refrán *m.* saying, proverb
refresco soda (6)
refugio refuge
regalar to give as a gift (7)
regalo gift
regañar to scold
reggae *m.* reggae
reggaetón *m.* reggaeton
región *f.* region
registrarse to register; to check in
regla rule
regresar to return (3)
regreso return
rehusar (rehúso) to refuse
reina queen
reintroducir (like **conducir**) to reintroduce
reírse (me río, i) (de) to laugh (about)
relación *f.* relationship (16); **en una relación** together (16); in a relationship (16); **relaciones internacionales** international relations (1)
relacionado/a (con) related (to)
relajante relaxing
relajar(se) to relax
relativamente relatively
relevo: generación (*f.*) **de relevo** upcoming generation
religión *f.* religion
religioso/a religious
relleno/a stuffed (*culin.*)
reloj *m.* clock (1); watch (1)
remoto/a remote
remover (ue) to stir
remunerado/a remunerated
renegar (ie) (gu) de to reject
renombre *m.* renown
renovación *f.* renovation
renovar (ue) to renovate
renta rent
rentar to rent
renunciar (a) to resign
repartir to deliver; to distribute
repelente *m.* repellent
repente: de repente suddenly
repetir (i, i) to repeat (4); **¿puede repetir... ?** can you (*form. s.*) repeat . . . ? (1)
repleto/a full
reportaje *m.* report
reportar to report

representante *m., f.* representative; *adj.* representative
representar to represent
represión *f.* repression
reprochar to reproach
reproducción *f.* reproduction
reproducir (like **conducir**) to reproduce
reptil *m.* reptile
república republic; **República Dominicana** Dominican Republic
requerir (ie, i) to require
requisito requirement
resentido/a resentful; bitter
reserva reserve; reservation
reservado/a reserved (2)
resfriado *n.* cold (*illness*) (12)
residencia residence
residente *m., f.* resident; *adj.* resident
residir to reside
residuo waste
resistencia resistance
resistir to resist
resolver (ue) (*p.p.* **resuelto**) to resolve
respecto: al respecto on this/that matter
respetar to respect
respeto respect
respetuoso/a respectful
responder to respond
responsabilidad *f.* responsibility
responsabilizarse (c) to take responsibility (16)
responsable responsible
respuesta answer
restar (like **gustar**) to remain, to be left
restaurante *m.* restaurant (5); **administración** (*f.*) **de restaurantes** restaurant management
resto rest
resultado result
resumen *m.* (*pl.* **resúmenes**) summary
resumir to summarize
resurrección *f.* resurrection; **Pascua de Resurrección** Easter (7)
retirarse to go away; to go to bed
reto challenge
retocado/a retouched
retrasar to delay
retraso delay
retrato portrait
reunión *f.* meeting
reunirse (me reúno) (con) to meet (with); to get together (with)
revelar to reveal
revisar to review
revisión *f.* revision
revista magazine
revolución *f.* revolution
rey *m.* king; **Día** (*m.*) **de los Reyes Magos** Three Kings Day; Epiphany (Adoration of the Magi) (7)
rico/a rich (2); delicious; **¡qué rico/a!** how delicious! (4)
ridículo/a ridiculous
riesgo risk

río river
riqueza richness
risa laughter
ritmo rhythm
rito rite; ritual
ritual *m.* ritual
rival *m.* rival
robar to rob
rock rock (*music*) (14)
rocoso/a rocky
rodaje *m.* filming, shooting (*movie*)
rodar to film, shoot (*movie*)
rodeado/a (de) surrounded (by)
rodilla knee (8)
rodillera knee pad/guard
rojo/a red (2)
rol *m.* role
romance *m.* romance
romántico/a romantic
romper(se) (*p.p.* **roto**) to break (9); **romper con** to break up with (16)
ropa clothes, clothing; **ropa interior** underwear (8); **lavar la ropa** to wash clothes (4)
rosado/a pink (2)
rostro face
roto/a (*p.p. of* **romper**) broken
rubio/a blond (2)
rudo/a rough
ruido noise (5)
ruinas *pl.* ruins
rural rural (5)
ruso/a *n., adj.* Russian
ruta route
rutina (diaria) (daily) routine

S

sábado Saturday (3)
sabana savannah
saber *irreg.* to know (5); **saber** + *inf.* to know how to (*do something*); **que yo sepa** as far as I know
sabroso/a tasty
sacar (qu) to take out, withdraw; **sacar a pasear** to walk (*dog*); **sacar buenas/malas notas** to get good/bad grades; **sacar dinero** to withdraw money; **sacar fotos** to take photos; **sacar la basura** to take out the trash (11); **sacar la lotería** to win the lottery; **sacar una maestría / un doctorado** to get a master's/doctorate (degree)
saco suit jacket
sacudir to dust (11)
safari: ir (*irreg.*) **de safari** to go on a safari
sagrado/a sacred
sal *f.* salt (6)
sala living room; **sala de clase** classroom; **sala de justicia** courtroom
salado/a *adj.* salt, salty; **agua** (*f., but* **el agua**) **salada** salt water
salar *m.* salt flat
salario salary
salir *irreg.* to leave (*a place*) (5); to go out (5); **salir con** to date

salmón *m.* salmon
salón *m.* living room (11); **salón de clase** classroom (1)
salsa salsa; sauce (6)
saltar to jump
salto waterfall
salud *f.* health
saludable healthy
saludar to greet
saludo greeting
salvadoreño/a *n., adj.* Salvadoran (2)
san, santo/a *n.* saint; **Día** (*m.*) **de Todos los Santos** All Saints' Day; **Semana Santa** Holy Week (7)
sandalias sandals (8)
sándwich *m.* sandwich
saneamiento sanitation
sano/a healthy
sapo toad (13)
satisfactorio/a satisfactory
se *refl. pron.* yourself (*form.*); himself/herself; itself; yourselves (*form. Sp.; inform./form. elsewhere*); themselves
secar(se) (qu) to dry (oneself)
sección *f.* section
seco/a dry
secretario/a secretary (10)
sector *m.* sector
secuela effect, consequence
secundario/a secondary; **escuela secundaria** high school
sed *f.* thirst; **tener** (*irreg.*) **sed** to be thirsty
sedentario/a sedentary
segmento segment
seguido/a one after the other
seguir (i, i) (g) to follow (4); to continue; to keep on going; **siga derecho/recto** go / keep going / continue straight (*command form. s.*) (5); **siga hasta llegar a (la esquina de)...** go / keep going / continue (*command form. s.*) until you reach (the corner of) . . . (5)
según according to
segundo *n.* second
segundo/a second; **la segunda planta / piso** the third floor (11)
seguridad *f.* safety (15); security (15)
seguro *n.* insurance; **agencia de seguros** insurance agency; **agente** (*m., f.*) **de seguros** insurance agent
seguro/a sure
seis six
seiscientos/as six hundred
selección *f.* selection; team
seleccionar to select, choose
selva jungle (13)
semana week; **día** (*m.*) **de entre semana** weekday; **fin** (*m.*) **de semana** weekend (3); **¡que tenga(s) un buen fin de semana!** have (*form. s. / inform. s.*) a nice weekend!; **semana pasada** last week; **Semana Santa** Holy Week (7); **una vez a la semana** once a week

sembrar (ie) to sow, plant
semejante similar
semejanza similarity
semifinal *f.* semifinal
senado senate
sencillez *f.* simplicity
sencillo/a simple
senderismo: hacer (*irreg.*) **senderismo** to go hiking
sendero path
sentarse (ie) to sit down (5); **¡siéntate/ siénte(n)se!** sit down / have a seat (*command inform. s. / form. s., pl.*)! (11)
sentido *n.* sense
sentido/a *adj.* heartfelt; **mi/nuestro más sentido pésame** my/our deepest sympathies (16)
sentimental emotional
sentimiento emotion, feeling; **te/le/les acompaño/acompañamos en el sentimiento** you're (*inform. s. / form. s. / form. pl.*) in my/our thoughts (16)
sentir (ie, i) to regret; to feel sorry; **cuánto lo siento** I'm very sorry (16); **lo siento** I'm sorry (7); condolences (7); **sentirse** to feel (*an emotion*)
señal *f.* sign
señalar to mark; to point at
señor (Sr.) *m.* man; Mr.; sir
señora (Sra.) woman; Mrs.; ma'am
señorita (Srta.) young woman; Miss; Ms.
separar to separate
septiembre *m.* September (1)
sequía drought (13)
ser *m.* being; **ser querido** loved one
ser *irreg.* to be (1); **¿cuál es la fecha de hoy?** what is today's date? (1); **¿de dónde eres/ es?** where are you (*inform. s. / form. s.*) from? (1); **¿de qué color es?** what color is it? (2); **eres** you are (*inform. s.*) (1); **es** he/ she is / you (*inform. s.*) are (1); **es a la(s)...** it's at . . . (3); **es la una** it's 1:00 (3); **es la una y media** it's 1:30 (3); **es medianoche** it's midnight (3); **es mediodía** it's noon (3); **hoy es...** today is . . . (1); **mi nombre es** my name is (1); **¿qué hora es?** what time is it? (3); **ser aficionado/a (a)** to be a fan (of); **ser bienvenido/a(s)** to be welcome (11); **si no es molestia** if it's not a bother (6); **somos** we are (1); **son** you (*form. pl.*) / they are; **son diez para las nueve** it's 8:50 (3); **son las doce del día** it's noon; **son las dos y cuarto** it's 2:15 (3); **son las nueve menos diez** it's 8:50 (3); **soy** I am (1); **soy de...** I'm from . . . (1); **Ud. es (siempre) bienvenido/a** you (*form. s.*) are always welcome (11)
serie *f.* series
serio/a serious (2)
servicio service (9)
servilleta napkin (6)
servir (i, i) to serve (4); to be useful (4); to work (function) (4); **¿en qué puedo**

servirle(s)? how may I help you (*form. s., pl.*)? (10); **para servirle** at your (*form. s.*) service (10); **servir para** to be good at/for (*doing something*) (4); **¡sírvete/ sírva(n)se!** help yourself (*command inform. s. / form. s., pl.*)! (11)

sesenta sixty

setenta seventy

sexo sex

shorts *m. pl.* shorts

si if; **si no es molestia** if it's not a bother (6)

sí yes (1); **¡claro que sí!** *interj.* of course! (6); **sí, gracias** yes, please (5); **sí, se puede** yes, we can / yes, it can be done (12)

siempre always (3); **Ud. es (siempre) bienvenido/a** you (*form. s.*) are always welcome (11)

sierra mountain

siete seven

siglo century

significado meaning

significar (qu) to mean; to signify

siguiente following

silla chair (1)

sillón *m.* armchair (11)

simbólico/a symbolic

símbolo symbol

simpático/a nice (2)

simular to simulate

simultáneo/a simultaneous

sin without (7); **organización (*f.*) sin fines de lucro** nonprofit organization (15); **sin duda** without (any) doubt (14); **sin hogar** homeless; **sin igual** unequaled; **sin importar** regardless of

sincero/a sincere

sinfónica symphony

singular *m. gram.* singular

sino (but) rather; **sino que** *conj.* but (rather)

sinónimo synonym

síntoma *m.* symptom (12)

sistema *m.* system; **Sistema de Posicionamiento Global (SPG)** Global Positioning System (GPS)

sitio site; place; **sitio web** website

situación *f.* situation

situado/a located

SMS *m.* text messaging (*abbrev. for Short Message Service*)

snorkel *m.* snorkeling (9); **hacer (*irreg.*) snorkel** to go snorkeling (9)

snowboard *m.* snowboard

sobre *prep.* about (7); on, above (7); on top of; over

sobremesa after-dinner conversation

sobresaliente outstanding

sobresalir (*like* **salir**) to stand out

sobrevivir to survive

sobrino/a nephew/niece (4)

social social; **problema (*m.*) social** social problem (15); **red (*f.*) social** social network; **trabajador(a) social** social worker (10)

sociedad *f.* society

socio/a member; partner

socioeconómico/a socioeconomic

sociología sociology

sociólogo/a sociologist (4)

sofá *m.* sofa (11)

sofisticado/a sophisticated

sol *m.* sun; **hace (mucho) sol** it's (very) sunny (9); **tomar el sol** to sunbathe (9); **quemadura de sol** sunburn (9)

solar solar; **bloqueador (*m.*) solar** sunscreen (9); **panel (*m.*) solar** solar panel

soldado soldier

soleado/a sunny

soledad *f.* solitude; loneliness

solemnidad *f.* solemnity

solicitar (un empleo / un trabajo) to apply for (a job) (10)

sólido/a solid

solista *m., f.* soloist

solo *adv.* only

solo/a *adj.* alone (2)

soltar (ue) to let loose

soltero/a single (*not married*) (16)

solución *f.* solution

solucionar to solve, resolve

sombrero hat (8)

sombrilla parasol

someter to submit

sondeo poll

sonido sound

sonoro/a sonorous

sonreír(se) (*like* **reír**) to smile

sonrisa smile

soñar (ue) (con) to dream (about) (3)

sopa soup (6)

soportar to stand

sorprender to surprise

sorprendido/a surprised

sospecha suspicion

sospechoso/a suspect, suspicious

sostenible sustainable (13)

sótano basement (11)

su(s) *poss. adj.* his, hers, its, your (*form. sing., pl.*), their

suave soft

subir (a) to go up; to get on (*a vehicle*); to raise; **suba (por esta calle)** go up (this street) (*command form. s.*) (5); **subir de peso** to gain weight (12)

subjuntivo *gram.* subjunctive

subrayar to underline

subyacer (zc) to underlie

suceder to happen; to occur

sucesión *f.* succession

sucio/a dirty

Sudáfrica South Africa

sudafricano/a *n., adj.* South African

Sudamérica South America

sudamericano/a *n., adj.* South American

sueco/a *n.* Swede; *adj.* Swedish

suegro/a father-in-law / mother-in-law (4)

sueldo salary

suelo floor; **lavar el suelo** to wash the floor (11)

sueño dream; **tener (*irreg.*) sueño** to be sleepy

suerte *f.* luck; **¡buena suerte!** good luck! (7); **dar (*irreg.*) buena suerte** to bring good luck; **le(s) deseo mucha suerte** I wish you (*form. s., pl.*) luck (12); **¡mucha suerte!** good luck! (12); **¡suerte!** good luck! (12)

suéter *m.* sweater (8)

suficiente enough

sufrimiento suffering

sufrir (de) to suffer (from) (12)

sugerencia suggestion

sugerir (ie, i) to suggest

sujetador *m.* bra (8)

sujeto *gram.* subject

sumar to add

sumergir (j) to immerse, submerge

suministrar to supply, provide

suministro supply

suntuoso/a sumptuous, luxurious

súper *m.* supermarket (2)

superficie *f.* surface

supermercado supermarket (2)

superstición *f.* superstition

supervisar to supervise

suponer(se) (*like* **poner**) (*p.p.* **supuesto**) to suppose

supremo/a supreme; **Corte (*f.*) Suprema** Supreme Court

suprimir to delete, erase

supuesto: ¡por supuesto! of course! (6)

sur *m.* south

sureño/a southern

surfear to surf (12)

surfista *m., f.* surfer

surrealista *adj. m., f.* surreal

suscripción *f.* subscription

suspender to suspend

suspenso suspense

sustantivo *gram.* noun

suyo/a(s) *poss. adj.* your (*form.*); his, her, its, their; *poss. pron.* (of) your, his, her, it, their; (of) yours (*form.*), hers, its, theirs

T

tabla table, chart

tableta tablet (10)

tachar to cross out

tacones (*m. pl.*) **(altos)** high-heeled shoes (8)

tailandés (pl. **tailandeses**), **tailandesa** *n., adj.* Thai

tal such, such a; **con tal de que** *conj.* provided that; **¿qué tal?** how are you? (1); **tal como** just as; **tal vez** maybe, perhaps (14)

tala de árboles tree cutting (13)

talar to cut down

talento talent; **agencia de talentos** talent agency

talentoso/a talented

talla clothing size (8)

taller *m.* workshop

tamal *m.* tamale

tamaño size

también also

tampoco neither, not either

tan *adv.* so; as; **tan... como** as . . . as; **tan pronto como** as soon as

tanto/a *adj.* as much, so much; such a; *pl.* so many; as many; **tanto/a(s)... como** as much/many . . . as; **tanto como** as much as

tapar to cover

tapir *m.* tapir (*large mammal of C.A. and S.A.*)

taquillero/a: una película taquillera box-office success (*film*)

tarahumara *n., adj. m., f.* Tarahumara (see **rarámuri**)

tardar to delay; to be late

tarde *f.* afternoon; *adv.* late; **buenas tardes** good afternoon (1); **de la tarde** in the afternoon/evening (3); **por la tarde** (*generally*) during the afternoon/evening (3); **¡que tenga(s) una buena tarde!** have (*form. s. / inform. s.*) a nice afternoon!

tarea homework (1); **hacer** (*irreg.*) **la tarea** to do homework (3)

tarjeta card (7); **tarjeta de memoria** memory card

tasa rate; **tasa de natalidad** birthrate

taxi *m.* taxi (5)

taxonómico/a taxonomical

taza coffee cup (6)

te *d.o. pron.* you (*inform. s.*) (6); *i.o. pron.* to/for you (*inform. s.*) (7); *refl. pron.* yourself (*inform. s.*); **¿Cómo te llamas?** What's your name? (1); **quiero presentarte a...** I'd like you (*inform. s.*) to meet . . . (10); **te acompaño/acompañamos en el dolor** I'm/we're with you in your time of pain (16); **te acompaño/acompañamos en el sentimiento** you're in my/our thoughts (16); **¿te gusta** + *activity*? do you like + *inf.*? (2); **te agradezco por...** I appreciate that you. . . (5); **te doy/ damos el pésame** my/our condolences (16); **te felicito/felicitamos** I/we congratulate you (7); **¿te gustaría** + *inf.*? would you like (*to do something*)? (9)

té *m.* tea

teatro theater (5); **obra de teatro** play (14)

techo roof (11)

teclado keyboard (10)

técnico/a *n.* technician; *adj.* technical

tecnología technology

tecnológico/a technological

tejo *Colombian sport played by throwing a metal plate or disk at a target to try to hit paper triangles filled with gunpowder*

tela cloth, fabric

telecomunicaciones *f. pl.* telecommunication

telefónico/a *adj.* telephone

teléfono (móvil) (cellular) telephone (10); **¿cuál es tu número de teléfono?** what is your phone number? (1); **hablar por teléfono** to talk on the phone (3)

telenovela soap opera

tele-secundaria: escuela tele-secundaria distance high school

televisión *f.* television (*medium*); **mirar la televisión** to watch television (3)

televisor *m.* television set (11)

temático/a themed

temer to fear

temperatura temperature

templado/a temperate

temporada season

temprano *adv.* early

tendencia tendency; trend (8)

tenedor *m.* fork (6)

tener *irreg.* to have (1); **¿cuántos años tiene(s)?** how old are you (*form. s. / inform. s.*)? (2); **no tener razón** to be wrong; **¡que tenga(s) un buen día** have (*form. s. / inform. s.*) a nice day!; **¡que tenga(s) un buen fin de semana!** have (*form. s. / inform. s.*) a nice weekend!; **¡que tenga(s) una buena tarde!** have (*form. s. / inform. s.*) a nice afternoon!; **tenemos** we have (1); **tener alergia a** to be allergic to; **tener buen aspecto** to look good; **tener buena/mala pinta** to have a good/bad appearance; **tener celos** to be jealous; **tener éxito** to be successful; **tener fama de** to be known for; **tener fiebre** to have a temperature/ fever; **tener ganas de** + *inf.* to feel like (*doing something*); **tener hambre** to be hungry; **tener miedo** to be afraid; **tener (mucho) frío** to be (very) cold; **tener náuseas** to feel nauseous; **tener prisa** to be in a hurry; **tener que** + *inf.* to have (*to do something*) (4); **tener razón** to be right; **tener sed** to be thirsty; **tener sueño** to be sleepy; **tener tos** to have a cough; **tener voz y voto** to have a say; **tengo** I have (1); **tengo** + *number* + **años** I'm + *number* + years old (2); **tiene** he/she has; you (*form s.*) have (1); **tienen** they/you (*form. pl.*) have (1); **tienes** you (*inform. s.*) have (1); **¿tiene(s) ganas de** + *n./inf.*? do you (*form. s. / inform. s.*) feel like . . . ? (6)

tenis *m.* tennis (12); *pl.* tennis shoes (8); **jugar (ue) (gu) tenis** to play tennis (12)

tenista *m., f.* tennis player

tequila *m.* tequila

tequilero/a *adj.* tequila

tercer(o/a) third; **la tercera planta / el tercer piso** the fourth floor (11)

terminación *f. gram.* ending

terminar to finish

término term

termita termite

terraza terrace (11)

terreno land

territorio territory

terror *m.* terror; **película de terror** horror movie

terrorismo terrorism

testamento will

testigo *m., f.* witness

textear to text (10)

textil *m.* textile

texto text; text message; **libro de texto** textbook

textura texture

ti *obj. of prep.* you (*inform. s.*); **para ti** for you (*inform. s.*) (7)

tibio/a lukewarm

tico/a *n., adj.* Costa Rican (*sl.*)

tiempo time; weather; **¿cuánto tiempo hace que** + *present tense*? how long have you (*done / been doing something*) (13); **¿cuánto tiempo lleva(s)** + *pres. p.*? how long have you (*form. s. / inform. s.*) (*done / been doing something*)? (13); **hace buen/mal tiempo** it's good/bad weather (9); **mucho tiempo** a long time (13); **¿qué tiempo hace?** what's the weather like? (9); **tiempo libre** free time

tienda store (5); **tienda de abarrotes** grocery store; **tienda de abastos** grocery store

tierra earth, soil (13); **planeta** (*m.*) **Tierra** planet Earth (13)

tímido/a shy

tinta ink

tinto: vino tinto red wine (6)

tío/a uncle/aunt (4); *pl.* uncles and aunts

típico/a typical

tipo type, kind

tirado/a stranded

tiranía tyranny (15)

tirar to throw (away) (8); **no tirar basura** don't litter (9)

tirolina zip line; **bajar en tirolina** to go ziplining (9)

titulado/a graduate

titular *m.* headline

título title

tobillo ankle; **torcerse (ue) (c) (el tobillo)** to sprain (one's ankle) (12)

tocar (qu) to touch; **tocar la guitarra** to play the guitar (2); **tocar un instrumento** to play an instrument

todavía still

todo *n.* everything; everyone (3); all of us (3); **todo lo demás** everything else

todo/a *adj.* all (3); every; **Día** (*m.*) **de Todos los Santos** All Saints' Day; **toda la noche** all night (3); **toda la vida** all my/ your/his/her life, all our/your/their lives (13); **todo el día** all day (3); **todos los días** every day (3)

tolerancia tolerance

tolerante tolerant (16)

tomar to take; to drink; **tomar el sol** to sunbathe (9); **tomar una decisión** to make a decision

tomate *m.* tomato (6)

540 Vocabulario

tonto/a silly, foolish
toparse con to run into
topografía topography
torcedura sprain (12)
torcerse (ue) (c) (el tobillo) to sprain (one's ankle) (12)
torero/a bullfighter
toronja grapefruit (*L.Am.*)
torpe clumsy
torre *f.* tower
torta cake (6); sandwich (*Mex.*)
tortilla potato omelet (*Sp.*); *thin unleavened cornmeal or flour pancake* (*Mex.*)
tortuga turtle (13)
tortuguero/a *adj.* turtle
tos *f.* cough (12); **jarabe** (*m.*) **para la tos** cough syrup; **tener** (*irreg.*) **tos** to have a cough
tostado/a toasted; **pan** (*m.*) **tostado** toast
tostar (ue) to toast
total total; **en total** in all
tóxico/a toxic
trabajador(a) *n.* worker; **trabajador(a) social** social worker (10); *adj.* hard-working (2)
trabajar to work (3)
trabajo work (2); job; **conseguir** (*like seguir*) **un trabajo** to get a job/position (10); **solicitar un trabajo** to apply for a job (10)
tradición *f.* tradition
tradicional traditional
traducción *f.* translation
traducir (*like conducir*) to translate
traer *irreg.* to bring (5); to carry (5)
tráfico traffic (5)
tragedia tragedy
traje *m.* suit (8); formal gown (8); **traje coctel** cocktail dress; **traje de baño** bathing suit (8)
trámite *m.* step; procedure
tranquilidad *f.* tranquility, peace, calm (5)
tranquilo/a tranquil (2), peaceful, calm
transbordador *m.* ferry
transecuatoriano/a trans-equatorial
transformar(se) to transform, change into
transición *f.* transition
tránsito traffic
transmitir to transmit
transnacional transnational
transparencia transparency
transportar to transport
transporte *m.* transportation (5); **medio/ modo de transporte** means of transportation; **transporte público** public transportation (5)
tras *prep.* after
trasfondo background
trasladarse to move
traslado transfer
tratamiento treatment
tratar de + *inf.* to try to (*do something*)
trato agreement; contract

traumático/a traumatic
través: a través de across; through; throughout
trece thirteen
treinta thirty
tremendo/a tremendous
tren *m.* train (9)
tres three
trescientos/as three hundred
tribunal *m.* court (10)
tributo tribute
trigo wheat
trigueño/a light brown (2)
trilingüe trilingual
triplicarse (qu) to triple
triste sad (2)
tristeza sadness
triunfo triumph
tropical tropical; **bosque** (*m.*) **tropical** rainforest (9)
trozo piece
tú *sub. pron.* you (*inform. s.*); **¿y tú?** and you (*inform. s.*)? (1)
tu(s) *poss. adj.* your (*inform. s.*)
tumba tomb
turbulento/a turbulent
turismo tourism; **turismo de aventura** adventure tourism (9)
turista *m., f.* tourist
turístico/a *adj.* tourist
turnarse to take turns
turquesa turquoise
tuyo/a(s) *poss. adj.* your (*inform. s.*); *poss. pron.* of yours (*inform. s.*)
tzotzil *m. Mayan language spoken by the Tzotzil people*

U

u or (*used instead of* **o** *before words beginning with* **o** *or* **ho**)
ubicación *f.* placement; location
último/a last, final; **la última moda** the latest fashion; **la última vez** the last time
ultramaratón *m.* ultra marathon
ultramaratonista *m., f.* ultra marathon runner
umbral *m.* threshold, beginning
un, uno/a one; *ind. art.* a, an (1); *pl.* some (1); **es la una** it's 1:00 (3); **es la una y media** it's 1:30 (3); **una vez** once (3); **una vez a la semana** once a week
único/a only; unique; **hijo/a único/a** only child
unidad *f.* unit
unido/a united; **Estados** (*pl.*) **Unidos** United States; **Naciones** (*f. pl.*) **Unidas** United Nations
unión *f.* union
unirse (a) to join
universidad *f.* university (1)
universitario/a *adj.* (of the) university; **recinto universitario** campus
urbano/a urban (5)

urgente urgent
uruguayo/a *n., adj.* Uruguayan (2)
usar to use (2); to wear
USB: memoria USB memory card/stick (10)
uso use
usted (Ud.) *sub. pron.* you (*form. s.*); *obj.* (*of prep.*) you (*form. s.*); **¡le damos la bienvenida a Ud.!** we welcome you (*form. s.*)! (11); **Ud. es (siempre) bienvenido/a** you are always welcome (11); **¿y usted?** and you? (1)
ustedes (Uds.) *sub. pron.* you (*form. pl.*); *obj.* (*of prep.*) you (*form. pl.*)
útil useful
utilidad *f.* usefulness, utility
utilizar (c) to use
uva grape

V

vacaciones *f. pl.* vacation
vacante *m.* opening
vainilla vanilla
valer *irreg.* to be worth; **(no) vale la pena** it's (not) worth it; **vale** OK (*Sp.*)
válido/a valid
valor *m.* value, worth
valorar to value, appreciate
vals *m.* waltz
vampírico/a *adj.* vampire
variación *f.* variation
variar (varío) to vary
variedad *f.* variety
varios/as several
varón *m.* son; boy; male
vasco/a *n., adj.* Basque; **País** (*m.*) **Vasco** Basque Country
vaso (drinking) glass (6)
vecindario neighborhood
vecino/a neighbor
vegetación *f.* vegetation
vegetariano/a vegetarian
vehículo vehicle
veinte twenty
veinticinco twenty-five
veinticuatro twenty-four
veintidós twenty-two
veintinueve twenty-nine
veintiocho twenty-eight
veintiséis twenty-six
veintitrés twenty-three
veintiún, veintiuno/a twenty-one
vela candle
velocidad *f.* speed
vencer (z) to defeat; to overcome
vendedor(a) vendor
vender to sell
veneno poison
venezolano/a *n., adj.* Venezuelan (2)
venir *irreg.* to come (5)
venta sale
ventaja advantage
ventana window (1)

ver *irreg.* (*p.p.* **visto**) to see (7); **a ver** let's see; **verse mal** to look bad

verano summer (1); **Juegos Olímpicos de Verano** Summer Olympics

verdad *f.* truth; **de verdad** really

verdadero/a true

verde green (2); **color** (*m.*) **verde oliva** olive green

verdulería greengrocer; vegetable market (6)

verdura vegetable (6)

vergüenza shame; embarrassment; **¡qué poca vergüenza!** what nerve!; **¡qué vergüenza!** how embarrassing!

vestido dress (8)

vestir (i, i) to dress (8); **vestirse** to get dressed (5)

vez *f.* (*pl.* **veces**) time (3); **a veces** sometimes, at times; **alguna vez** once; ever; **cada vez más** increasingly; **de vez en cuando** once in a while; **dos veces** twice (3); **la última vez** the last time; **otra vez** again; **por primera vez** the first time; **tal vez** maybe, perhaps (14); **un número / una letra a la vez, por favor** one number/letter at a time, please (1); **una vez** once (3); **una vez a la semana** once a week

viajar to travel (9)

viaje *m.* trip (9); **agencia de viajes** travel agency; **agente** (*m., f.*) **de viajes** travel agent; **¡buen viaje!** bon voyage!, have a good trip! (7)

vicepresidente/a vice president

vida life; **llevar una vida activa** to lead an active life; **¡pura vida!** cool! (8); **toda la vida** all my/your/his/her life, all our/your/their lives (13)

videojuego videogame; **jugar (ue) (gu) los videojuegos** to play videogames (3)

videollamada video call

viejo/a old (2)

viento wind; **hace (mucho) viento** it's (very) windy (9)

viernes *m.* Friday (3)

vinagre *m.* vinegar (6)

vínculo tie, link

vino (blanco, tinto) (white, red) wine (6)

violación *f.* violation; **violación de los derechos del autor** copyright violation

violar to violate; **violar la ley** to break the law; **violar los derechos humanos** to violate human rights

violencia violence (15)

violento/a violent

virgen *m., f.* virgin

visión *f.* vision

visita visit (9)

visitante *m., f.* visitor

visitar to visit (9)

vista view; **con vista a** with a view of

visto/a (*p.p. of* **ver**) seen

vitamina vitamin

viudo/a widowed (16), widower/widow

vivienda housing

vivir to live (3); **¿dónde vive(s)?** where do you (*form. s. / inform. s.*) live? (1); **vivo en** + *place* I live in + *place* (1)

vocabulario vocabulary

vocalista *m., f.* vocalist

volante (*m., f.*) **ofensivo/a** offensive midfielder

volar (ue) to fly

volcán *m.* volcano

voleibol *m.* volleyball (12); **jugar (ue) (gu) voleibol** to play volleyball (12)

voluminoso/a voluminous

voluntariado volunteerism

voluntario volunteer; **hacerse** (*irreg.*) **de voluntario** to volunteer

volver (ue) (*p.p.* **vuelto**) to return (3)

vomitar to vomit (12)

vómito *n.* vomit

vomitona *adj.* vomiting

vorazmente voraciously

vos *sub. pron.* you (*inform. s. C.A., S.A.*)

vosotros/as *sub. pron.* you (*inform. pl. Sp.*); *obj. of prep.* you (*inform. pl. Sp.*)

votar to vote

voto vote; **tener** (*irreg.*) **voz y voto** to have a say

voz *f.* (*pl.* **voces**) voice; **en voz alta** out loud; **tener** (*irreg.*) **voz y voto** to have a say

vuelo flight

vuelta return; **darle** (*irreg.*) **vuelta a** to think about (*something*)

vuelto/a (*p.p. of* **volver**) returned

vuestro/a(s) *poss. adj.* your (*inform. pl. Sp.*); *poss. pron.* your, of yours (*inform. pl. Sp.*)

W

web *m.* web; **navegador web** web browser; **página web** web page (1); **sitio web** website

WIFI *m.* WiFi (10)

Y

y and (1); **y media** half past (*the hour*); **¿y tú?** and you (*inform. s.*)? (1); **¿y usted?** and you (*form. s.*)? (1)

ya already; **ya no** no longer; **ya que** *conj.* since

yate *m.* yacht

yerno son-in-law (4)

yo *sub. pron.* I; **que yo sepa** as far as I know

yoga *m.* yoga; **practicar (qu) el yoga** to do yoga (3)

yogur *m.* yogurt (6)

York: Nueva York New York

yuca cassava, manioc

Z

zanahoria carrot

zapatería shoe store

zapatilla tennis shoe

zapato shoe (8)

zapoteca Zapotec

zona area; zone

zumo juice (*Sp.*)

CREDITS

PHOTO CREDITS

Design Elements

Tablet: © McGraw-Hill Education; Earbuds, Keyboard, Microphone: © McGraw-Hill Education. Mark Dierker, photographer; Clapboard: © Brand X Pictures/PunchStock RF; MP3 player: © Don Farrall/Getty Images RF.

Chapter 1

Opener: © Orlando Sierra/AFP/Getty Images; p. 2 (1-8): © McGraw-Hill Education, Truth-Function, video photographer; p. 3 (top): © paulrommer/agefotostock RF; p. 3 (middle): © Jupiterimages/Getty Images; p. 3 (bottom): © Barbara Penoyar/Getty Images RF; p. 4 (1-6): © McGraw-Hill Education, Truth-Function, video photographer; p. 5 (left): © Dennis Wise/Getty Images RF; p. 5 (middle left): © Blend Images/Getty Images RF; p. 5 (right): © Purestock/SuperStock RF; p. 5 (middle right): © Glow Images RF; p. 5 (bottom): © Commercial Eye/Getty Images; p. 6 (1a): © Hill Street Studios/Blend Images RF; p. 6 (1b): © 2007, Mike Watson Images Limited/Glow Images RF; p. 6 (2a): © BananaStock/PictureQuest RF; p. 6 (2b): © Kevin Peterson/Getty Images RF; p. 6 (3a): © Purestock/SuperStock RF; p. 6 (3b): © 2007, Mike Watson Images Limited/Glow Images RF; p. 6 (4a): © Floresco Productions/agefotostock RF; p. 6 (4b): © Ariel Skelley/Blend Images RF; p. 6 (bottom): © Splash News/Corbis; p. 7 (top right): © GoGo Images Corporation/Alamy RF; p. 7 (modelo): © Comstock/Getty Images RF; p. 7 (1): © 2009 Jupiterimages Corporation RF; p. 7 (2): © Jose Luis Pelaez Inc/Blend Images RF; p. 7 (3): © Realistic Reflections RF; p. 7 (4): © Image Source/PictureQuest RF; p. 7 (5): © PBNJ Productions/Blend Images RF; pp. 9, 11 (people): © McGraw-Hill Education, Truth-Function, video photographer; p. 11 (right): © Ingram Publishing/SuperStock RF; p. 12: © Paul J. Bereswill/AP Photo; p. 14 (1): © Ingram Publishing RF; p. 14 (2-4): © McGraw-Hill Education; p. 16 (top): © Ryan McVay/Getty Images RF; p. 16 (bottom): © Hola Images/Getty Images RF; p. 20: © Alexandra Wyman/WireImage/Getty Images; p. 21: © Jason Merritt/Getty Images; p. 23: © Ilstar Picture Library/Alamy; p. 24 (top left): © e-llustrations Inc/Alamy RF; p. 24 (top right): © Romantiche/Alamy RF; p. 24 (bottom): © Royalty-Free/Corbis; p. 26: © Comstock Images/Getty Images RF; p. 28: © Ryan McVay/Getty Images RF; p. 29 (1-5): © McGraw-Hill Education, Truth-Function, video photographer; p. 30 (top left): © C Squared Studios/Getty Images RF; p. 30 (top middle): © McGraw-Hill Education; p. 30 (top right): © Shakirov/Getty Images RF; p. 30 (bottom left): © Susan LeVan/Getty Images RF; p. 30 (bottom right): © McGraw-Hill Education.

Chapter 2

Opener: © altrendo images/Getty Images; pp. 36 (all), 37 (all), 38 (people): © McGraw-Hill Education, Truth-Function, video photographer; p. 38 (top left): © Oleksiy Maksymenko/Alamy RF; p. 38 (bottom left): © Photodisc/Getty Images RF; p. 39: © Bernardo Galmarini/Alamy; pp. 40 (all), 44 (1-8): © McGraw-Hill Education, Truth-Function, video photographer; p. 44 (bottom): © Kevin Sanchez/Cole Group/Getty Images RF; p. 45 (flags): © Romantiche/Alamy RF; p. 45 (España): © Yuliyan Velchev/Alamy; p. 45 (Puerto Rico): © e-llustrations Inc/Alamy RF; p. 47: © Corbis RF; p. 48 (top): © Romantiche/Alamy RF; p. 48 (bottom): Dr. Edwin P. Ewing, Jr./CDC; pp. 49, 51: © Sam Edwards/agefotostock RF; p. 52 (all): © McGraw-Hill Education, Truth-Function, video photographer; p. 54: © Foodcollection RF; p. 55: © Blend Images/SuperStock RF; p. 58 (all): © McGraw-Hill Education, Truth-Function, video photographer; p. 60: © Picturehouse/courtesy Everett Collection.

Chapter 3

Opener: © National Geographic Image Collection/Alamy RF; pp. 64 (all), 67 (all): © McGraw-Hill Education, Truth-Function, video photographer;

p. 68: © Esteban Mora; p. 71 (soccer, 1, 3-6): © McGraw-Hill Education; p. 71 (2): © McGraw-Hill Education/Elizabeth Cardany; p. 72 (all): © McGraw-Hill Education, Truth-Function, video photographer; p. 73: © Denis Doyle/Bloomberg/Getty Images; p. 74 (left): © Andreas Rentz/Getty Images; p. 74 (right): © Larry Busacca/WireImage/Getty Images; p. 76 (1): © Michael Kovac/WireImage/Getty Images; p. 76 (2): © Morena Brengola/Getty Images; p. 76 (3): © Fernando Vergara/AP Photo; p. 76 (4): © Jeffrey Mayer/WireImage/Getty Images; p. 77: © Digital Vision/Getty Images RF; p. 79: © Lauren Nicole/Getty Images RF; p. 81 (left, right): © Romantiche/Alamy RF; p. 81 (bottom): © Pixtal/agefotostock RF; p. 82: © Paul Bradbury/agefotostock RF; p. 84: © Tetra Images/Getty Images RF; p. 88: © LatinContent/Getty Images; p. 90: © Norberto Lauria/Alamy RF; p. 93: © Reuters/Corbis.

Chapter 4

Opener: © Gregory Byerline/agefotostock; p. 96 (all): © McGraw-Hill Education, Truth-Function, video photographer; p. 98 (top): © PhotoAlto/PictureQuest RF; p. 98 (1): © Image Source RF; p. 98 (2): © Robert Harding/Robert Harding World Imagery/Corbis; p. 98 (3): © Prisma Archivo/Alamy; p. 98 (4): © Fairchild Photo Service/Condé Nast/Corbis; p. 98 (5): © Andrew D. Bernstein/NBAE/Getty Images; p. 98 (6): © MedioImages/SuperStock RF; p. 100: © Anne Ackermann/Getty Images RF; p. 101 (top): © RubberBall Productions RF; p. 101 (1-4): © McGraw-Hill Education, Truth-Function, video photographer; p. 102: © Andersen Ross/Getty Images RF; p. 104 (top): © Alexandre Meneghini/AP Photo; p. 104 (bottom): © Fotonoticias/WireImage/Getty Images; p. 105 (top): © Fancy Collection/SuperStock RF; p. 105 (bottom): © Jeffrey Mayer/WireImage/Getty Images; p. 106 (all): © McGraw-Hill Education, Truth-Function, video photographer; p. 107 (top): © Romantiche/Alamy RF; p. 107 (bottom): © Melba Photo Agency/PunchStock RF; p. 108 (all): © McGraw-Hill Education, Truth-Function, video photographer; p. 110: © Foodcollection RF; p. 112: © BananaStock/PunchStock RF; p. 114 (top): © Tetra Images/Getty Images RF; p. 114 (bottom): © Digital Vision RF; p. 115: © Javier Lira/Notimex/Newscom; p. 116: © Digital Vision RF; p. 117 (top left): © Christian Kober/Getty Images; p. 117 (top right): © Christopher Herwig/Getty Images; p. 117 (bottom left): © fotoVoyager/Getty Images RF; p. 117 (bottom right): © Catherine Karnow/Corbis; p. 118: © Jim McIsaac/Getty Images; p. 119: © RubberBall Selects/Alamy RF; p. 120 (top): © McGraw-Hill Education, Truth-Function, video photographer; p. 120 (bottom): © Mike Marsland/WireImage/Getty Images; p. 122: Courtesy Everett Collection.

Chapter 5

Opener: © Stefano Paterna/Alamy; p. 125 (all): © McGraw-Hill Education, Truth-Function, video photographer; p. 126 (top): © BananaStock/PictureQuest RF; p. 126 (1-2): © I. Rozenbaum/PhotoAlto RF; p. 126 (3): © TRBfoto/Getty Images RF; p. 126 (4): © Purestock/SuperStock RF; p. 126 (5): © C. Zachariasen/PhotoAlto RF; p. 126 (6): © L. Mouton/PhotoAlto RF; p. 127: © Keith Brofsky/Getty Images RF; pp. 129-130 (all): © Facundo Santana/AP Photo; p. 131 (top): © Philip Coblentz/agefotostock RF; p. 131 (middle): © Hisham Ibrahim/Getty Images RF; p. 131 (bottom): © Tremorvapix/Alamy; p. 134 (top left): © S. Nicolas/Iconotec.com RF; p. 134 (all): © McGraw-Hill Education, Truth-Function, video photographer; p. 135: © Stockbyte/PunchStock RF; p. 138 (all): © McGraw-Hill Education, Truth-Function, video photographer; p. 141 (top): © Siri Stafford/Digital Vision/Getty Images RF; p. 141 (bottom): © Elena Elisseeva/Getty Images RF; p. 142 (top right): © Digital Vision/Getty Images RF; p. 142 (1, 3): © Ingram Publishing/Getty Images RF; p. 142 (2): © LM Productions/Getty Images RF; p. 142 (4): © Florian Franke/Purestock/SuperStock RF; p. 143 (top): © McGraw-Hill Education, Truth-Function, video photographer; p. 143 (bottom): © Brand X Pictures/PunchStock RF; p. 144 (left): © Splash

News/Newscom; p. 144 (middle): © Jewel Samad/AFP/Getty Images; p. 144 (right): © John Shearer/WireImage/Getty Images; p. 145: © Neil Julian/Alamy RF; p. 147: © Keith Brofsky/Getty Images RF; p. 148: © Romantiche/Alamy RF; p. 151: © Steven Lawton/FilmMagic/Getty Images; p. 154 (top): © Jennifer Kirk; p. 154 (people): © McGraw-Hill Education, Truth-Function, video photographer; p. 157: © Jason Merritt/FilmMagic/Getty Images.

Chapter 6

Opener: © Mira Zaki/agefotostock; p. 160 (all): © McGraw-Hill Education, Truth-Function, video photographer; p. 162: © Bogdan Bratosin/Getty Images; p. 163 (top): © Danita Delimont/Alamy; p. 163 (middle): © Gise Bracco/Nick Albi; p. 163 (bottom): © David Martin-Warr/EA; p. 165 (top): © Foodcollection RF; p. 165 (bottom): © Digital Vision/Getty Images RF; p. 166 (all): © McGraw-Hill Education, Truth-Function, video photographer; p. 167 (top, 1): © Foodcollection RF; p. 167 (2): © McGraw-Hill Education; p. 167 (3): NOAA/Department of Commerce; p. 167 (4): Renee Comet/National Cancer Institute (NCI); p. 167 (5): © Foodcollection RF; p. 167 (6): © Iconotec/Glow Images RF; p. 168: © lynx/iconotec.com/Glow Images RF; p. 170: © Toshifumi Kitamura/AFP/Getty Images; p. 173 (left): © McGraw-Hill Education, Truth-Function, video photographer; p. 173 (bottom right): © Jose Luis Pelaez Inc/Blend Images RF; p. 175: © Don Farrall/Getty Images RF; p. 176: © Pablo Corral V/Corbis; p. 180 (left): © Dennis Cox/Alamy; p. 180 (right): © Ingram Publishing/SuperStock RF; p. 181: © Photodisc Collection/Getty Images RF; p. 182 (top): © omantiche/Alamy RF; p. 182 (bottom): © David Frazier/Corbis RF; p. 183: © David Q. Cavagnaro/Getty Images; p. 185 (1): © Ildi.Food/Alamy RF; p. 185 (2): © Jennifer Kirk; p. 185 (3): © Light Thru My Lens Photography/Getty Images RF; p. 185 (4): © Raul Taborda/Alamy RF; p. 186: © Emanuel Ponce Juárez.

Chapter 7

Opener: © Beowulf Sheehan/Getty Images RF; p. 192 (all): © McGraw-Hill Education, Truth-Function, video photographer; p. 193: © Emma Lee/Life File/Getty Images RF; p. 194: © Dynamic Graphics Group/Creatas/Alamy RF; p. 196a: © Europa Press/Europa Press/Getty Images; p. 196b: © Luis Acosta/AFP/Getty Images; p. 196c: © Erin Patrice O'Brien/Getty Images; p. 196d: © Blazquez Dominguez/Getty Images; p. 196e: © Gazimal/Getty Images; p. 196f: © Rodolfo Vanegas/LatinContent/Getty Images; p. 196g: © David Buffington/Getty Images RF; p. 196h: © Jane Sweeney/Getty Images; p. 196i: © Roger Lemoyne/Getty Images; p. 199 (top): © Bob Daemmrich/PhotoEdit; p. 199 (1-6): © McGraw-Hill Education, Truth-Function, video photographer; p. 200: © Brand X Pictures/PunchStock RF; p. 201: © Author's Image/PunchStock RF; p. 202: © Frank van den Bergh/Getty Images RF; p. 203: © Livia Corona/Getty Images; p. 204 (top left): © Romantiche/Alamy RF; p. 204 (top right): © Jason Rothe/Alamy RF; p. 206: © John Dowland/Getty Images RF; p. 207: © C Squared Studios/Photodisc/Getty Images RF; p. 211: © Jules Frazier/Getty Images RF; p. 214 (all): © McGraw-Hill Education, Truth-Function, video photographer; p. 217: © Kevin Winter/NCLR/Getty Images.

Chapter 8

Opener: © Miguel Tovar/LatinContent/Getty Images; p. 220 (all): © McGraw-Hill Education, Truth-Function, video photographer; p. 221: © Keith Bedford/Reuters/Corbis; pp. 225 (all), 226 (left, right): © McGraw-Hill Education, Truth-Function, video photographer; p. 227: © McGraw-Hill Education/Ken Karp, photographer; p. 229 (all): © McGraw-Hill Education, Truth-Function, video photographer; p. 230 (left): © Lipnitzki/Roger Viollet/Getty Images; p. 230 (right): © Charles Eshelman/FilmMagic/Getty Images; p. 232: © Gregorio Marrero/AP Photo; p. 233: © AB1 WENN Photos/Newscom; p. 235: © Vesna Andjic/Getty Images RF; p. 236: © Paul Bradbury/agefotostock RF; p. 237 (1): © Stock Montage/Getty Images; p. 237 (2): © Album/Oronoz/Newscom; p. 237 (3): © Interfoto/akg-images; p. 237 (4): © Bettmann/Corbis; p. 239: © Miguel Vidal/Reuters/Corbis; p. 240 (flags): © Romantiche/Alamy RF; p. 240 (right): © Gordon Parks/Time Life Pictures/Getty Images; p. 242: © Comstock Images RF; p. 243: © Kevin Winter/NCLR/Getty Images; p. 244: © Gary Gershoff/WireImage/Getty Images; p. 245: © McGraw-Hill Education/Barry Barker, photographer; p. 246: © McGraw-Hill Education, Truth-Function, video photographer; p. 249: © Photos 12/Alamy.

Chapter 9

Opener: © dave jepson/Alamy; p. 253 (all): © McGraw-Hill Education, Truth-Function, video photographer; p. 255 (top left): © Digital Vision/PunchStock RF; p. 255 (top right): © Brand X Pictures/SuperStock RF; p. 255 (middle left): © Jennifer Kirk; p. 255 (middle right): © Graeme Pitman RF; p. 255 (bottom left): © Purestock/SuperStock RF; p. 255 (bottom right): © Photodisc/Getty Images RF; p. 256 (top left): © Brand X Pictures/PunchStock RF; p. 256 (top right): © Jupiterimages/Getty Images RF; p. 256 (bottom): © Jennifer Kirk; p. 257 (all): © McGraw-Hill Education, Truth-Function, video photographer; p. 259 (top): © Royalty-Free/Corbis; p. 259 (1): © Ingram Publishing/SuperStock RF; p. 259 (2): © Domino/Getty Images RF; p. 259 (3): © Comstock Images/Jupiterimages RF; p. 259 (4): © Glow Images/SuperStock RF; p. 260: © Design Pics/Keith Levit/Getty Images RF; p. 264: © Glow Images RF; p. 266: © Blend Images/SuperStock RF; p. 267 (top): © Jose Luis Pelaez/Getty Images RF; p. 267 (bottom): © McGraw-Hill Education, Truth-Function, video photographer; p. 268: © IT Stock/PunchStock RF; p. 269 (top): © Romantiche/Alamy RF; p. 269 (bottom): © Steve Bly/Getty Images RF; p. 273 (top): © Royalty-Free/Corbis; p. 273 (1): © Ingram Publishing RF; p. 273 (2): © Ingram Publishing/SuperStock RF; p. 273 (3): © Chris Ryan/agefotostock RF; p. 273 (4): © trbfoto/Brand X Pictures/Jupiterimages RF; p. 273 (5): © Tom Grill/Getty Images RF; p. 274 (1): © Klaus Lang/Alamy RF; p. 274 (2): © Sean Sullivan/Getty Images RF; p. 274 (3): © Digital Vision/PunchStock RF; p. 274 (4): © tbkmedia.de/Alamy RF; p. 275: © Carlos S. Pereyra/agefotostock RF; p. 277 (all): © McGraw-Hill Education, Truth-Function, video photographer; p. 281: © Album/Paulo Ferreira/SuperStock.

Chapter 10

Opener: © Zuma Press, Inc./Alamy; p. 284 (all): © McGraw-Hill Education, Truth-Function, video photographer; p. 285: © Keith Brofsky/Getty Images RF; p. 288: © Somos/Veer/Getty Images RF; p. 291: © Pixtal/agefotostock RF; p. 295 (top): © Itar-Tass/Yuri Belinsky/Newscom; p. 295 (bottom): © Jeremy Piper/AP Photo; p. 296: © Adrees Latif/Reuters/Corbis; p. 298: © Romantiche/Alamy RF; p. 302: © Mike Kemp/Getty Images RF; p. 303: © Chris Ryan/agefotostock RF; p. 304: © CMCD/Getty Images RF; p. 308: © Royalty-Free/Corbis; p. 310: © McGraw-Hill Education, Truth-Function, video photographer; p. 313: © Lions Gate Films/courtesy Everett Collection.

Chapter 11

Opener: © Johnny Haglund/Lonely Planet Images/Getty Images; pp. 316 (all), 323: © McGraw-Hill Education, Truth-Function, video photographer; p. 324: © James Woodson/Digital Vision/Getty Images RF; p. 325: © Jupiterimages RF; p. 328: © Brand X Pictures/PunchStock RF; p. 329 (left): © Abelardo Fonseca/La Nacion de Costa Rica/Newscom; p. 329 (right): © AFP/Getty Images; p. 331: © Romantiche/Alamy RF; p. 333: © Daniel Diebel/Getty Images RF; p. 337: Cade Martin/CDC; p. 341 (all), 342: © McGraw-Hill Education, Truth-Function, video photographer; p. 344: © Kevin Winter/WireImage/Getty Images.

Chapter 12

Opener: © Mike Blake/Reuters/Corbis; p. 347 (all): © McGraw-Hill Education, Truth-Function, video photographer; p. 351 (alpinismo): © Fancy Photography/Veer RF; p. 351 (andar en bicicleta): © Creative Crop/Digital Vision/Getty Images RF; p. 351 (andar en patineta): © Stockdisc/PunchStock RF; p. 351 (boxear, esquiar): © Ingram Publishing/SuperStock RF; p. 351 (jugar béisbol): © Image Source/PunchStock RF; p. 351 (jugar fútbol americano, patinar sobre hielo): © Comstock Images/Alamy RF; p. 351 (jugar tenis): © Glow Images RF; p. 351 (jugar voleibol): © Fuse/Getty Images RF; p. 351 (levantar pesas): © Radius Images/Corbis RF; p. 351 (surfear): © EpicStockMedia/Alamy RF; p. 352 (1): © Ingram Publishing/Alamy RF; p. 352 (2, 7): © Image Source/PunchStock RF; p. 352 (3): © McGraw-Hill Education. Mark Dierker, photographer; p. 352 (4): © Comstock Images/Alamy RF; p. 352 (5): © Ingram Publishing/SuperStock RF; p. 352 (6): © Don Tremain/Getty Images RF; p. 352 (8): © image100/Corbis RF; p. 352 (9): © Dana Hoff/Getty Images RF; p. 352 (10): © D. Hurst/Alamy RF; pp. 352a-f, 353a-d: © McGraw-Hill Education, Truth-Function, video photographer; p. 353 (bottom right): © Steve Thomas/Alamy; p. 356 (top left): © Adam Gault/SPL/Getty Images RF;

INDEX

Note: There are two parts to this index. The Grammar Topics include a vocabulary list. The Cultural Topics index includes references to Spanish speaking nations as well as cultural features.

GRAMMAR TOPICS

a
  to clarify who is affected by
    unplanned events, 272
  emphasizing **gustar** and similar
    verbs, 210
  with indirect objects, 206
abbreviated words, 38
abrir, past participle, 490
adjectives
  agreement in gender and
    number, 46
  cognates, 43
  colors, 42
  demonstrative, 86
  with **estar** or **ser,** 50
  hair color and complexion, 42
  placement, 476
    changes in meaning, 477
  possessive, 25–26
  synonyms for frequently
    used, 41
  See also descriptive adjectives
afeitarse, 141
age, 36
ago, 171
al, 37, 38
algo, 150
alguno/a/os/as, 150
alphabet, Spanish, 10, 10n
  i latina and **y griega,** 11n
  ll and **rr,** 10n
  w, 11
andar, uses, 337
antojarse, 271
aprender
  past participle, 327
  past subjunctive, 413
  preterite tense, 171
  tú commands, 300
aquel/aquella/aquellos/aquellas,
    478–479
articles
  definite, 17
  gender, 476
  indefinite, 16–17
asistir, present tense, 79
asking questions, question
    words, 50
asking where someone is
    going, 38
auxiliary verbs
  estar in present progressive, 146,
    336, 362
  See also **haber**
ayudar, present participle, 336

bailar, present tense, 79
bañarse, 141
to become, 146
body, parts of, 226
bueno, 105
  placement, 476
buscar, present subjunctive, 365

calendars, 73
capitalization
  days of the week, 73
  months, 13
cenar
  present progressive, 336
  present tense, 78
cognates
  adjectives, 43
  o → ue cognate pairs, 83
  true and false, 13
colors, 42
comer
  imperfect, 201
  past participle, 326
  present tense, 78
  present progressive, 336
  present subjunctive, 365
  tú commands, 300
  Ud./Uds. commands, 304
command forms, 300
  making polite invitations, 318
  nosotros/as commands, 491
  with object pronouns,
    332–333, 491
  "opposite" vowel in, 300,
    301, 303
  subjunctive compared, 367
  See also **tú** commands; **Ud./Uds.**
    commands
comparatives, 105
  of equality, 479–480
  más de with numerals, 479
comprar, present subjunctive, 365
conditional perfect tense, 497
conditional tense, 436
  irregular forms, 497
congratulations, 194
conjecture, future to express, 418
conocer
  irregular **yo** form, 137, 481–482
  preterite and imperfect forms, 487
  uses, 137, 481
contigo / conmigo, 210
contractions, **al** and **del,** 37, 38
correr, present tense, 79
creer, preterite, 484
cuando, 495
¿cuántos… hay?, 14
cubrir, past participle, 490

daily routines, 69–70
dar
  indirect object pronouns, 206
  la bienvenida a, 316
  past subjunctive, 414
  present subjunctive, 365
  preterite, 484
dates, 14
deber, declining politely with, 162
debería + *infinitive,* 379
decir
  conditional tense, 436
  future, 418

past participle, 327
present subjunctive, 366, 387
present tense, 108–109, 136, 366
preterite tense, 175
tú commands, 301
definite articles, 17
  plural, 19
  with superlatives, 106
del, 37, 38
demonstrative adjectives, 86
  aquel/aquella/aquellos/
    aquellas, 478–479
demonstrative pronouns, 479
descriptive adjectives, 41
  colors, 42
  placement, 476–477
  synonyms for frequently used, 41
de to express possession, 485
diminutives, 58
directions, asking for and giving, 127
direct object pronouns, 179
  commands with, 332–333
  double object pronouns, 487–488
  forms, 179
  placement with commands, 305
  placement with infinitives, 241
  present perfect, 358
  present progressive, 362
direct objects, 178–179
doler, 354
dormir, preterite tense, 231
double object pronouns, 487–488
  present progressive with, 492

él, written accent mark, 25
empezar
  present tense, 112
  preterite tense, 172
en, 210
en caso de que, 394
escribir
  past participle, 327
  present progressive, 336
  preterite tense, 171
  tú commands, 300
ese/esa/esos/esas, 86
esperar, present subjunctive
    with, 366
estar
  with adjectives, 144–145
  compared to **ser,** 50, 115, 145
  formation, 49, 116
  future tense, 418
  for greetings, 7
  for location, 115, 144
    of person or thing, 483
  past subjunctive, 413
  present progressive, 146,
    336–337, 362
  preterite tense, 175
  uses, 50, 115, 144–145
  with verbs ending in **-ndo,** 146
  versus **ser** in present
    progressive, 337
  weather expressions with, 258

este/esta/estos/estas, 86
estudiar, present progressive, 336

food and meals, 71, 90
  setting the table, 167
  vocabulary, 164–166
formal speech, 5
  addressing those whose names
    you do not know, 317
  asking for directions, 127
  introductions, 4
  Ud./Uds. commands, 304–305
  use of **Ud./Uds.,** 304n
future perfect tense, 497
future tense, 417–418
  forms, 418
  irregular verb forms, 497
  uses, 417–418

gender, 16
  adjectives, 46
  indefinite articles, 16–17
  nouns, 476
good-byes, 9
  wishing someone well, 348
good luck, wishing someone,
    347–348
greetings, 2–3
  asking people how they are, 7
gustar, 39
  emphasis with **a,** 210
  indirect object pronouns, 206
  infinitives with, 54–55
  object pronouns with, 53
  singular and plural, 52–53
  uses, 477–478
  verbs similar to, 210, 354
te/le gustaría + *infinitive,* 253

haber
  conditional perfect tense, 497
  conditional tense, 436
  future, 418
  imperfect, 202
  past perfect subjunctive, 496
  past perfect tense, 491
  present perfect, 326
  present perfect subjunctive, 493
hablar
  imperfect, 201
  past subjunctive, 413
  tú commands, 300
hace + time expression, 171, 380
  ¿Cuánto tiempo hace
    que…?, 380
hacer
  conditional tense, 436
  future, 418
  past participle, 327
  present perfect, 326
  present tense, 136
  preterite tense, 175
  subjunctive, 387
  tú commands, 301
  weather expressions with, 258

546   Index

hacerse, 489
hay, 14
  conditional, 436
  imperfect, 202
  present perfect, 327
  sí clauses, 439
hay que + *infinitive,* 349
health and medical care, 354
hubiera with **sí** clauses, 439

imperfect, 200–202
  past progressive, 491
  preterite versus, 234–236
  uses, 234
impersonal expressions, expressing
    doubt and uncertainty, 390
impersonal **se,** 266, 267
indefinite and negative
    expressions, 150
indefinite articles, 16–17
  plural, 19
indirect object pronouns, 205–206
  commands with, 332–333
  double object pronouns, 487–488
  forms, 205
  placement with commands, 305
  placement with infinitives, 241
  se for unplanned events,
    271–272
indirect objects, 206
infinitive
  after a preposition, 483
  defined, 54
  expressing rules, 254
informal speech, 5
  introductions, 4
  tú commands, 300–302
-ing, 146
introductions, 4
  introducing people to each
    other, 288
  introducing yourself, 97
invitations, 92
  making polite invitations, 318
  responding to, 161
  tú and Ud. forms, 162
ir + **a**
  infinitives with, 54–55
    future use, 418
ir
  conditional tense, 436
  imperfect tense, 201
  negative **tú** commands, 302
  past subjunctive, 414
  present subjunctive, 387
  present tense, 49
  preterite tense, 175
  tú commands, 301
irregular verbs
  negative **tú** commands, 302
  preterite, 174–176
  subjunctive, 387, 493
  tú commands, 301
irregular **yo** verbs, 135–137
-ísimio/a, 480

jugar, 478
  preterite tense, 172
jugar a, 39n

to know
  expressing what you do and
    don't
    know, 431
  See also **conocer; saber**

lavar, past participle, 326
leavetakings, 9

leer
  present progressive, 336
  present tense, 75
  preterite, 484
let's, 491
likes and dislikes, expressing, 39
limpiar, commands and object
    pronouns with, 333
llamarse, 4
llegar, preterite tense, 172
llevar
  with time expressions, 380
  uses, 225
lo + *adjective,* 488
location, 115, 127
  directions, asking for and
    giving, 127
  of events (**ser**), 483
  expressions followed by
    pronouns, 485
  of person or thing (**estar**), 483
  prepositions of, 324
lo que, 490

malo, 105
  placement, 476
mantenerse, 349
mayor, menor, 105
mí, 209
months, 13
morir
  past participle, 327
  preterite tense, 231
mucho(s)/a(s), 477

nada, 150
-ndo ending, 336–337
negative expressions, 150
neuter forms of demonstrative
    pronouns, 479
ningún/ninguno/a/os/as, 150
nosotros/as commands, 491
nouns
  gender, 16–17, 476
  plural, 19, 25
  singular, 16–17, 476
numbers, 14
  0–99, 14
  100 to 9.999, 133
  identifying the number of specific
    things, 14n
  telephone numbers, 15
  years, 133
nunca, 150

object pronouns
  placement with commands,
    302, 305
  placement with infinitives, 241,
    487–488
  with present perfect, 358
  present progressive with, 362
oír
  present progressive, 336
  present tense, 136
  preterite, 484
ojalá, subjunctive with, 366
opinions and beliefs, 430
oprimir, Ud./Uds. commands, 304
origins, 9, 115
o → ue changes, 83
  common verbs with, 478

para, 209–210
  uses, 488
para que, 393
para versus **por,** 261–262
pasar, conditional tense, 436

past participles, 327
  additional irregular, 490
  as adjectives, 490
  using to form passive, 490
past perfect subjunctive, 496
  in **sí** clauses, 498
past perfect tense, 491
past progressive tense, 491
past subjunctive, 413–414
  additional irregular verbs, 496
  present subjunctive versus, 414
  sí clauses with, 439
  stem changes in, 496
  uses, 414
pedir
  present subjunctive with, 366
  present tense, 109
  preterite tense, 230–231
  tú commands, 300
peinarse, 141
pensar
  present tense, 112
  tú commands, 300
plural
  definite articles, 19
  indefinite articles, 19
  nouns, 19, 25
  two endings, 46
pluscuamperfecto (past perfect), 491
poder
  conditional tense, 436
  formation, 83
  future, 418
  past subjunctive, 413
  present, 83
  preterite and imperfect forms, 487
polite expressions
  declining politely, 162
  excusing yourself, 222
  making polite invitations, 318
  professional contexts, 284
poner
  conditional tense, 436
  future, 418
  past participle, 327
  past subjunctive, 413
  present tense, 136
  preterite tense, 175
  subjunctive, 387
  tú commands, 301
ponerse, expressing *to become,* 146
por, uses, 489
porque, verbs used with, 394
por versus **para,** 261–262
possessive adjectives, 25–26
  stressed, 485
possessive pronouns, 485
practicar, preterite tense, 172
preferences, expressing, 407
prepositions
  additional, 484–485
  infinitive after, 483
  of location, 324
  por and **para,** 261–262,
    488–489
  pronouns after, 209–210,
    484–485
present indicative
  invitations, 92
  irregular **yo** forms, 135–137
  plural forms, 78–79
  regular verbs, 75
  sí clauses, 439
  singular forms, 75
  stem-changing verbs, 83
  subjunctive versus, 366,
    394–395
present participles, 336–337

present perfect subjunctive, 493
present perfect tense, 326–328
  additional irregular past
    participle, 490
  followed by infinitive, 358
  with object pronouns, 358
  preterite versus, 328
  uses, 328
present progressive, 336–337
  with double object pronouns, 492
  estar in, 146
  object pronouns with, 362
  past progressive, 491
present subjunctive, 365–366
  past subjunctive versus, 414
  uses, 414
  See also subjunctive
preterite tense
  imperfect versus, 234–236
    used together, 486–487
  irregular verbs, 174–176
    additional forms, 486
  -ir verb patterns, 230–231
  present perfect versus, 328
  regular verbs, 171–172, 484
  special stressed endings, 176
  uses, 234, 235, 486
probarse, 227
professional contexts, fixed
    expressions for, 284
professions and careers, 97, 290
pronouns
  after prepositions, 209–210
  demonstrative, 479
  direct object, 179
  double object, 487–488
  indirect object, 205–206
  subject, 22
pronunciation
  c and **g,** 10n
  g, 387
  stressed vowels, 84, 109
punctuation, decimals with
    numbers, 133

¡Qué... ! + adjective or noun, 97, 98
que
  relative pronoun, 296
  uses, 489–490
querer
  present subjunctive with, 366
  present tense, 112
  preterite and imperfect
    forms, 487
querer que, 366, 393
question words, 50
  qué and **quién/quiénes,** 490
quien/quienes, 490
quisiera + *infinitive,* 284
  uses, 407
quizá/quizás, 406

recomendar, present subjunctive
    with, 366
reflexive pronouns, 140–142
  placement, 140–141
  que, 296
  tú commands with, 332–333
reflexive verbs, 140–142
  additional, 482
  common, 141–142
  with direct object pronouns, 488
  forms, 140
  reciprocal meaning, 483
relative clauses, 494
relative pronouns. *See* **que**
romper, past participle, 490
rules, expressing, 254

saber
irregular **yo** form, 137, 481
preterite and imperfect
forms, 487
uses, 137, 481
salir
conditional tense, 436
future, 418
past participle, 326
present progressive, 336
present tense, 136
subjunctive, 387
tú commands, 301
se
as "catch-all" pronoun, 267
impersonal, 266, 267
with indirect object pronouns, 488
reflexive verbs with, 267, 271
for unplanned events, 271–272
additional verbs, 489
seasons, 13
seguir
preterite tense, 230–231
uses, 337
según, 484
ser
+ **bienvenido/a/os/as,** 316
with adjectives, 144–145
asking where someone is from
(origins), 9, 144
compared to **estar,** 50, 115, 145
conditional tense, 436
formation, 116
future tense, 418
imperfect tense, 201
negative **tú** commands, 302
passive constructions, 490
past subjunctive, 414
present subjunctive, 387
preterite tense, 175
tú commands, 301
two meanings in preterite, 174
uses, 50, 115, 144
location of events, 483
versus **estar,** 337
ser necesario, 366
servir
present tense, 109
preterite tense, 230–231
shortened forms, 38
sí clauses, 439–440
past perfect subjunctive, 498
siempre, 150
sin duda (alguna), 406
speaking strategies
addressing those you do not
know, 317
answering the phone, 108
asking about family members, 102
asking about work, 97
asking at what time events
occur, 66
asking for repetition, 30
asking people how they are, 7
asking someone if they would
like to do something, 253
asking where someone is from
(origins), 9
asking where someone is
going, 38
being sure of something, 406
commenting on things and
complimenting people, 97
congratulating someone, 194
contrary-to-fact situations, 440
conversational "fillers," 96
declining politely, 162
describing relationship status, 453

expressing condolences,
194, 454
expressing opinions, 430
expressing sympathy and
regret, 454
expressing uncertainty, 406
expressing what you do/don't
know, 431
getting someone's attention, 64
giving advice on healthy
living, 349
good-byes, 9, 348
how long you've been doing
something, 380
introductions, 4, 97, 288
inviting someone to do
something, 162
polite expressions, 222, 284
polite invitations, 318
responding to requests, 160–161
saying how great something
is, 220
saying what you think someone
should (not) do, 379
saying you had a good time, 192
super- in casual speech, 480
telephone interactions, 286
terms of endearment, 457
thanking someone, 125, 286
welcoming people, 316
wishing someone good luck, 348
spelling, asking for repetition, 30
spelling-change verbs
in present participle, 336
tú commands, 300
sports, 352–353, 357, 358–359,
360, 362, 370–371
sports, health, and fitness, 350–351
stem, definition, 75
stem-changing verbs
adding **g** in **yo** form, 136, 137
e → **ei,** 112, 481
e → **i,** 108–109, 481
subjunctive, 493
e → **ie,** 112, 481
-**ir** verb patterns, 230–231
o → **ue** type, 83, 478
overview, 112
past subjunctive, 413
common verbs, 496
poder, 83
present tense, 83
in preterite, 175–176
reflexive, 141
stressed and unstressed, 83, 109
tú commands, 300
strategies
background description and
details, 247
brainstorming, 121
brainstorming with a partner, 342
cause and effect, 279
comparing and contrasting, 471
drawing to organize ideas, 155
flow in writing, 448
gathering vocabulary, 186
not translating fixed expressions
literally, 39
online profiles, 58
outlining, 400
persuasive paragraphs, 373
question-asking for richer
narration, 215
supporting details, 311
timelines, 91
using a Spanish-English
dictionary, 424
See also speaking strategies

subject pronouns, 22
omission of, 49
use of written accent marks, 25
subjunctive
commands compared, 367
expressing disbelief and
uncertainty, 390
in adjective clauses, 494
expressing emotion, 494
expressing purpose and
contingency, 393–395
additional expressions, 495
in time clauses, 495
expressing volition,
365–366, 366
additional expressions, 492
irregular verbs, 387
additional verbs, 493
past perfect subjunctive, 496
past subjunctive versus present
subjunctive, 414
present indicative compared,
394–395
present indicative versus, 366
present perfect subjunctive, 493
regular verbs, 365
superlatives, 480
definite articles with, 106
-**ísimio/a,** 480
super- in casual speech, 480

tal vez, 406
telephone
making and answering
calls, 286
phone numbers, 15
telling time, 65
temperature, Fahrenheit and
Celsius, 258
tener
conditional tense, 436
describing hair color and
complexion, 42
expressing age, 36
expressions with, 36, 477
future, 418
past subjunctive, 413
present tense, 22, 112, 136
subjunctive, 387
tú commands, 301
tener que + *inf.,* 112
thanking someone, 125
tí, 209
time
asking at what time events
occur, 66
military time, 65
telling time, 65
time expressions
clauses, 495
expressing *how long,* 380
past, 171
time of day, 65, 72
tomar, present subjunctive, 365
trabajar
past participle, 327
present tense, 75, 78
preterite tense, 171
traer
present progressive, 336
present tense, 136
subjunctive, 387
tú
uses, 22
written accent mark, 25
tú commands, 300–302
making polite invitations, 318
object pronouns with, 332–333

Uds. commands, 305
Ud./Uds. commands, 304–305
making polite invitations, 318
object pronouns with, 333
usar, 225
Ud./Uds. commands, 304
usted(es), uses, 22, 22n

vamos a command forms
infinitive, 491
venir
conditional tense, 436
future, 418
present tense, 136
tú commands, 301
ver
imperfect, 201
negative **tú** commands, 302
past participle, 327
present progressive, 336
preterite, 484
verbs
followed by infinitive, 112
imperfect, 200–202
irregular **yo** forms, 135–137
saber and **conocer,** 481
vestir, preterite tense, 230–231
vivir
future, 418
imperfect, 201
past participle, 327
past subjunctive, 413
present subjunctive, 365
present tense, 75, 78
vocabulary
academic majors, 28
academic subjects, 13
apologies, 222
arts and artists, 409
autobús, 256
campus, 10
carrera, 297
celebrations, 195
cities, 131
clothing, 224, 227
cognates, 13
daily routines, 69–70
days of week, 73
descriptive adjectives, 41, 43
differences among Spanish-
speaking countries, 11
directions, 127
e-mail addresses, 12
family members, 99, 101
family planning, 107
food and meals, 164–166
furniture and appliances, 321
getting someone's attention, 64
greetings, 3
grocery stores, 39
health and medical care, 354
home and furnishings, 320
housework, 322
meal times, 71, 90, 92
movies, theater, and museums,
408–409
music, 93
musical instruments, 411
Nahuatl names of foods, 183
nationalities, 45
nature and the environment,
382–383
parking and *to pull,* 254
parts of the body, 226
personal relationships, 455
pets, 101
professions and careers, 97,
290, 291

548 Index

vocabulary (*Cont.*)
  religious affiliation, 196
  setting the table, 167
  slang terms for nightclubs, 193
  social, economic, and political
    problems, 432–433
  sports, 351, 352, 374, 375
  technology, 293
  telling time, 65
  terms of endearment, 457
  time of day, 72
  travel, 255–256
  welcoming people, 316
  work related, 97, 291, 293,
    308–309, 313
volver, past participle, 490
vos, 22
vosotros/as, 22, 22n
  commands, 302, 333
vowels, 75

weather
  Fahrenheit and Celsius
    temperature
    conversions, 258
  hacer in weather expressions, 258
would, 436
written accents
  demonstrative pronouns, 479
  double object pronouns, 488
  with **-ndo** forms, 492
  object pronouns at end of
    positive commands, 302
  object pronouns attached to
    present participle, 362
  preterite endings, 176
  qué and **quién/quiénes,** 490
  question words, 50
  subject pronouns, 25

-zco, irregular **yo** verbs, 482

CULTURAL TOPICS

addressing those whose names
  you do not know, 317
Arau, Alfonso, 188
Argentina, 35, 88, 90, 115, 120, 122,
  129, 132, 163, 166, 196, 220,
  266, 267, 274, 420, 462
art and artists, 409, 415, 417

Balenciaga, Cristóbal, 230
Bardem, Javier, 74, 233
bares in Spain, 139
Biraben, Gastón, 122
Bolivia, 255, 392, 452
Bollaín, Icíar, 426
Bullock, Sandra, 243–244

Calatrava, Santiago, 295
Canada, 32
Carnaval in Uruguay, 204
La casa en Mango Street
  (Cisneros), 339

celebrations, 195–197, 199, 203,
  204, 212–213
Chávez, Hugo, 232
Chile, 63, 182, 213, 220, 296, 388,
  391, 473
choosing a major, 85
Cisneros, Sandra, 339
clothing sizes and fit, 227
coffee in Nicaragua and El
  Salvador, 81
Colombia, 76, 105, 144, 176, 191,
  213, 360
concept of *suburbs,* 131
constitutional crisis in
  Honduras, 442
conversational "fillers," 96
Costa Rica, 90, 154, 166, 185, 196,
  213, 220, 255, 269, 329,
  389, 393
Cruz, Penélope, 233, 238, 249
Cuba, 93, 240, 467
Beto Cuevas, 296

de la Renta, Oscar, 240
Día de los Muertos, 203
diminutive use, 58
dinnertime, 174
domestic help at home, 111, 325
Dominican Republic, 12, 116, 132,
  220, 221, 240, 255, 274,
  346, 402

ecotourism, 269
Ecuador, 116, 213, 274, 387, 392
El Salvador, 81, 116, 213, 428
employment in Peru, 298
environmental conflicts in Ecuador
  and Bolivia, 392
Eva and Juan Perón, 462

famous Hispanics, 117
Fernández de Kirchner, Cristina, 88
Ferrara, América, 21
film, Argentina, 420
first day of the week, 73
first names, 12
Fonsi, Luis, 217
food markets, 167
fulano, 43

García Bernal, Gael, 74
godparents, 103
González, Fernanda, 353
greetings, 3
grocery stores, 39
Guatemala, 95, 107, 159, 274, 386

Hayek, Selma, 120, 409
healthy living advice, 349
Herrera, Carolina, 230
Honduras, 1, 145, 149, 213, 442
housing for university students, 113

Inca civilization, 461
Inca marriage traditions, 461
instruments, 411

Jornet Burgada, Kilian, 353
Los jóvenes retrasan su
  emancipación (Spain),
  468–469
Juanes, 76

Kuna Yala peoples, 245

last names, 6, 115
Latin American indigenous
  peoples, 435
León de Aranoa, Fernando, 313
Levy, William, 467
Longoria, Eva, 243–244
long weekends, 197
Luna, Diego, 20

«Malas y buenas noticias» (Millán),
  443–444
Malinche and Cortés, 467
maps, flights, 265
Mayan peoples, 200, 202, 386
meal times, 77, 90
menus, 168
Messi, Lionel, 23
Mexico, 20, 27, 74, 77, 90, 104, 120,
  133, 143, 157, 161, 163, 166,
  178, 181, 183–184, 188, 193,
  196, 199, 200, 202, 203,
  213, 219, 220, 266, 267,
  275–276, 295, 331, 344,
  353, 370, 391, 415, 450, 467
movies
  Cautiva, 122
  Como agua para chocolate, 188
  Hermano, 375
  El laberinto del fauno, 60
  Los lunes al sol, 313
  Machuca, 473
  También la lluvia, 426
  Volver, 249
music
  Calle 13 (Puerto Rico), 151, 157
  «Doce meses» (Pacifika), 32
  «Ella tiene fuego» (Cruz y El
    General), 93
  «Loca» (Syntek), 344
  «Me voy» (Venegas), 281
  «No hay nadie como tú» (Calle 13
    con Café Tacuba), 157
  «Ojalá que llueva café»
    (Guerra), 402
  Fito Páez, 115
  Aleks Syntek, 344
  «Tu Amor» (Fonsi), 217
  Julieta Venegas, 104, 281
  «Volver a comenzar» (Café
    Tacuba), 450
muxes in Oaxaca, 465

Nadal, Rafael, 362
names
  first names, 12
  last names (**apellidos**), 6, 115
nationalities, 44, 45
Nicaragua, 81, 185–186, 267

Ortega, Amancio, 239

«¿Padre, hijo o caballo?», 152
Panama, 48, 93, 132, 213, 245
Pani, Mario, 331
Paraguay, 148, 213, 267
Peru, 45, 185, 196, 213, 260,
  260–261, 266, 298, 315,
  329, 357, 391, 397–398
polite expressions, 222, 284
politely declining, 162
La princesa azul (Sánchez),
  421–422
Puerto Rico, 24, 117, 151, 157

quinceañera, 195, 196

Ramírez, Gastón, 353
Rasquín, Marcel, 375
religious affiliation, 196
Rivera, Diego, 415
Roth, Cecilia, 115
Ruta del Tequila, 275–276

same-sex marriage, 463
Sánchez, Ángel, 243–244
Sardina, Adolfo, 240
saying something is great, 220
Shakira, 76, 144
siesta lunch hour, 68
slang words, 41
Slim Helú, Carlos, 295
soccer, 371
southern hemisphere, 13
Spain, 74, 90, 104, 116, 132, 166, 170,
  185, 193, 196, 213, 220, 230,
  239, 249, 252, 256, 266,
  267, 295, 313, 320, 353,
  391, 414, 468–469
Spanish directors, 414
Spanish used as an adjective, 44
status of Puerto Rico, 24
student life, 82
study abroad, 28, 156

Tarahumara runners, 370
Tegucigalpa, 149
telenovelas, 466
Toro, Guillermo del, 60
tortillas, 180

United States, 21, 56, 163, 184, 197,
  423, 471
Uruguay, 124, 204, 267, 353
use of term "immigrant," 28
Ushuala, Argentina, 129, 130

Vargas Llosa, Mario, 45
Venegas, Julieta, 104, 281
Venezuela, 85, 176, 186, 213, 230,
  232, 243, 283, 360, 375,
  388, 412, 415
Vergara, Sofía, 76, 105
Villegas, Camilo, 76

CONÉCTATE

is the result of thousands of hours of research and reviews submitted by today's instructors and students of Introductory Spanish. Thank you!

> *I've read plenty of textbook program descriptions that use the right 'buzzwords' to describe how they were conceived.*

Conéctate's focused approach respects the natural process of language acquisition.

Conéctate takes learning to communicate in Spanish to heart by promoting student engagement and critical thinking. It's manageable enough to allow students to progress in their ability to communicate <u>and</u> understand Hispanic cultures.

— Lance Lee
  Durham Technical
  College

Mc Graw Hill Education

LEARNSMART®

Conéctate uses active learning and a hands-on approach to keep students motivated, engaged, and invested in their learning.

Focusing on what students will learn and use is unique and innovative and allows instructors to focus on communication.

— Julie Kleinhans-Urrutia,
  Austin Community College

GET CONÉCTATE—GET RESULTS!

Introducing *Practice Spanish: Study Abroad*

Practice Spanish: Study Abroad, created exclusively by McGraw-Hill Education, is the first 3-D immersive language game designed to put students' developing language skills to the test through real-world communicative scenarios. Students travel virtually to Colombia, where they problem-solve, communicate, and navigate through a variety of cultural scenarios and adventures in a fictional Colombian town.

Players begin by playing Mini-games—fast-paced games designed to help master the vocabulary and grammar needed to successfully complete the Quest that follows. Whether dragging and dropping words into meaningful sentences, accurately moving cascading words into specified categories, or labeling visual images, the students' goal is to earn as many points as possible in the limited time available. Once completed, they unlock the corresponding Quest and begin the adventure.

Students begin the Quest experience by creating their very own, personalized avatar. Selecting their gender, physical characteristics, and clothing, students are encouraged to enter a world of their own making.

Within each Quest, students are given clear objectives, such as finding a fellow student in the sprawling plaza, assisting a friend in medical need, navigating their local campus, and even solving a series of mysteries incorporating elements of the magical realism that plays such a significant role in Latin American culture and literature. Performance is measured by the ability to complete the tasks successfully while also maximizing achievement across four key variables: money, time spent, well-being, and language mastery. Students can play the game as often as they like- exploring different parts of the city and meeting new people along the way.

Practice Spanish: Study Abroad is accessible online via laptops and tablets through McGraw-Hill Connect or directly through www.mhpractice.com. *Practice Spanish: Mini-games* are optimized for smartphones.

> *This one is different, makes me curious, and makes me want to know more about it.* ""
> — Natalia Jacovkis, Xavier University

Conéctate develops students' critical thinking skills as they explore cultural perspectives and interactions.

Students learn more, faster when they can apply the material to real-life situations. Conéctate and Practice Spanish: Study Abroad mirror what can be a real-life experience.

Ana Vicente
Indiana University Perdue
University Indianapolis

Conéctate is enhanced by Connect Spanish's mobile-friendly platform, giving students and instructors access to stellar resources anytime and from anywhere.

In this modern world with our increased use of technology throughout our lives, I welcome this up-to-date approach that is in-tune with students' needs and desires to improve their learning.

Jorge W. Suazo
University of Southern Georgia

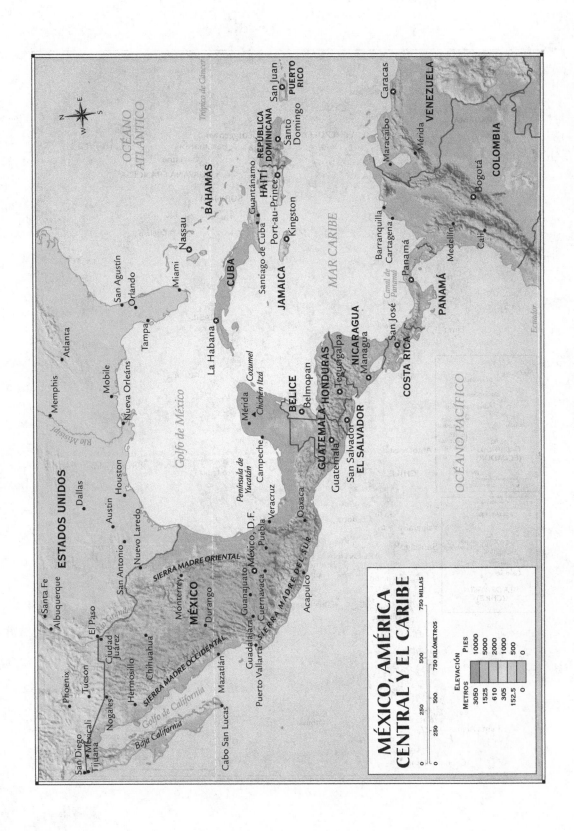

MÉXICO, AMÉRICA CENTRAL Y EL CARIBE

ELEVACIÓN

METROS	PIES
3050	10000
1525	5000
610	2000
305	1000
152.5	500
0	0

0   250   500   750 KILÓMETROS
0   250   500   750 MILLAS

OCÉANO ATLÁNTICO

Trópico de Cáncer

ESTADOS UNIDOS

Santa Fe
Albuquerque
Phoenix
Tucson
Nogales
Mexicali
Tijuana
San Diego
El Paso
Ciudad Juárez
Chihuahua
Hermosillo
Río Grande
SIERRA MADRE OCCIDENTAL
Mazatlán
Cabo San Lucas
Baja California
Golfo de California
Durango
Monterrey
Nuevo Laredo
San Antonio
Austin
Dallas
Houston
MÉXICO
Guadalajara
Puerto Vallarta
Guanajuato
Cuernavaca
México, D.F.
Puebla
Acapulco
SIERRA MADRE DEL SUR
SIERRA MADRE ORIENTAL
Oaxaca
Veracruz
Campeche
Península de Yucatán
Mérida
Cozumel
Chichén Itzá
Golfo de México
Memphis
Atlanta
Mobile
Nueva Orleans
Tampa
Orlando
San Agustín
Miami
Río Misisipí

Nassau
BAHAMAS

CUBA
La Habana
Santiago de Cuba
Guantánamo

HAITÍ
Port-au-Prince
REPÚBLICA DOMINICANA
Santo Domingo

San Juan
PUERTO RICO

JAMAICA
Kingston

MAR CARIBE

BELICE
Belmopan
GUATEMALA
Guatemala
EL SALVADOR
San Salvador
HONDURAS
Tegucigalpa
NICARAGUA
Managua
COSTA RICA
San José
Canal de Panamá
PANAMÁ
Panamá

Barranquilla
Cartagena
Medellín
Maracaibo
Mérida
VENEZUELA
Caracas
Bogotá
Cali
COLOMBIA

OCÉANO PACÍFICO

Ecuador

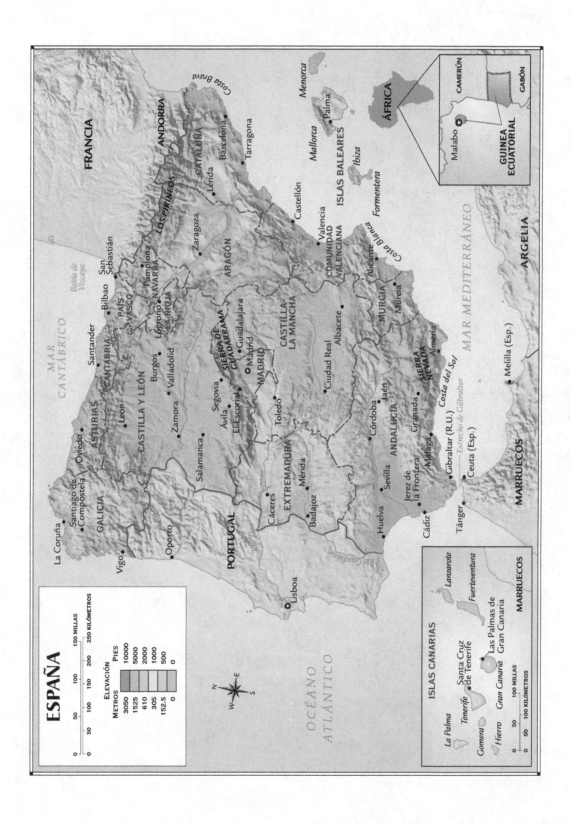

ESPAÑA

ELEVACIÓN
METROS   PIES
3050   10000
1525   5000
610   2000
305   1000
152.5   500
0   0

FRANCIA

ANDORRA

Costa Brava

Menorca

Palma

Mallorca

ISLAS BALEARES

Ibiza

Formentera

CATALUÑA

Barcelona

Tarragona

Lérida

Castellón

Valencia

COMUNIDAD
VALENCIANA

Costa Blanca

Alicante

MAR MEDITERRÁNEO

ARGELIA

MURCIA

Murcia

Almería

SIERRA
NEVADA

Costa del Sol

Melilla (Esp.)

MAR
CANTÁBRICO

Bahía de
Vizcaya

LOS PIRINEOS

San
Sebastián

Zaragoza

Pamplona

NAVARRA

Bilbao

PAÍS
VASCO

LA RIOJA

Logroño

Santander

CANTABRIA

ASTURIAS

Oviedo

Burgos

Valladolid

CASTILLA Y LEÓN

León

Zamora

ARAGÓN

SIERRA DE
GUADARRAMA

Guadalajara

Madrid

MADRID

CASTILLA-
LA MANCHA

Albacete

Ciudad Real

Segovia

Ávila

El Escorial

Toledo

Jaén

Córdoba

Granada

Málaga

ANDALUCÍA

Gibraltar (R.U.)

Estrecho de Gibraltar

Ceuta (Esp.)

MARRUECOS

Tánger

Cádiz

Huelva

Jerez de
la Frontera

Sevilla

Badajoz

Mérida

EXTREMADURA

Cáceres

PORTUGAL

Río Tajo

Río Guadiana

Lisboa

Oporto

Vigo

GALICIA

Santiago de
Compostela

La Coruña

Salamanca

Río Duero

Río Guadalquivir

OCÉANO
ATLÁNTICO

ÁFRICA

CAMERÚN

GABÓN

Malabo

GUINEA
ECUATORIAL

ISLAS CANARIAS

La Palma

Tenerife

Gomera

Hierro

Gran Canaria

Santa Cruz
de Tenerife

Las Palmas de
Gran Canaria

Lanzarote

Fuerteventura

MARRUECOS

0   50   100 MILLAS
0   50   100 KILÓMETROS

0   50   100   150 MILLAS
0   50   100   150   200   250 KILÓMETROS

N   E
W   S

Credits

i. Front Matter: *Chapter from Conéctate: Introductory Spanish by Goodall, Lear, 2016* 1

ii. Preface: *Chapter from Conéctate: Introductory Spanish by Goodall, Lear, 2016* 30

1. ¡Estás en tu casa!: *Chapter 11 from Conéctate: Introductory Spanish by Goodall, Lear, 2016* 41

2. El deporte y el bienestar: *Chapter 12 from Conéctate: Introductory Spanish by Goodall, Lear, 2016* 72

3. La naturaleza y el medio ambiente: *Chapter 13 from Conéctate: Introductory Spanish by Goodall, Lear, 2016* 103

4. La cultura y la diversión: *Chapter 14 from Conéctate: Introductory Spanish by Goodall, Lear, 2016* 130

5. Si la vida fuera diferente…: *Chapter 15 from Conéctate: Introductory Spanish by Goodall, Lear, 2016* 154

6. La amistad y el amor: *Chapter 16 from Conéctate: Introductory Spanish by Goodall, Lear, 2016* 178

A. Para saber más: *Chapter from Conéctate: Introductory Spanish by Goodall, Lear, 2016* 202

B. Appendix: Verb charts: *Chapter 1 from Conéctate: Introductory Spanish by Goodall, Lear, 2016* 225

C. Vocabulario: *Chapter from Conéctate: Introductory Spanish by Goodall, Lear, 2016* 233

D. Credit: *Chapter from Conéctate: Introductory Spanish by Goodall, Lear, 2016* 262

E. Index: *Chapter from Conéctate: Introductory Spanish by Goodall, Lear, 2016* 265

F. Endsheets: *Chapter from Conéctate: Introductory Spanish by Goodall, Lear, 2016* 269

Online Supplements 275

Connect with LearnSmart (with WBLM) 18-Week Online Access for Conectate: Introductory Spanish: *Media by Goodall* 276

Access Code for the Online Supplements 277

Credits

i. Front Matter: Chapter from Conéctate: Introductory Spanish by Goodall, Lear, 2016 1
ii. Preface: Chapter from Conéctate: Introductory Spanish by Goodall, Lear, 2016 30
1. ¡Estás en tu casa!: Chapter 11 from Conéctate: Introductory Spanish by Goodall, Lear, 2016 41
2. El deporte y el bienestar: Chapter 12 from Conéctate: Introductory Spanish by Goodall, Lear, 2016 72
3. La naturaleza y el medio ambiente: Chapter 13 from Conéctate: Introductory Spanish by Goodall, Lear, 2016 103
4. La cultura y la diversión: Chapter 14 from Conéctate: Introductory Spanish by Goodall, Lear, 2016 129
5. Si la vida fuera diferente...: Chapter 15 from Conéctate: Introductory Spanish by Goodall, Lear, 2016 154
6. La amistad y el amor: Chapter 16 from Conéctate: Introductory Spanish by Goodall, Lear, 2016 178
A. Para saber más: Chapter from Conéctate: Introductory Spanish by Goodall, Lear, 2016 207
B. Appendix: Verb charts: Chapter 1 from Conéctate: Introductory Spanish by Goodall, Lear, 2016 225
C. Vocabulario: Chapter from Conéctate: Introductory Spanish by Goodall, Lear, 2016 233
D. Credit: Chapter from Conéctate: Introductory Spanish by Goodall, Lear, 2016 262
E. Index: Chapter from Conéctate: Introductory Spanish by Goodall, Lear, 2016 265
F. Endsheets: Chapter from Conéctate: Introductory Spanish by Goodall, Lear, 2016 269

Online Supplements 275

Connect with LearnSmart (with WBLM) 18-Week Online Access for Conéctate: Introductory Spanish Media by Goodall 276

Access Code for the Online Supplements 277